国家社科基金艺术学重大项目（批准号21ZD16）阶段性成果『比较视野下中国科幻电影工业与美学研究』

流衍宇宙

中国科幻电影的工业与美学研究

黄鸣奋——著

科学出版社

北京

内 容 简 介

"流衍宇宙"首先是指科幻创意通过工业化制造出强大的意义链，让人们因此开阔眼界，甚至相信真的存在各种相对于现实世界的另类世界；其次是指科幻创意引领工业化本身，让人们通过所能运用的各种最新技术营造有别于现实世界的虚拟世界；最后是指科幻创意通过引领想象力消费提高公民的创新素质，并且丰富了美学理论。

本书应用作者自创的理论框架对何为"中国的科幻电影"、科幻电影具备哪些工业属性和美学属性、国产科幻电影如何实现高质量发展等问题加以探讨，适合电影工作者、电影爱好者、电影研究者以及文艺学、传播学、电影学等专业的师生阅读。

图书在版编目（CIP）数据

流衍宇宙：中国科幻电影的工业与美学研究 / 黄鸣奋著. —北京：科学出版社，2023.3
　ISBN 978-7-03-074299-5

Ⅰ.①流… Ⅱ.①黄… Ⅲ.① 幻想片-研究-中国 Ⅳ.①J974.5

中国版本图书馆 CIP 数据核字（2022）第 240854 号

责任编辑：杜长清 / 责任校对：王晓茜
责任印制：李　彤 / 封面设计：润一文化

科 学 出 版 社 出版
北京东黄城根北街 16 号
邮政编码：100717
http://www.sciencep.com
北京建宏印刷有限公司 印刷
科学出版社发行　各地新华书店经销
*
2023 年 3 月第 一 版　　开本：720×1000　1/16
2023 年 3 月第一次印刷　　印张：18 3/4
字数：312 000
定价：**99.00 元**
（如有印装质量问题，我社负责调换）

目　　录

绪论　中国科幻电影研究的进程

中国科幻电影已经走过了近百年的历程，有起有落，百折不挠，如今正在科普信息化提升工程的格局中成为国产电影高质量发展的重要增长点和新动能，相关研究（含评论，下同）也因此迎来新的发展机遇。中国科幻电影研究不仅是指对国产科幻片的研究，而且包括以中国为主体、以世界各国科幻电影为对象的研究，还包括以科幻电影为切入点、对中国社会和文化进行的研究。就此而言，它在西学东渐的激励下兴起，在全球化与逆全球化的博弈中前行，逐渐融入构建中国电影学派的历史进程，为建设人类命运共同体鼓与呼。正如科幻电影可以从未来科技等角度展示中国形象那样，中国科幻电影研究也可以在理论探索与知识普及等方面为提高全民科学素质做出贡献。本书正是为此而写作的。下文主要分析中国科幻电影研究的演进、意义与宗旨。

一、历史的回溯：中国科幻电影研究的演进

人们通常认为科幻电影始于法国梅里爱（G. Méliès）拍摄的《月球旅行记》（*Le voyage dans la lune*，1902）。实际上，早在 19 世纪末，法国、英国等就出现了一些具备科幻意味的短片。从那时算起，100 多年来，世界各国已经拍摄了数以万计的科幻电影。根据 2021 年 1 月 25 日的检索，互联网电影资料库（Internet Movie Database，IMDb）收有科幻长片 14 373 部，科幻短片 24 596 部。科幻电影也已经成为学术界的重要研究对象。根据同日的检索，哈佛大学图书馆收有以 Science Fiction Film 为题的书籍 764 种，文章 1518 篇，学位论文 21 篇；以 Science Fiction Movie 为题的书籍 109 种，文章 168 篇，学位论文 1 篇。主要内容有如下 9 个方面：介绍创作团队，引导观众观影，分析行业动向，追踪媒体技术，阐释作品内容，概括风格样态，探索艺术技巧，解剖环境因素，描绘历史发展。

人们通常认为我国科幻电影始于新华影业公司拍摄的《六十年后上海滩》，将它上映的 1938 年当成"中国科幻电影元年"。实际上，在此之前，开心影业公司已经出品了《隐身衣》（1925）。中华人民共和国成立后，陆续有上海电影制片厂出品的《人兽之间》（1950）、北京电影制片厂出品的《十三陵水库畅想曲》（1958）、上海科学教育电影制片厂出品

的《小太阳》（1963）等作品问世。不过，当时我国科幻片的数量很少，未引起学术界的重视。据中国知网 2021 年 1 月 25 日中文文献检索数据（下同），我国的科幻电影研究是从改革开放之后起步的。

（一）新时期科幻电影研究（1978 年 12 月—1999 年 12 月）

改革开放以来，我国电影界努力跟上时代的步伐，放飞想象，拍摄了《珊瑚岛上的死光》（1980）、《错位》（1986）、《异想天开》（1986）、《男人的世界》（1987）、《合成人》（1988）、《霹雳贝贝》（1988）、《魔表》（1990）、《凶宅美人头》（1989）、《大气层消失》（1990）、《隐身博士》（1991）、《毒吻》（1992）等科幻片。但是，1993 年之后，由于面临进口科幻大片的挤压，加上电影界尚未适应向市场经济转型的形势等原因，我国科幻电影一度进入低谷期。

在中国知网所收文献中，这一时期以"科幻电影"为标题的论文络绎出现，1980 年、1986 年、1987 年、1990 年、1991 年、1995 年、1999 年各有 1 篇，1988 年有 2 篇，1994 年、1998 年各 3 篇，其他年度无。以"科幻片"为标题的文献星星点点，1993 年有 3 篇，1994 年、1995 年、1997 年各有 1 篇，其他年度无。以"科幻影视"为标题的文献有 1 篇（1994 年）。若以"科幻片""科幻电影""科幻影视"为关键词进行全文检索，可以找到更多文献。在上述文献的作者中，瀚波主要介绍了《星球大战》（*Star Wars*，1977）的社会反响[1]，肖梅率先对科幻电影的特点进行了探讨[2]，汇山[3]、秦燕[4]等关注了科幻电影在西方的流行。中国电影艺术研究中心沈东在 1992 年率先以论文《论科幻电影的剧作模式》获得硕士学位。

在惊叹西方科幻电影趋热的同时，人们为中国科幻电影之"凉"而遗憾。例如，林明华针对中国缺少科幻电影的问题撰写了专文。[5]王永强[6]、远影[7]、朱立新[8]、廖小安[9]等也发表了类似的文章。

---

[1] 瀚波：《西方科幻电影与当前的"银河热"》，《电影艺术译丛》1978 年第 00 期，第 273—287 页。

[2] 肖梅：《幻想——科幻电影的灵魂》，《电影艺术》1980 年第 11 期，第 34—36 页。

[3] 汇山：《西方不惜重金用电脑拍科幻片》，《电影艺术译丛》1980 年第 3 期，第 169 页。

[4] 秦燕：《科幻片在世界市场吃香 宇宙奥秘成电影新题材》，《电影评介》1986 年第 3 期，第 29 页。

[5] 林明华：《科幻片不该被遗忘》，《当代电视》1988 年第 5 期，第 25 页。

[6] 王永强：《被银幕遗忘的科幻片》，《电影评介》1988 年第 12 期，第 8 页。

[7] 远影：《你在哪里 中国科幻片》，《电影评介》1990 年第 8 期，第 1 页。

[8] 朱立新：《遗忘的空白——对科幻电影的呼唤》，《电影新作》1991 年第 2 期，第 63 页。

[9] 廖小安：《科幻片的悲哀》，《电影评介》1991 年第 9 期，第 13 页。

这一时期出版了一些介绍世界科幻电影的书籍，如陈钰鹏翻译的黑尔曼（C. Hellmann）的《世界科幻电影史》（中国电影出版社，1988），林阿绵等编著的《外国少儿科幻电影故事集》（中国少年儿童出版社，1992）等。

（二）21 世纪科幻电影研究（2000 年 1 月—2017 年 9 月）

2008 年之前，中国科幻电影仍处于低谷期，科幻电影研究同样被冷落。根据对中国知网的检索，以"科幻电影"为题名的文献，2002 年为 2 篇，2003 年无，2004 年为 2 篇，2005 年为 6 篇，2006 年为 5 篇，2007 年为 10 篇，2008 年为 16 篇；以"科幻片"为题名的文献数量也不多，2003 年、2004 年、2006 年、2007 年都是 1 篇，2001 年、2005 年、2008 年都是 2 篇，2000 年、2002 年无；以"科幻影视"为题名的文献，2008 年有 1 篇。这些论文主要是分析国外科幻电影的。不过，在这一阶段，中国知网所收文献中出现了第一篇将"中国科幻电影"作为标题的文章，作者为宋法刚。文中将在中国难觅科幻片的原因归结为四点：教育体制导致的电影创作者想象力的匮乏；中国历史强调艺术服务现实的职责，未曾给科幻片提供良好的生长土壤；"怪力乱神"的传统思想和"科技至上"的现代定位妨碍了人们对科技的深入反思；不能熟练地掌握和应用科幻片所需要的技术元素，在高投入高风险的生产机制中，不敢贸然进行尝试。[1]相比之下，科幻作家、评论家郑军比较乐观，他在 2008 年预计十年之内中国会有一波科幻影视高峰。[2]这一时段受关注的影片主要是陈正道执导的《记忆大师》（2017），上映当年，中国知网所收期刊就登载了 8 篇评论。

这一时期，出版了一些介绍世界科幻电影的书籍，如魏玓翻译的《科幻电影奇航》（书林出版有限公司，2003），华典艺术编辑室编著的《世界科幻电影》（九州出版社，2003），等等。

2009 年之后，中国电影界逐渐适应了开放化、市场化、数字化的大环境。2015 年，刘慈欣的科幻小说《三体》在国际上获雨果奖，使科幻在我国升温，科幻电影逐渐达到年产百部左右的规模（主要是网络科幻电影）。同时，业界对它的兴趣越来越浓，其投资规模越来越可观，影片数量增加，相关研究也跟了上来。

根据对中国知网的检索，以"科幻电影"为题名的文献，2009 年为 9 篇，2010 年为 10 篇，2011 年为 13 篇，2012 年为 21 篇，2013 年为 33

① 宋法刚：《论中国科幻电影的缺失》，《电影文学》2007 年第 19 期，第 23—24 页。
② 郑军：《换一副乐观的眼镜吧——回顾大陆科幻影视》，《西部广播电视》2008 年第 1 期，第 60—61 页。

篇，2014 年为 32 篇，2015 年为 10 篇，2016 年为 9 篇；以"科幻片"为题名的文献，2009 年为 2 篇，2010 年为 3 篇，2011 年为 5 篇，2012 年为 3 篇，2013 年为 15 篇，2014 年为 10 篇，2015 年为 44 篇，2016 年为 60 篇；以"科幻影视"为题名的文献，2009 年、2011 年、2012 年、2013 年、2014 年、2015 年各有 1 篇。这些文献以研究国外科幻电影为主，以研究国产科幻电影为辅。值得一提的是，王一鸣等[①]、盘剑[②]、原文泰[③]率先用比较的方法对中国科幻电影进行了研究。

这一时期，一些有关科幻电影赏析的书籍相继出版，如《飞向太空丛书》编委会编纂的《星际之门——太空探险科幻电影赏析》（世界图书出版公司，2009）等。林韬等的著作《科幻电影启示录》（世界图书出版公司，2013）以 7 部经典科幻片作为分析模本，详细阐释并探讨了科幻电影的制作规律与审美特点。类似的著作有西夏的《外星人的手指有多长》（四川科学技术出版社，2016）等。科普与科幻双栖作家萧星寒的《光影中的科学秘密——生命的奇迹》（人民邮电出版社，2013）从科学的角度解析了 30 部国外科幻电影。类似的著作有《江晓原科幻电影指南》（上海交通大学出版社，2015）等。甘凌翻译了惠亭顿（W. Whittington）的著作《声音设计与科幻电影》（中国电影出版社，2010），王小亮翻译了施奈德（S. J. Schneider）主编的《有生之年非看不可的 101 部科幻电影》（中央编译出版社，2013），夏彤翻译了邓肯（J. Duncan）的著作《温斯顿特效》（世界图书出版公司，2014）和约翰斯顿（K. M. Johnston）的著作《科幻电影导论》（世界图书出版公司，2016），谢冰冰翻译了格兰特（R. Grant）的著作《科幻电影写作》（世界图书出版公司，2015），哈迷疯子翻译了马洛里（M. Mallory）的著作《科幻影视大事记》（人民邮电出版社，2016），等等。

这一时期，还出版了若干和科幻电影有关的小说、剧本。例如，姚海军主编的《经典的真身——最佳科幻电影蓝本小说选》（四川科学技术出版社，2011）收录了 14 部优秀科幻电影的蓝本小说，题材涵盖太空探索、时间旅行、人工智能、记忆移植等。黄伟健出版了赛尔号大电影科幻传奇剧本《机械星球》《救世传说》（安徽少年儿童出版社，2011）。

在这一时期，郑军等的《光影两万里：世界科幻影视简史》（百花文

---

① 王一鸣、黄雯、曾国屏：《中美科幻电影数量比较及对我国科幻电影发展的几点思考》，《科普研究》2011 年第 1 期，第 27—32、57 页。

② 盘剑：《国产科幻片阙如与中国电影发展之"坎"》，《电影新作》2013 年第 6 期，第 34—41 页。

③ 原文泰：《全球本土化视野下国产科幻电影的发展》，《电影文学》2016 年第 17 期，第 4—7 页。

艺出版社，2012）值得重视。它是第一本由中国人撰写的科幻电影史。此外，萧星寒的著作《光明的右手：世界科幻电影反派集中营》（百花文艺出版社，2012）是对反面角色的分类研究。

（三）新时代科幻电影研究（2017 年 10 月—2020 年）

经过多年的蓄势，我国科幻电影终于在 2019 年春节作为贺岁片取得重大突破，《流浪地球》《疯狂的外星人》成为标志性成果。

与此相适应，我国科幻电影研究显著升温。根据对中国知网的检索，以"科幻电影"为题名的文献，2017 年为 55 篇，2018 年为 89 篇，2019 年为 171 篇，2020 年为 109 篇；标题含"科幻片"的文献 2017 年为 10 篇，2018 年为 6 篇，2019 年为 23 篇，2020 年为 18 篇；标题含"科幻影视"的文献，2017 年为 3 篇，2018 年为 1 篇，2019 年猛增至 17 篇，2020 年为 24 篇。虽然这些论文仍以评析国外科幻电影为主，但有关国产科幻电影的专题论文显著增多。2017—2020 年，以"中国科幻电影"为题名的有 93 篇，以"我国科幻电影"为题名的有 13 篇，以"中国科幻类型片"为题名的有 1 篇，以"中国科幻影视"为题名的有 5 篇，以"我国科幻小说影视改编""华莱坞科幻电影"为题名的各有 1 篇。不在题目特别标明、但内容涉及国产科幻电影的论文数量更多。新时代引起学术界关注的国产科幻影片主要是郭帆执导的《流浪地球》。在它上映的 2019 年，中国知网所收标题包含"流浪地球"的文献多达 300 篇（其中期刊论文 243 篇），在正文中述及《流浪地球》的文献数量多达 1375 篇。

从国产科幻电影研究的角度看，这一时期既有科幻作家乐观的预言[1]，又有学者基于调查研究的结论。李佳等指出："新时代科幻文学异军突起，迎来了蓬勃发展的历史机遇。科幻影视创作的局部突破与全民体验在一定程度上激发了大众的热情参与，吸引了众多资本的深度介入，中国科幻影视产业化迈出了坚实的步伐。"[2]郭冰蕾[3]、郝倩倩[4]、宋维才[5]、王

① 刘慈欣：《未来五到十年中国科幻影视将迎来黄金时代》，《廉政瞭望（上半月）》2018 年第 11 期，第 15 页。
② 李佳、李维、彭彦录：《新时代中国科幻影视产业化发展蠡测》，《齐齐哈尔大学学报（哲学社会科学版）》2019 年第 10 期，第 128—132 页。
③ 郭冰蕾：《中国内地科幻电影类型化发展历程探索》，《河南社会科学》2019 年第 4 期，第 93—97 页。
④ 郝倩倩：《我国科幻电影的发展现状及建议》，《学会》2019 年第 3 期，第 50—52、60 页。
⑤ 宋维才：《创作、舆情与票房奇迹——从〈流浪地球〉看中国科幻片的发展》，《中国电影市场》2019 年第 4 期，第 14—16 页。

曼①、王姝②、杨飞③、周溪琳④、杜媛媛⑤、娄胡恩⑥、张嘉琛⑦、马恩扉页等⑧、张卫等⑨众多学者撰写了有关国产科幻电影的论文。2021 年，又有不少新作问世，如金韶和刘蕊宁的论文等。⑩

近年来，陈旭光倡导的电影工业美学在学术界产生了巨大影响，其成果具备重要理论价值。他主要依托的是体制内有亮眼表现的新力量导演的艺术实践。有不少学者回应了这一议题，向勇以"后'电影工业美学'"为题论述了中国电影新时代的概念性图式。⑪白晓晴将视线投到体制外的科幻短视频，在抖音平台采集《流浪地球》参与式视频并展开内容分析，可以作为电影工业美学的补充，亦可视为后工业时代电影美学的例证。⑫朔方等编著的《〈流浪地球〉电影制作手记》（人民交通出版社，2019）是来自业界不可多得的文献。

这一时期，出现了以"科幻电影"为题的博士论文，如吉林大学王博的论文《好莱坞科幻电影的审美构成》（李志宏指导，2018）、四川大学王卓尔的论文《科幻电影中的"异类"角色研究》（郝洪指导，2020）等。

这一时期有新的译作问世，如李家璇所译萨瑟兰（D. Sutherland）的著作《电影必修课 5：科幻片》（书林出版有限公司，2018），钟沛君所译艾德华斯（R. Edwards）等的著作《科幻电影的预言与真实》（方言文化出版事业有限公司，2018），等等。

---

① 王曼：《中外科幻电影发展现状》，《四川戏剧》2019 年第 10 期，第 31—37、42 页。
② 王姝：《国产科幻电影发展亟须新生态助力》，《中国新闻出版广电报》2019 年 12 月 4 日。
③ 杨飞：《中国科幻电影何去何从——由〈上海堡垒〉看我国科幻电影的创作》，《艺术评鉴》2019 年第 22 期，第 161—162 页。
④ 周溪琳：《浅析中国科幻电影的制作技术与发展》，《中国传媒科技》2019 年第 2 期，第 87—89 页。
⑤ 杜媛媛：《中国电影类型化之科幻片的思考和发展》，《今传媒》2020 年第 2 期，第 86—87 页。
⑥ 娄胡恩：《从科学普及到中国特色——本土科幻电影的发展与流变研究》，《艺苑》2020 年第 3 期，第 29—30 页。
⑦ 张嘉琛：《"下一站"当科学遇上电影——从自然辩证法看中国科幻电影发展》，《卫星电视与宽带多媒体》2020 年第 2 期，第 174—176 页。
⑧ 马恩扉页、陈吉：《新中国成立以来国产科幻电影的困境和发展》，《电影文学》2020 年第 19 期，第 34—38 页。
⑨ 张卫、张瑶：《中国科幻片的前行痕迹与未来发展》，《电影艺术》2020 年第 4 期，第 144—148 页。
⑩ 金韶、刘蕊宁：《中国科幻电影国际传播策略研究》，《传媒》2021 年第 5 期，第 52—55 页。
⑪ 向勇：《后"电影工业美学"：中国电影新时代的概念性图式》，《艺术评论》2019 年第 7 期，第 16—24 页。
⑫ 白晓晴：《短视频平台中科幻电影的文化参与机制研究》，《当代电影》2021 年第 1 期，第 154—159 页。

这一时期的科幻电影赏析类书籍为数不少，如《飞向太空丛书》编委会编纂的《星际之门——太空探险科幻电影赏析》，电子骑士的著作《银河系科幻电影指南》（世界图书出版公司，2017），赵英男的著作《美国科幻电影赏析教程》（清华大学出版社，2019）等。

科幻电影研究专著陆续出现，构成了本时期的亮点。它们包括胡雪的著作《影像隐喻与"自然"的重构——二十世纪七十年代以来美国赛博格科幻电影文化研究》（新华出版社，2017），冯志刚的著作《明日的王者人工智能：科幻电影中的信息科技》（科学出版社，2019），王麟的著作《异域空间的神秘使者：科幻电影中的奇异生命》（科学出版社，2019），杨吉的著作《弗兰肯斯坦的阴影——科幻电影套路》（知识产权出版社，2019），等等。笔者所著"科幻电影创意研究系列"《危机叙事》（2019）、《后人类伦理》（2019）、《黑镜定位》（2020）由中国电影出版社出版，三卷共201万字。

历史的回顾表明，我国科幻电影研究的高峰与科幻电影创作的高峰是大体一致的，后者又与有关科幻的整体舆情相一致。科幻舆情既受制于主流意识形态对科幻的态度，又受制于应试教育允许的科幻发展空间。至今为止，虽然有1999年全国高考作文以"假如记忆可以移植"为题、2017年刘慈欣的科幻小说《带上她的眼睛》入选人教版初一（下）语文课本、2018年四川高考（全国卷Ⅲ）语文科目考试节选刘慈欣的小说《微纪元》作为阅读材料等零星报道，近年来吴岩、李洋等科幻作家也致力于推动"科幻进校园"，但科幻在整体上是与主流中小学教育脱节的，在职业教育与高等教育体系中也不怎么受重视。我国学术界关注的科幻电影主要是院线形态，网络科幻片未获得应有的关注。近年来，科幻电影研究虽然有所升温，但所援引的理论依据主要来自西方，独创性观点还比较缺乏。这种情况亟待改变。

二、现实的探索：中国科幻电影研究的意义

如果说科幻电影引导人们放飞想象力、从现实世界进入幻想世界，那么科幻电影评论和研究则引导人们从幻想世界回归现实世界，增进理智性。后者的意义主要是通过揭示科技奥妙、增进文化自觉、丰富艺术感受表现出来的。

（一）揭示科技奥妙

科幻电影以"科"（科学、科技）命名，具备普及知识的作用。尽管如此，具体影片通常以紧凑的节奏叙事，对涉及的科学知识语焉不详，因此有待于相关评论或研究予以补充、阐发。前述萧星寒、江晓原的著作正是如此。他们的写法都是专论，从不同学科的角度评述了科幻片。

通过科幻电影研究所普及的科学知识，首先是就自然科学而言的。例如，陈柯宇阐释了《流浪地球》涉及的自然科学知识，包括太阳的一生与氦闪、比邻星三体系统与宜居行星搜寻、重聚变、将地球推出太阳系的正确方式探讨及能量计算、旋转的太空站、引力弹弓、洛希极限、木星引力剧增的猜想、引爆木星的原理及产生的动能、2500 年后的人类、流浪地球可行性等。①从理论上说，科幻电影研究也可用于普及社会科学。不过，常见的做法却是将社会科学当成参照系，以之分析具体影片。例如，张洪友从神话学的角度解析了好莱坞科幻电影，着眼点是高科技宇宙图景与传统神话意象的融合。②陈亦水从空间政治美学的角度评析了《流浪地球》，认为该片"以其对于宇宙空间的技术美学呈现、中国拯救地球的科技想象、中国土地文明的空间观念与本土科幻观的清晰表达，从此开启了'中国科幻元年'"③。还有些论文从思维科学的角度进行分析，如陈亦水揭示了中国电影科幻空间的科玄思维模式④，齐伟等探讨了中国科幻电影创制中的工业思维与价值表达⑤，段荣娟等致力于模拟语境下多模态隐喻的哲学思维诠释⑥，等等。

科幻电影研究也可能着眼于涉及的技术。例如，李杰等采访了《流浪地球》制作宇航服、外骨骼服装、枪械、点火石、休眠舱、气囊球等的工业设计小分队，通过对话为其特效揭秘。⑦李石对 21 世纪几部重要的科幻电影的文本进行解析发现，它们对后人类景观的呈现经历了从"抵抗技

① 陈柯宇：《浅谈〈流浪地球〉的科学知识》，《科技风》2019 年第 13 期，第 236—238 页。
② 张洪友：《好莱坞科幻电影的神话学纲领——约瑟夫·坎贝尔"现代神话观"及其文化意义》，《电影文学》2018 年第 22 期，第 43—47 页。
③ 陈亦水：《开启"中国科幻元年"的方式：〈流浪地球〉的空间政治美学与中国科幻观表达》，《电影新作》2019 年第 2 期，第 97—102 页。
④ 陈亦水：《尾巴的耻辱：中国电影科幻空间的科玄思维模式与身份困境》，《北京电影学院学报》2015 年第 6 期，第 109—116 页。
⑤ 齐伟、张红斐：《〈流浪地球〉：中国科幻电影创制中的工业思维与价值表达》，《电影评介》2019 年第 9 期，第 24—28 页。
⑥ 段荣娟、李鑫：《模拟语境下多模态隐喻的哲学思维诠释——以科幻电影〈流浪地球〉为例》，《科学技术哲学研究》2019 年第 4 期，第 113—118 页。
⑦ 李杰、李叶：《物理特效 科幻电影的硬核——探访〈流浪地球〉幕后的工业设计小分队》，《设计》2019 年第 6 期，第 32—49 页。

术"到"沉浸技术"的价值立场变化，逐渐形成了一种新的欲望投射。①在将视野的焦点定位于技术时，科幻电影研究者不仅关注形而下层面，而且关注形而上层面。例如，李岩认为，"在 21 世纪早期的科技背景和影像叙事下，后代与造物、生命与机器、主体与客体以及虚拟与现实之间这四重人本主义规范性叙事的边界，均发生了至关重要的崩溃"②。因此，他以技术飞升导致本体论重构为意脉，在新技术革命景观社会的进托邦（Protobia）叙事下，探究其结构性弃民的隐喻、造物背叛的焦虑、技术失控的母题、成为神祇的渴望，以及新型生命的可能。

显而易见，科幻电影研究无法回避对科技的态度问题，既要促进科技普及，又要防止科技崇拜，这是看似矛盾、实为辩证的要求。为此，科幻电影研究者需要不断地对自身的科技观加以反思。

（二）增进文化自觉

科幻电影并非一般意义上的科普，而是对科普的提升。对此，可以从以下角度加以把握：①广度。科幻电影之"科"不仅是指科学原理或科技发明，还指科技风云。因此，科幻电影研究可以在非常广阔的范围内进行。②高度。科幻电影研究可以选取比科普更高的站位，即文化。"文化"本身是一个多义词，我们将它理解为与特定人类群体相适应的知识体系和精神氛围。在文化学的视野中，科学只是人类知识体系众多子系统之一。神话、哲学、宗教等领域的知识不属于科学（或者说无法用科学的方法予以证实或证伪），却可以成为科幻电影研究的参照系选项。③深度。科幻电影研究可以依据理性、良知、生态等对科技加以审视与反思，增进文化自觉。正如习近平所指出的："科技是发展的利器，也可能成为风险的源头。要前瞻研判科技发展带来的规则冲突、社会风险、伦理挑战，完善相关法律法规、伦理审查规则及监管框架。要深度参与全球科技治理，贡献中国智慧，塑造科技向善的文化理念，让科技更好增进人类福祉，让中国科技为推动构建人类命运共同体作出更大贡献！"③

在我国，从文化的角度对科幻电影进行寻根究底的考察，大约是从21 世纪开始的。例如，桑大鹏通过将美国科幻片与人类远古神话相比较

---

① 李石：《从抵抗技术到沉浸技术——身体美学在科幻电影中的渗透与变异》，《美育学刊》2021 年第 4 期，第 92—100 页。

② 李岩：《技术飞升——科幻电影中的本体论重构》，《当代电影》2020 年第 8 期，第 46—51 页。

③ 习近平：《在中国科学院第二十次院士大会、中国工程院第十五次院士大会、中国科协第十次全国代表大会上的讲话》，2021 年 5 月 28 日，http://www.gov.cn/gongbao/content/2021/content_5616154.htm。

的方式，论证了以工具理性为核心而创造的资本主义文化符号系统乃是美国科幻片赖以生成的语境，并进一步探讨了工具理性依据其固有的逻辑道路在人性、人与生态环境的关系、人与自然等层面显示的怀疑与追问的倾向。① 陈旭从"英雄"视角分析了中国武侠电影与美国科幻电影的文化差异。② 要说我国科幻电影成为学术界从文化角度解析的热点，那是 2019 年春节《流浪地球》上映之后的事情。例如，余舒曼指出，《流浪地球》的剧情一反好莱坞科幻电影以美国人拯救世界为结局的方式，"正面凸显了中国人英勇无畏、永不服输等精神，呈现并传递了中国文化、中国精神"③。又如，闫玉华等将《流浪地球》、《复仇者联盟》（The Avengers）系列电影作为中美科幻电影的代表作加以比较，通过对两部电影中的背景设置、情节发展、人物性格的分析来具体阐述主导中美两国的核心文化价值观，即个人主义和集体主义在影片中的呈现。④

尽管有许多人认为《流浪地球》是代表我国科幻电影最高水平的杰作，但它在豆瓣网上所获得的评分仅有 7.9，远低于众多进口科幻大片。上述现象既可以说明我国在科幻电影生产方面和世界尖端水平相比确实还存在不小的差距，也可以说明人们习惯用由进口科幻大片标准化的模式看待科幻电影，因而给《流浪地球》打了低分。无论如何，我国科幻电影的发展任重道远。正如李晓已指出的，"就创作者而言，要对中国科幻电影保持足够的好奇与热情，要勇于接受新事物，要有丰富的想象力，要提高科幻方面的专业知识和科幻素养，学会用电影语言来表现自己的科幻构思，在文化自觉与文化自信的高度建构下创作出真正能够吸引中国大众的科幻好片、科幻大片，发挥中国文化的优势，讲好中国科幻故事。中国大众要有足够的耐心去包容中国科幻电影的不足，要给予一定的鼓励和支持，理性客观地评价和看待中国科幻电影，将自己的见解和审美与更多的人分享，使中国科幻电影的受众增多；同时，要不断提高自身素质，用发

---

① 桑大鹏：《试论美国科幻片赖以生成的文化语境》，《鄂州大学学报》2001 年第 3 期，第 55—57 页。

② 陈旭：《从"英雄"视角解析中国武侠电影与美国科幻电影的文化差异》，《今日科苑》2007 年第 10 期，第 71 页。

③ 余舒曼：《从〈流浪地球〉看中华文化形象的重构与发扬》，《传播力研究》2019 年第 6 期，第 3 页。

④ 闫玉华、余佳颖、呼锦薇等：《中美科幻电影中体现的核心文化价值观比较研究——以〈流浪地球〉与〈复仇者联盟〉系列为例》，《中华手工》2021 年第 3 期，第 85—86 页。

展的眼光看待中国科幻电影"①。高纬时进一步指出："中国科幻电影应该是一个真正能表达中国文化内核和精神内核的载体。它应该是具有独特的中国文化意义的电影。"②

对我国科幻电影研究而言，文化自觉至少包含如下三种含义：①充分肯定中国古代文化包含相当丰富的科技观念和科技实践，并认识到这些观念和实践对当下国产科幻电影的启迪作用。②深入探讨中国近代史上导致科技落后的文化根源问题，批判封建伦理、封建迷信等消极因素对中国近代科技的发展造成的阻碍，在中西方比较的语境中认识国产科幻电影肩负的科普使命。③高度关注新中国在科技现代化进程中取得的科技成就，瞩目全球化背景下世界各国科技竞争的动向，从可持续性发展的要求认识科技作为"双刃剑"的作用，重视健康的科技文化的建设，以此作为品评科幻电影创意的出发点。

（三）丰富艺术感受

科幻电影是以科技为参照系的影像艺术，科幻电影研究可以为丰富艺术理论发挥重要作用。如果将"艺术"理解为由众多门类构成的家族的话，那么科幻电影就是影像艺术中的"豪门望族"（无论就投资规模还是特效应用而言皆是如此），好比文学中的鸿篇巨制、美术中的灿烂华章、音乐中的黄钟大吕、建筑中的高楼大厦。因此，对科幻电影所进行的研究往往能够收到举一反三的效果，丰富人们的艺术感受。下文以"反常合道"为例说明。

"反常"指的是出乎意料，"合道"指的是仍在情理之中。"反常合道"是宋代大文豪苏东坡在论述诗歌创作奥妙时提出来的。③诗歌中有许多"反常合道"的例子，如唐代李白《秋浦歌》的"白发三千丈，缘愁似个长"。"白发三千丈"是夸张的说法，反常，因为没有人的头发有那么长；"缘愁似个长"是解释原因，合道，让人明白诗人的本意不是说头发长，而是说忧心不止，难有尽头。又如，明代才子解缙给一个老太太祝寿，吟了四句诗。第一句说"这个婆娘不是人"，这不是骂人吗？反常。第二句说"九天仙女下凡尘"，将反常的写法回归情理之中，合道，老太

① 李晓已：《试析中国大众对新世纪以来中国科幻电影的接受——以豆瓣电影为主》，《电影文学》2019 年第 23 期，第 46—49 页。
② 高纬时：《独特的文化意义——中国科幻电影抹不去的印记》，《电影评介》2020 年第 17 期，第 45—48 页。
③ 胡仔：《苕溪渔隐丛话（前集）》，廖德明校点，人民文学出版社 1962 年版，第 124 页。

太听了开心。第三句说"儿孙个个都是贼"，又好像是骂人，反常；第四句说"偷得蟠桃孝双亲"，又回归情理之中，合道。上述写法被归纳为"逆挽"诗学的美感效应。①

科幻电影在写法上和诗歌存在相通之处，《流浪地球》可以为例。该片对科技进行了"反常"又"合道"的描写。例如，地面交通工具主要是运载车，按主角刘启的说法，"一般人根本开不了！正经八百地学五年才能上路……"太难了吧。这不是反常吗？一般人学五年才能上路的运载车，为什么高中生刘启偷了车卡就能开？关键在于他爷爷是老驾驶员，私下训练刘启已经不是一天两天了。这是情理中的事情，合道。又如，在北半球建设一万座行星发动机，驱动地球逃离太阳系；在赤道建设七十二座转向发动机，让地球在十年内完全停止自转，这就更反常了，不要说一般人想不到，就连一般的科幻作者都想不到。通过建造行星发动机"带着地球去流浪"，有人做过计算，在技术上不可行。但是，在情感想象中却是可能的，敢于这样想，正是有家国情怀的表现，也就是"合道"。再如，在流浪中的地球经过木星时，违背地球联合政府事先设定的方案，放弃"火种"计划，转而实施引爆木星大气的方案，那就更反常了，也就是更出乎观众的意料了。影片因此给观众以惊奇感。相关的设定或描写越是反常，我们观影时的惊奇感就越强烈。不过，"反常"必须"合道"，才能使观众信服其必要性或合理性。放弃"火种"计划，牺牲整个空间站，表面上看来反常，实际上却挽救了人类大多数成员，因此也是"合道"的。

从"反常合道"的角度看，科幻电影描写的科技可以分为三大类：一是常规科技，指历史上已经发明、现阶段已经应用的科技，美国的《星际穿越》（Interstellar，2014）中的主角库珀作为交通工具的大皮卡可以为例。二是黑科技，它们或者大大超出现阶段的科技水平，或者只是一种想象中的科技，像《星际穿越》中描写的能够飞越虫洞、穿越黑洞、到达五维空间的宇航科技就是如此。三是黑镜科技。它们不仅很超前，而且吻合情节发展的意脉，甚至能够形成人性的映像。例如，库珀虽然到了五维空间，但不忘初心，仍记挂着人类，记挂着他的女儿，想出利用莫尔斯电码通过引力波引发事先留给其女的手表指针的颤动，将有关奇点的秘密告诉她，使人类得以撤离生态环境严重恶化的地球。与常规科技相比，黑科技的特点在于反常（超出常规）。与黑科技相比，黑镜科技不仅反常，而且合道。这里所谓的"道"可能是指内涵更深刻、外延更广泛的社会规范，

① 谭玉良：《论反常诗学的美感效应和审美发现》，《川东学刊》1998 年第 3 期，第 37—41 页。

也可能是指自然规律，或者是指宇宙生态主义。在科幻电影中，有关常规科技的描写可以引导观众形成代入感，将相关情节和自己的生活联系起来；有关黑科技的描写可以显示出科幻放飞想象力的特色，让电影具备超越性；有关黑镜科技的描写可以寄寓对未来科技的伦理审视，发挥激浊扬清的作用。它们彼此结合，让科幻电影显得既饱满又有张力。只有常规科技，那内容就不新鲜了，显示不出科幻电影的特色。只有黑科技，那内容对多数观众来说太陌生了，既不容易理解，也不容易相信。黑镜科技是以常规科技和黑科技为前提而形成的。如果只有黑镜科技，那科幻片很可能就变成了科教片、哲理片或思想实验片，也就是说，教训或思辨的意味太浓了，还是相辅相成比较好。

如果说"反常合道"是艺术创意的普遍特征，那么科幻电影的特殊性主要通过以下三方面表现出来：①科幻作为科技的映射镜，满足科学家宣传科技的需求；②科幻作为科技的透视镜，满足公众透过科幻了解科学家的需求；③科幻作为科技的反射镜，满足科学家通过科幻反思自身的需求。科幻电影是运用科技制作出来的。科技水平越高，科幻电影制作就越精良，科学家可以因此感到高兴。科幻电影经常对科学家的为人处世加以描写，并设想各种现实世界中由于技术限制或伦理限制无法进行的实验。科学家不仅可以通过观看科幻电影思考如何才能满足社会期待的问题，还可以通过观看科幻电影了解自己的研究方向包含的多种可能性。

在科幻电影之镜中，科技作为"双刃剑"的作用获得了鲜明甚至夸张的表现。例如，科幻电影经常出现以下几类主题：①科技执念。比如，科学家醉心于研发而忘记或抛弃了应有的社会责任感。美国默片《化身博士》（*Dr. Jekyll and Mr. Hyde*，1931）的主角可以为例。他被自己发明的化学配方控制，变形为魔鬼海德，以杀人为乐。②科技沦为牟利工具。比如，英、美合拍片《盗梦空间》（*Inception*，2010）描写了共享梦境技术被用于企业恶性竞争，险些酿成大祸。③科技成果异变。比如，美国和德国的《我，机器人》（*I, Robot*，2004）描写了机器人谋反。这些情节的设定并不意味着完全否认科技价值或科学家的贡献，而是提醒我们必须警惕与防止科技向消极面转化。

科幻是照向未来之镜。科幻电影通过艺术想象展示了科技研发和应用的超前可能性，使人类能够做到未雨绸缪。作为类型片，科幻电影本质上是艺术。"艺术"作为范畴存在诸多歧解。我们将广义的艺术界定为以创造性为特征的能力、产品和活动，狭义的艺术则兼具憧憬性、虚构性与创造性。其创意既超乎常态之外，又在情理之中。在社会层面，有科技主体的异常追求、科技对象的异常状况、科技中介的异常身份；在产品层面，有科技手段的异常功能、科技内容的异常演绎、科技本体的异常转化；在运营层面，有科技方式的异常应用、科技环境的异常设定、科技机制的异常约束。①虽然其千变万化，但仍以造福人类为旨归。具体影片所设定的叙事前提完全有可能超乎目前自然科学、社会科学、思维科学和实用技术涵盖的范围，讲述的故事却又体现了人生哲理。因此，科幻电影与其说是科技图解或科技读物，还不如说是以反常合道的方式描绘科技风云、开拓人类视野，给观众以启发。

对科幻电影研究而言，丰富艺术感受意味着强调科幻电影作为艺术作品具备的憧憬性、虚构性和创造性特征。憧憬性要求将理想的光辉投射到科幻电影的世界观设定上，虚构性看重科幻电影在放飞想象方面取得的成就，创造性强调科幻电影在改变刻板印象、激励创新思维方面的价值。

综上所述，揭示科技奥妙、增进文化自觉、丰富艺术感受既是科幻电影研究的基本取向，又是科幻电影研究的重要使命。从功能的角度看，科幻电影研究不仅是对科幻电影创作经验的总结与升华，而且是贯彻科技理想、文化理想和艺术理想的举措，同时还是以具体影片的描写为参照系审视整个社会的科技、文化与艺术发展取向的过程。

三、前景和展望：中国科幻电影研究的宗旨

科普立足于现实的科技，科幻立足于可能的科技。科普主要关心如何普及科技，科幻主要关心科技如何对人类未来命运产生影响。科普向人们展示科技工作者眼里的世界，科幻向人们展示艺术工作者眼里的科技风云。科普和科幻都和科技一起迅猛发展，值得深入研究。当下，我们可以从提高全民科学素质、深化核心范畴研究、建构科幻电影美学的角度认识中国科幻电影研究的宗旨。

（一）提高全民科学素质

我国政府对科普相当重视，将它作为科教兴国战略和可持续发展战略的组成部分，并通过立法予以保障，2002 年，颁布了《中华人民共和国科学技术普及法》。《国家中长期科学和技术发展规划纲要（2006—2020年）》《全民科学素质行动计划纲要（2006—2010—2020 年）》均将科

---

① 黄鸣奋：《黑镜定位》，中国电影出版社 2020 年版，第 187—302 页。

普作为重要内容。习近平指出："科技创新、科学普及是实现创新发展的两翼，要把科学普及放在与科技创新同等重要的位置。没有全民科学素质普遍提高，就难以建立起宏大的高素质创新大军，难以实现科技成果快速转化。"①以此为指南，国务院制定的《全民科学素质行动规划纲要（2021—2035 年）》提出了在"十四五"时期实施分别面向青少年、农民、产业工人、老年人、领导干部和公务员的 5 项提升行动，并实施 5 项重点工程，即科技资源科普化工程、科普信息化提升工程、科普基础设施工程、基层科普能力提升工程、科学素质国际交流合作工程。其中，第二项工程包含与科幻相关的内容。具体要求是："实施科幻产业发展扶持计划。搭建高水平科幻创作交流平台和产品开发共享平台，建立科幻电影科学顾问库，为科幻电影提供专业咨询、技术支持等服务。推进科技传播与影视融合，加强科幻影视创作。组建全国科幻科普电影放映联盟。鼓励有条件的地方设立科幻产业发展基金，打造科幻产业集聚区和科幻主题公园等。"②上述文件给我们如下启发：①我国在政府层面将科幻产业作为"科普信息化提升工程"来定位。科幻产业不同于一般意义上的科普，具备观念、技术或规模上的提升作用。②在科幻产业中，科幻电影处于特别重要的地位。科幻产业包括众多分支，但文件中特意提到科幻电影，而且从创作、交流、放映等不同角度提出具体扶植措施。③科幻电影的发展有待于各种条件的支持，如科学家提供的专业咨询、科技工作者提供的平台服务、科幻产业集聚区和科幻主题公园提供的衍生机遇等。

从上述认识出发，现阶段我国科幻电影研究的宗旨主要有三条：①基于科技定位，致力于弘扬科学精神、传播科学思想、倡导科学方法；②基于文化定位，根据 2020 年 10 月党的十九届五中全会提出的 2035 年远景目标，为我国从文化大国向文化强国转变贡献力量；③基于艺术定位，立足于人民的需要，强调科幻电影必须反映时代要求与人民心声。

（二）深化核心范畴研究

以上述宗旨为指导，本书选取了三个切入点，即国别性、工业性和美

---

① 习近平：《为建设世界科技强国而奋斗——在全国科技创新大会、两院院士大会、中国科协第九次全国代表大会上的讲话》，2016 年 5 月 30 日，http://www.xinhuanet.com/politics/2016-05/31/c_1118965169.htm。

② 国务院：《国务院关于印发全民科学素质行动规划纲要（2021—2035 年）的通知》，2021 年 6 月 3 日，http://www.gov.cn/zhengce/content/2021-06/25/content_5620813.htm。

学性。作为范畴的国别性既有助于把握中国科幻电影如何从国情出发形成自己的特色，又有利于把握中国科幻电影如何为塑造中国形象服务；作为范畴的工业性既有助于理解中国科幻电影如何实现产业化，又有利于理解中国科幻电影如何将工业作为社会现象来描绘，发挥激浊扬清的作用；作为范畴的美学性既有助于考察中国科幻电影如何遵循一定的美学原则进行创作，又有利于理解中国科幻电影如何以其实践经验丰富了美学理论。

对相关文献的考察表明，国别性、工业性与美学性是我国科幻电影研究的三种重要视野。据 2021 年 1 月 15 日对中国知网的统计，标题包含"中国+科幻电影"的文章有 98 篇，始于 2007 年；包含"我国+科幻电影"的文章有 15 篇，始于 2009 年；包含"国产科幻电影"的有 19 篇，始于 2013 年；包含"科幻电影+工业"的有 7 篇，始于 2011 年；包含"科幻电影+美学"的有 12 篇，始于 2008 年；包含"电影+美学"的有 2588 篇，其中包含"电影+工业+美学"的有 92 篇。在这 92 篇论文中，以科幻电影为主题的有 3 篇，都是关于《流浪地球》的。其中，陈旭光撰写的评论指出："《流浪地球》以其大场面、'重工业化'大制作，成就中国电影工业化的新高度，更以其大想象、大人类情怀和大宇宙格局成就其美学品格。"《疯狂的外星人》呈一种"中度工业美学"走向，在"本土化"、现实性、"作者追求"、荒诞喜剧风格等方面为中国特色类型杂糅的科幻喜剧片探索做出了自己的贡献。这两部影片"走中国科幻电影的两条路向，分别代表了不同的工业美学形态，也代表了中国科幻电影发展的两个方向"，"它们都以当下新的电影'空间生产'之成果，在一定程度上满足了当下中国观众日益增长的'想象力消费'或'虚拟消费'的精神需求，有着重要的文化价值"。[①]周强指出，电影工业美学的最大亮点在于体现出"工业"与"美学"从对立走向互补的"整合统一论"思想，是在电影本体论意义上对电影本质属性的充分发掘与当下革新。[②]

我国学术界虽然在对科幻电影进行国别研究、工业研究和美学研究方面取得了可喜成果，但仍存在明显不足。例如，国别研究比较关注院线电影，对网络电影的重视不足；工业研究比较关注影视工业化的意义、好莱

① 陈旭光：《类型拓展、"工业美学"分层与"想象力消费"的广阔空间——论〈流浪地球〉的"电影工业美学"兼与〈疯狂外星人〉比较》，《民族艺术研究》2019 年第 3 期，第 113—122 页。

② 周强：《中国电影的"工业美学"批评：理论建构与实践历程》，《未来传播》2019 年第 5 期，第 62—68、125—126 页。

坞工业体制和全球化战略、中国电影工业瓶颈等方面，对信息革命深入发展带来的后工业现象的重视不足；美学研究主要集中在运用科技美学、伦理美学、数字美学、工业美学、后现代美学、后人类美学等观念分析相关影片、导演、国别特色等方面，对科幻电影本身的美学特征的重视不足。至于如何将国别研究、工业研究和美学研究结合成为整体，更是悬而未决的问题。

（三）建构科幻电影美学

国家电影局、中国科学技术协会于 2020 年印发《关于促进科幻电影发展的若干意见》，提出将科幻电影打造成为电影高质量发展的重要增长点和新动能。国务院制定的《全民科学素质行动规划纲要（2021—2035 年）》将"实施科幻产业发展扶持计划"作为"科普信息化提升工程"的重要内容。本书根据上述精神阐发科幻电影在我国的定位，分析我国科幻电影的特色，建构与之相适应的科幻电影美学，既有助于促进科幻电影本身的高质量发展，又有益于了解如何通过发展科幻产业来提高全民科学素质。

1977 年，美国科幻片《星球大战》问世之后，"衍生宇宙"（expanded universe）成为其创意带动的电影以外的星战作品（包括小说、漫画、动画、游戏等）的统称。这一范畴有力地证明了科幻创意在文创领域打造产业链中所能发挥的巨大作用。1992 年，科幻作家斯蒂芬森（N. Stephenson）在小说《雪崩》中提出了"元宇宙"（metaverse）的概念。如今，"元宇宙"在我国思想界、科技界、资本界、企业界和文化界引发了冲击波。正如朱嘉明概括的，"在 2021 年语境下，'元宇宙'的内涵吸纳了信息革命、互联网革命、人工智能革命，VR、AR、ER、MR、游戏引擎等虚拟现实技术革命成果，向人类展现出构建与传统物理世界平行的全息数字世界的可能性；引发了信息科学、量子科学，数学和生命科学的互动，改变科学范式；推动了传统的哲学、社会学，甚至人文科学体系的突破；融合了区块链技术，以及 NFT 等数字金融成果，丰富了数字经济转型模式。简言之，'元宇宙'为人类社会实现最终数字化转型提供了新的路径，与'后人类社会'发生全方位的交集，展现了一个具有可以与大航海时代、工业革命时代、宇航时代同样历史意义的新时代"[1]。从相关宣传与论述看，所谓"元宇宙"实际上是映射现实世界的在线虚拟世

---

① 朱嘉明：《"元宇宙"和"后人类社会"》，《经济观察报》2021 年 6 月 21 日第 33 版。

界，或者说是基于未来互联网的、具有链接感知的共享特征的 3D 虚拟世界。这一范畴有力地证明了科幻创意在引发社会变革中所能发挥的巨大作用。当然，迄今为止，人们仍然是以既有技术和观念为参考系去诠释"元宇宙"的，并非在线虚拟世界真的已经获得了相对于现实世界的最高的、根本的或源头的"元"地位。

科幻电影是在科学与人文、艺术与技术、电影与现实等矛盾的推动下发展的。它在观念上既是元宇宙的先驱，又是衍生宇宙的前瞻。相关研究具有广阔的前景。

四、关于本书

本书将上文所说的"衍生宇宙"和"元宇宙"的观念统一起来，提出"流衍宇宙"的范畴。作为术语，流衍宇宙本是指作为"道"之譬喻的水与世长存、无处不在，出自明代丁绍轼的下述见解："言道者之多敝也，而道未始有敝也。道一而已矣，善学道者亦贞夫一而已矣。譬之于水。止此一源，掘井者第求至其源。此源亘古亘今，流衍宇宙，而谓有涸而不盈者谬，此源随人挹取各充其量，而谓此是彼非者谬。此源掘地得泉，随处可见，异地皆然。而迷之于此、认之为彼，则益谬。"①在科幻电影美学中，"流衍宇宙"首先是指科幻创意通过工业化制造出强大的意义链，让人们因此开阔眼界，甚至相信真的存在各种相对于现实世界的另类世界；其次是指科幻创意进而引领工业化本身，让人们通过所能运用的各种最新技术营造有别于现实世界的虚拟世界；最后是指科幻创意通过引领想象力消费提高公民的创新素质，并且丰富了美学理论。科幻创意虽然可以翻空出奇，衍生出多元宇宙，但是万变不离其宗，其讲述的故事仍然必须在情理之中，中国科幻电影研究也是如此，其采用的方法和视角固然可以千变万化，但仍以建设人类命运共同体为旨归。

本书将科幻电影视为专门化媒体，引入笔者提出的传播九要素原理，进行多维考察。该原理将传播系统区分为属人的社会层面（由主体、对象和中介构成）、属物的产品层面（由手段、内容和本体构成）、属事的运营层面（由方式、环境和机制构成），并注意到这些层面和要素的结合与转化。绪论追溯了中国科幻电影研究的演变，阐述了本书的写作意图。第一章至第三章分别将"中国""工业""美学"作为切入点，从互动的角度对科幻电影加以考察，既揭示了科幻电影如何以"中国""工业""美

---

① ［明］丁绍轼：《第三问：儒学禅宗》，《丁文远集》外集卷三，明天启刻本，第 249 页。

学"为背景和依托发展起来（各章第一节），又阐释了科幻电影如何对"中国""工业""美学"加以描写与表现（各章第二节），还分析了科幻电影的中国属性、工业属性和美学属性（各章第三节）。第四章将科幻电影的发展趋势作为议题，依次从"中国""工业""美学"角度分析科幻电影的本土化、商品化和类型化。结论部分关注以计算机为龙头的信息革命深入发展产生的深刻影响，在后工业美学视野下考察科幻电影的新格局塑造、视频化趋势、共同体建设。在结构体系上，本书类似于"旋转魔方"，在不同语境下展示科幻电影与传播九要素的关系。这实际上是为从中国视野、工业视野、美学视野考察科幻电影提供了进行比较的理论框架，从中可以看到科幻电影在不同视野下显示的彼此对应的方方面面。

　　本书第一章"科幻电影的中国研究"主要探讨如下问题：科幻电影在什么样的社会背景下孕育与发展？科幻电影是什么？对我国而言，科幻电影是怎么来的？国产科幻电影如何呈现本土的人、物、事？"中国科幻电影"何以为"中国的科幻电影"？第二章"科幻电影的工业研究"主要探讨如下问题：什么是"工业"？如何将科幻电影置于工业视野下加以研究？反过来，如果将工业置于科幻电影视野下加以研究，这种方法有什么特点？科幻电影为什么具备工业属性？科幻电影具备哪些工业属性？第三章"科幻电影的美学研究"主要探讨如下问题：什么是"美学视野"？若置于美学视野下加以研究，科幻电影具备什么样的特点？为什么要研究科幻电影视野下的美学？如何将美学置于科幻电影视野下加以研究？科幻电影为什么具备美学属性？科幻电影具备哪些美学属性？第四章"科幻电影的发展趋势"主要通过历史回顾和现实分析引出如下问题：如何通过本土化生产高质量的国产科幻电影？如何在商品化的背景下建设适应科幻电影生产需要的自主工业体系？如何在类型化的格局中通过美学建设推动国产科幻电影的发展？由于以计算机为标志的信息革命的深入发展，我国社会、电影工业、电影美学都在经历深刻的变革。因此，本书最后致力于探讨后工业美学视野下的国产科幻电影发展问题，所取的角度是新格局塑造、视频化趋势与共同体建设。尽管上述问题都相当重要，但其答案需要通过今后的跨界对话来提供。本书只是作为引子起作用。

　　无论从国别、工业、美学的角度还是从趋势的角度对科幻电影进行研究，都是重要的方法。作为本书的后续研究，笔者的其他研究设计了相互关联的四个子课题，分别对科幻电影进行城市性比较、工业性比较、类型性比较和精美性比较。其中，城市性比较是国别研究的具体化，工业性比较是工业研究的具体化，类型性比较和精美性比较是美学研究的具体化。合而观之，可以加深对科幻电影如何"流衍宇宙"的理解。

谨以拙作求教于读者。

第一章　科幻电影的中国研究

科幻电影诞生于叱咤风云的时代，在不同国家的互动过程中发展成为世界性现象。与此同时，科幻电影反映了制片企业所在国家和地区的风云变幻，打上了它们的烙印。因此，所谓"科幻电影的中国研究"至少包含如下三种可能的解释：一是指从中国的角度研究科幻电影，关注科幻电影的中国渊源，可称为"中国视野下的科幻电影"；二是从科幻电影的角度研究中国，关注科幻电影有关中国的描写，可称为"科幻电影视野下的中国"；三是研究作为范畴的"中国科幻电影"，关注中国科幻电影的特色，可称为"科幻电影中国属性研究"。以下分别予以论述。

第一节　中国视野下的科幻电影

如前所述，"中国视野下的科幻电影"关注的是科幻电影的中国渊源。对于中国人而言，科幻电影是在西学东渐的过程中输入的，其本土化过程为中国自身的社会环境左右，结果是熔中西文化于一炉，走向开拓创新。在比较文学中，基本的研究方法有三种，即平行研究、类型研究、传播研究。在比较视野下，有关中西方不同社会环境对各自科幻电影的影响和反影响的研究属于平行研究；有关中西方以至于世界各国如何通过互动达成对科幻电影特征、属性和定位之共识的研究属于类型研究；有关中国科幻电影如何因西学东渐而产生、发展及后来的逆向影响的研究属于传播研究。第三种研究构成了下文探讨的重点。

一、本土之源：从平行研究看科幻电影

从平行研究的角度看，无论在哪个国家，科幻电影都是依托相应的社会条件发展起来的。中国科幻电影虽然在发生学意义上有借鉴西方科幻电影的因素，但其根基终究是在本土，影片的市场主要在中国，拍摄目的首先是给中国人看的。当然，这不是说中国科幻电影不应当放弃全球化的眼光、终止走出去的努力，而是说应当重视"固本"的工作。就此而言，关

于中西方经济、政治、文化的平行比较有助于把握中国科幻电影的社会定位。我们将电影界理解为一个社会子系统，将比较重点放在企业、观众与行会这三个电影界要素上，试图回答的问题是：科幻电影是在什么样的社会背景下孕育与发展的？

（一）企业定位：中西方经济比较

工业意义上的科幻电影并非发明家出于个人喜好的实验品，而是作为社会经济单元的企业生产出来的。正因为如此，中西方经济比较构成了科幻电影工业研究的重要课题。

中西方经济比较至少可以从以下角度进行：①生态环境比较。例如，着眼于中西方自然环境与经济活动的相互影响，比较内陆型经济和海洋型经济的差异；着眼于中西方社会环境对经济活动的影响，比较强力干预政策和自由放任政策的作用，比较不同类型企业的政治战略；着眼于中西方心理环境与经济活动的相互影响，比较个人利益本位主义、集体利益本位主义、国家利益本位主义等意识形态的价值，民主意识、法律意识、权利观念的强弱，守成内敛与开拓进取的成因，等等。②生产方式比较。例如，着眼于生产力发展水平，比较不同历史时期中西方的相对经济实力；着眼于产业构成，比较第一产业、第二产业、第三产业在中西方经济领域所占比例、相互作用及发展趋势；着眼于生产资料所有制，比较公有制与私有制、领主所有制和行会所有制等在中西方经济领域所起的作用；着眼于人们在生产过程中的地位和相互关系，比较奴隶与奴隶主、农民与地主、工人与资本家等矛盾在中西方的发展；着眼于分配关系，比较按劳分配、按资分配、按需分配等形式在中西方经济生活中所占的地位，比较中西方贫富差距的大小及影响，等等。③社会模式比较。例如，着眼于中西方经济活动中生产、流通、消费等环节，比较不同类型社会的人才观、权益观、财富观、义利观等；着眼于中西方媒体在经济活动中扮演的角色，比较传媒经济、信息经济、知识经济、网络经济、文化产业等的发展道路，比较有关经济的管理模式、决策机制、新闻报道及其影响的差异，等等。

学术界的相关研究已经取得了许多令人感兴趣的成果。试举数例：①生态环境比较。例如，谭喜祥、唐孝东进行了中西方经济法差异比较，发现西方经济思想史上自由放任的思想根深蒂固。政府的经济干预政策在我国则有悠久的历史传统，即使是中华人民共和国成立后，由于多方面因素的影响，国家必须对经济进行一定的干预。①②生产方式比较。例如，刘文明比较了封建城市经济结构的差异，认为中国封建城市在经济上以商业繁荣为特征，大多属消费型城市，西欧封建城市以手工业发达为特征，大多属生产型城市。中国封建城市经济所有制以国有制占主导地位，西欧封建城市则以行会所有制为主。中国封建城市经济是封建小农经济的补充物，西欧封建城市经济则是封建庄园经济的瓦解者。这些差异使得它们对各自封建社会经济结构的影响迥然不同。②③社会模式比较。例如，张雅美从社会历史背景、法律保障体系完善程度、课程培训体系的完备程度和社会认可程度等方面对中西方的现代学徒制进行了比较研究，为探索中国特色的现代学徒制（见于职业技校等）提供了参考。③

　　上述比较对中国科幻电影的工业研究是具有参考价值的。例如，从政府与企业的角度看，中国政府对电影工业实施积极干预政策，从 20 世纪50 年代初就着手进行电影工业布局。2006 年，国务院办公厅转发财政部等十部委部门关于推动我国动漫产业发展若干意见的通知，2020 年，国家电影局和中国科学技术协会印发《关于促进科幻电影发展的若干意见》（即"科幻十条"），也都是积极干预的表现。这些政策的内容和效果都是科幻电影工业研究的题中应有之义。又如，从生产方式的角度看，西方科幻电影一直是以私人企业为主体生产的。中国科幻电影的生产主体经历了私营企业为主体、国有企业为主体再到私营企业为主体的转变。其转轨的原因和影响也是值得研究的。再如，从社会模式的角度看，学徒不仅是科幻电影工业的后备军，而且是许多科幻电影制作的生力军，如何从产学研相结合的角度发挥他们的作用、保障他们的权利，亟待关注。

　　（二）观众旨归：中西方政治比较

　　工业意义上的科幻电影不是供制作者自我欣赏之用，而是旨在满足观众的精神需要、审美需要或娱乐需要。观众是电影工业的服务对象，其喜好决定了电影产品能否在市场上流行，进而决定了电影能否顺利进行再生产、电影企业能否在社会上立足。如果将政治理解为众人之事的话，那么中西方政治比较对于理解科幻电影观众的定位大有裨益。

---

① 谭喜祥、唐孝东：《中西经济法差异比较与我国经济立法的思考》，《广西政法管理干部学院学报》2003 年第 3 期，第 65—67 页。

② 刘文明：《中西封建城市经济结构差异之比较》，《史学月刊》1997 年第 3 期，第 105—110 页。

③ 张雅美：《中西现代学徒制人才培养模式比较研究》，《职业技术》2018 年第 4 期，第38—40 页。

　　在政治的意义上，对电影观众的研究不能忽视我国社会的主要矛盾。电影在中国诞生于晚清，当时社会的主要矛盾是帝国主义与中华民族之间、封建主义与人民大众之间的矛盾。因此，我们在看到西方电影术的传播对中国电影业起步的启发作用时，不能忽视其中的文化输入因素；在看到在华制作和放映电影的西方人为市民提供娱乐资源的同时，不能忽视他们也为清廷提供过服务的历史；在看到中国人拍摄出包括科幻片在内的各种电影时，不能忽视民族资产阶级在其中发挥的重要作用。民国时期，拍摄的科幻电影寥若晨星，都是民营企业的产品。

　　中华人民共和国成立后，电影工业开始了由民营向国有的转轨。1956年，中共八大提出：生产资料私有制的社会主义改造基本完成以后，国内的主要矛盾不再是工人阶级和资产阶级之间的矛盾，而是人民对于建立先进的工业国的要求同落后的农业国的现实之间的矛盾，是人民对于经济文化迅速发展的需要同当前经济文化不能满足人民需要的状况之间的矛盾。[①]1981 年党的十一届六中全会提出：我国社会主要矛盾是人民日益增长的物质文化需要同落后的社会生产之间的矛盾。[②]2017 年，党的十九大提出：我国社会的主要矛盾是人民日益增长的美好生活需要和不平衡不充分的发展之间的矛盾。[③]这些提法的一致之处是将人民需要作为出发点，不同之处则体现了我国社会的发展和变化。

　　归根结底，我国电影生产（包括科幻电影生产）是为满足人民需要服务的，这一点和资本主义国家电影的逐利性生产目的迥然有别。

　　任何政党都有可能根据对社会主要矛盾的分析提出自己的纲领，但并非任何政党都能获得执政的地位，更不是任何执政党都强调为人民服务。李爽等指出，"全面抗战爆发后，国共两党对社会主要矛盾的认识是其制定抗战政策的主要依据。在民族矛盾占支配地位的抗日战争中，如何对待阶级矛盾，如何进行阶级斗争成为至关重要的问题。中国共产党将阶级矛盾的解决置于解决民族矛盾的主要任务之中，将抗日战争作为一场人民战争对待。国民党在抗战中以解决民族矛盾为由收紧其对内政策，限制人民民主权利，无形中分化了自身力量。不同的政策也预设了两党在国家发展

---

① 中央政府门户网站：《中共八大关于政治报告的决议》，1956 年 9 月 27 日，http://www.gov.cn/test/2008-06/04/content_1005155.htm。

② 《关于建国以来党的若干历史问题的决议》，1981 年 6 月 27 日，http://www.people.com.cn/item/20years/newfiles/b1040.html。

③ 习近平：《在中国共产党第十九次全国代表大会上的报告》，2017 年 10 月 28 日，http://jhsjk.people.cn/article/29613660。

进程中的地位"①。由此看来，中国共产党成为新中国的执政党是历史的选择、人民的选择。

中国科幻电影如何根据执政党对社会主要矛盾的认识满足人民的需要呢？科幻电影虽然以描绘科幻风云为特色，但其主题仍然离不开一定的价值观。在比较的视野下，中国科幻电影不只是由中国出品或制作的电影，而且是体现中国主流价值观的电影。现阶段，中国的主流价值观以为人民服务为核心，主要包括生态价值观、人类共同价值观、社会主义核心价值观。通过描绘科幻风云来弘扬主流价值观，深化观众对自然规律、人类命运、中国国情的认识，激励他们为创造美好生活而奋斗，这就是中国科幻电影满足人民的需要的方式。所谓"观众旨归"，指的是培养认同中国主流价值观、关注并热爱中国科幻电影的粉丝群体。为了实现这一目标，我们要进一步从三个角度考察中西方政治文化的异同。

1）生态价值观意义上的政治文化。生态价值观不只是对人与自然关系的认识，而且包含了对人与人关系的认识。中西方古代"天主地仆"与"地主天仆"的不同宇宙观，造就了中西方两种截然不同的权力来源学说——"君权神授"与"天赋人权"。②与之相适应，出现了"主权天授"与"主权在民"两种不同的政治主张。在其后的演变中，前者为民本观念所取代，后者则发展出民主思想。不过，二者在很长的时间内都只是一种统治策略，民本主义是为专制统治服务的，民主主义则以"多数人统治"的形式掩盖了利益集团施加的控制。前者强调民众信任掌权者，后者强调掌权者信任民众。在现代化的过程中，它们都被注入了新义，我国古代的民本思想被诠释为人民当家做主，重在集体主义；西方古代的民主观念则重在强调个人主义。在生态价值观的视野中，人类内部关系和外部关系是相互影响的。执政者和民众的矛盾属于人类内部关系，自然环境的改造和保护属于人类外部关系。在我国很有影响力的"天人合一"观念以协调上述两大类关系为旨归，目的是实现自然和谐、社会和谐、心理和谐。

2）人类共同价值观意义上的政治文化。在地球生命进化史上，地球上现存的人类都属于人属（Homo）中的智人（Homo sapiens）。人属共有 17 种，其中 16 种已经灭绝，只有智人得以繁衍至今。智人在地球上迁徙，形成了中西方之别，二者在文明源头上有地理环境的差异。内陆文明

① 李爽、白文慧：《全面抗战爆发后国共两党对社会主要矛盾的认识》，《北华大学学报（社会科学版）》2017 年第 3 期，第 39～43 页。
② 黄群英：《中西权力学说及其政治影响之比较》，《江淮论坛》2009 年第 2 期，第 64～67 页。

相对安土重迁，在熟人圈子中发展出最初的伦理型政治；海洋文明人口较常流动，在陌生人圈子中发展出最初的法理型政治。这是德治与法治区别的由来。前者主张家国同构，后者主张家国殊途。如果家国同构，世俗势力既强大又稳定，宗教势力在活动空间上受到限制；倘若家国异构，情况刚好相反。法理型政治从社会关系看家庭关系，因此要求人们像尊重公民那样尊重年轻人，强调不能虐待儿童。德治有人设作为根据，主要着眼于人性好利的性恶论；法治有契约作为根据，主要着眼于政治历史进化论。它们都不否认"霸"（强权）的作用，不过前者强调霸权的压迫性和非正义性，后者则肯定霸权的稳定功能和"基于同意的秩序"。德治所说的"王道"重在和谐，稳定压倒一切；法治所说的"维权"重在抗争，政治家吵架、民众抗议游行都很正常，只要在法律允许的范围内。在对外关系上，中国主张国家之间的平等，强调国家主权的重要性，反对恃强凌弱；西方国家经常打着人权高于主权的幌子干涉其他国家的内政，甚至为此发动战争。

3）社会主义核心价值观意义上的政治文化。中西方在政治制度上的区别也和各自所处的地理位置有关。中国从部落制向王朝制演变是通过大禹治水实现的，不集中统一治不了江河水患。西方将其文明追溯到古希腊，那里的海岛环境比较适合采用城邦制。在现代化过程中，中国最初以西方为师，但是西方列强大肆对外扩张。毛泽东指出："帝国主义的侵略打破了中国人学西方的迷梦。很奇怪，为什么先生老是侵略学生呢？中国人向西方学得很少，但是行不通，理想总是不能实现。"[1]不过，西方国家内部在现代化进程中经历了变革，新兴的无产阶级登上历史舞台，成为资本主义制度的否定性力量。马克思主义不仅体现了西方国家内部无产阶级的诉求，而且成为殖民地半殖民地人民反帝反封建的思想武器。中国的社会主义制度就是在马克思主义的指导下建立的。

关于生态价值观、人类共同价值观、社会主义核心价值观在中国科幻电影中的表现，笔者在科学出版社出版的专著《中国科幻电影的多维定位》第五章列举了大量实例。在此不再赘述。

（三）行会功能：中西方文化比较

在发生学意义上，作为同行组织的行会在经济意义上是生产者和消费者之间的中介，在政治意义上是国家通过注册制度认可并管理的组织，在

---

[1] 毛泽东：《论人民民主专政》，《毛泽东选集》第四卷，人民出版社1991年版，第1407页。

文化意义上是特定社会分工的社会承担者。科幻电影产生于相关工种分化、渗透和重组的过程中，其社会定位在很大程度上为行会左右。正因为如此，从行会的角度进行中西方文化比较被提上了科幻电影工业研究的日程。

"文化"作为一个范畴有多种定义，在与经济、政治对举时，通常是指人类精神活动及其产品。这些产品和一般意义上的物质产品不同，其生产者享有智力劳动成果的专有权利，包括专利权、著作权、商标权等。专利权是就发明创造而言的，已知最早的专利是佛罗伦萨共和国于 1421 年授予的。①著作权亦称"版权"，是就文学、艺术和科学作品而言的，其观念诞生于 11 世纪 40 年代毕昇发明活字印刷术之后。1709 年，英国颁布了旨在保护著作权的《安娜法令》，1910 年，中国颁布了《大清著作权律》。商标权是就商标而言的，其观念至迟在 16 世纪的英国就已经出现，商标保护单行成文法于 1803 年率先由法国颁布。三者合称"知识产权"，以世界各国于 1967 年 7 月 14 日在斯德哥尔摩签订《成立世界知识产权组织公约》（*The Convention Establishing the World Intellectual Property Organization*）为契机。专利权和电影机械工业相关，著作权和电影制片工业相关，商标权和电影衍生工业相关，它们相互交织，因此知识产权是科幻电影工业研究的题中应有之义。

精神产品的权利观念是受具体社会历史条件约束的。一般地说，原创者（包括专利权意义上的发明者、著作权意义上的创作者、商标权意义上的设计者等）是发现自己的产品未经同意或许可被他人袭用之后，才感觉到其利益受到侵害；通常在个人协商未果（或觉得难以进行协商）的情况下，才请求第三方进行调解、仲裁或判决。袭用行为之所以发生，则是由于袭用者为了节约成本、利用优势。原创者和袭用者发生冲突的前提是精神产品的私有。在实行集体劳动、平均分配、脑力劳动尚未从体力劳动中分化出来的原始社会中，在精神产品还处于公共领域的文明初期，不可能有对于知识产权的诉求。知识产权保护制度是在精神产品商业化、竞争趋于激烈的历史条件下形成的，相关纠纷的发生与处理最初发生在个人之间、群体之间，继而趋于国际化，因此成立世界知识产权组织有了必要性。发达国家经常指责发展中国家侵权或对知识保护不力，主要原因之一是它们在精神生产（特别是科技研发）领域处于领先地位，掌握了大量有

---

① 王叙敏：《从我国出版的几部大型辞书试论专利知识的传播》，《知识产权》1997 年第 3 期，第 23—24 页。

价值的知识，而且运用以国家力量为后盾、比较完备的制度来保护。发展中国家意识到知识产权保护对于自身精神生产（特别是科技研发）的重要性之后，就有了建立和完善相应制度的自觉性。当然，知识产权保护范围要合理，过度诉求不仅会妨碍精神生产，而且会对物种生产、物质生产造成不必要的障碍。有关专利权、著作权和商标权的时效规定就是基于这样的考虑。

作为制度，知识产权保护主要由国家（包括立法机关、司法机关和行政机关）实施，行业组织也发挥了重要作用。行会在西方起源于中世纪，在我国起源于唐代。中西方的行会在封建社会中都发挥了协助建立并维持所在城市和行业秩序的作用，因为它是从业者自治、自束、自卫的组织，代表了通过约定而形成的管理制度，在解决纠纷的过程中扮演了重要角色，为官方和当事人所倚重。这类行会最先出现在手工业领域。现代意义上的行会伴随机器工业的发展而发展，被赋予了与具体国情相适应的各种功能，如美国的电影工程师协会（Society of Motion Picture Engineers，1916）[1950 年改用现名电影与电视工程师协会（Society of Motion Picture and Television Engineers，SMPTE）]、英国电影协会（British Film Institute，BFI，1933）、美国商业软件联盟（Business Software Alliance，BSA，1988）等。在我国电影界，当下的行业协会有中国电影家协会、中国电影发行放映协会、中国教育电影协会、中国电影导演协会、中国科教电影电视协会、中国电影电视技术学会等。这些行业协会和基金、产业联盟一起构成了推动中国电影产业发展的"三驾马车"。

根据代辉进行的比较研究，行业协会在国家知识产权体制中的地位，大致可以概括为一种知识产权协调与服务机制，服务企业是目标，协调政府是为了一体化支援企业，功能上包括而不限于以下方面：①促进知识产权创造，以支持技术和合作为主要形式；②促进知识产权运用，以信息平台加强知识产权流通的机会为形式；③知识产权保护，以代表诉讼、打击侵权和调解为主要形式；④代表产业界参与知识产权法律与政策制定；等等。就知识产权保护这一点来说，我国行业协会的作用体现在对外和对内两个面向：对外则基本上处于防守的态势；对内保护注重调解、协助政府打击侵权行为，诉讼的形式不典型。美国的行业协会侧重于对外面向，利用各种渠道在全球范围内打击知识产权侵权行为，处于攻势。[1]

---

[1] 代辉：《行业协会在国家知识产权体制中的地位——以中美比较为基础》，《科技与法律》2015 年第 5 期，第 1002—1004 页。

　　值得注意的是，著作权人为了对自己不便行使的权力进行统一管理，建立了著作权集体管理组织。它可以追溯到法国戏剧作者与作曲者协会（Société des Auteurs et Compositeurs Dramatiques，SACD），其前身是1777年著名剧作家博马舍（Pierre-Augustin Caron de Beaumarchais）为了对付不能公平对待作者利益的法国演员协会而倡议建立的戏剧立法局。1914年，美国词曲作者和出版者协会（The American Society of Composers，Authors and Publishers，ASCAP）成立。此后陆续问世的著作权集体管理组织有数十个，如美国版权结算中心（Copyright Clearance Center，CCC）、美国电影协会（Motion Picture Association of America，MPAA）等。因为美国法律将著作权视为动产，上述组织通常依照公司法设立，受竞争法和反垄断法的制约。我国的国家版权局指定美国电影协会为其会员电影作品著作权认证机构。在我国，1992年，由国家版权局和中国音乐家协会共同发起，成立了中国音乐著作权协会。2004年，国务院出台了《著作权集体管理条例》（2011年、2013年予以修订）。此后，经国家版权局批准，中国音像集体管理协会（2005）、中国文字著作权协会（2008）、中国摄影著作权协会（2008）、中国电影著作权协会（2010）相继成立。中国电影著作权协会的前身是2005年8月成立的中国电影版权保护协会。这些协会都带有半官方性质，担负着处理与权利人、使用者、社会公众之间关系的使命。例如，中国电影著作权协会向网吧和长途汽车收费，不仅成为学术研究的课题，而且成为社会舆论的话题。

　　知识产权是电影工业比较研究的重要领域。除以上所引之外，相关成果还有罗施福、徐雁的《两岸电影著作权原始归属制度之比较》（《海峡法学》2011年第4期），庄智博的《著作权集体管理制度比较研究》［《中山大学研究生学刊（社会科学版）》2013年第1期）］等。值得重视的是，互联网的广泛应用带来了有关知识产权保护的新问题。正如刘颖、何天翔指出的，"用户创造内容"是随着互联网以及相伴而来的兴趣社区的出现而引发的一种人类创作活动。无论按中国内地法律还是按中国香港特区法律，多数"用户创造内容"的行为都存在侵犯著作权人专有权利的可能。但是，"用户创造内容"也与著作权保护例外制度和在司法实践中发展出来的"转换性使用"密切相关。[①]季卫东着眼于网络化社会的戏仿与公平竞争，认为对所谓"公平使用原则"的考量，必须以严格区分

----

① 刘颖、何天翔：《著作权法修订中的"用户创造内容"问题——以中国内地与香港的比较为视角》，《法学评论》2019年第1期，第123—135页。

美国模式和欧洲模式为前提。美国著作权法上的公平使用原则关注的是社会公益以及调节私人间的物质性利害关系，对原作者的人格权以及精神性诉求显得有些忽略。欧洲的制度设计则与此大相径庭。中国现行著作权法极其强调对作者人格的保护，固然有其必然性和合理性，但也很可能会在不同程度上阻碍信息流通以及文化产业的发展。①

上文将企业定位、观众旨归和行会功能置于中西方文化比较的大背景下进行分析，目的主要是拓展科幻电影工业研究的视野。科幻电影既受制于其所处的经济环境、政治环境和文化环境，又对满足所在国家的经济需要、政治需要和文化需要做出了一定贡献，同时还对促进国际交流、引发对全球性问题的关注发挥了作用。应当补充说明的是，在全球化的历史条件下，中西方在经济、政治、文化领域都发生了相互渗透、彼此融合的现象，跨国产业链的形成、国际法的制订、共同文化产品的制造等，都可以作为例证。在科幻电影领域，从 20 世纪 70 年代开始，就有了中、日合拍片《闪电骑士大战地狱军团》（*The Lightning Knights vs. the Legions of Hell*，1976）等；还有中、德合拍动画片《环游地球八十天》（*Reise um die Erde in 80 Tagen*，1998）；中、美合拍动画片《魔比斯环》（*Thru the Moebius Strip*，2006）；中、日、美合拍动画电影《阿童木》（*Astro Boy*，2009）；美、英、中合拍片《超验骇客》（*Transcendence*，2014），中、美合拍片《像素大战》（*Pixels*，2015），《蒸发太平洋》（*Lost in the Pacific*，2016），《巨齿鲨》（*The Meg*，2018），《决战异世界》（*Abduction*，2019），《终结者：黑暗命运》（*Terminator: Dark Fate*，2019），等等。

二、共识之基：从类型研究看科幻电影

文学、艺术或文化领域都不乏和类型相关的研究。以艺术为例，根据李倍雷的看法，普通艺术类型学的主要任务是研究各门类或种类的艺术本身的形态。它揭示了作为艺术系统形成的历史过程的基础的客观规律，构筑了该系统的结构模式。至于比较视域下的类型学，是把普通艺术类型学置于跨国别、跨民族、跨文化的视域下进行思考的艺术类型学。②在围绕中国科幻电影进行类型比较时，我们固然必须采用跨国别、跨民族、跨文

---

① 季卫东：《网络化社会的戏仿与公平竞争——关于著作权制度设计的比较分析》，《中国法学》2006 年第 3 期，第 17—29 页。
② 李倍雷：《比较视域下的艺术类型研究》，《文化艺术研究》2011 年第 2 期，第 132—139 页。

化的视野，但其基点仍然是中国的，目标首先是为中国科幻电影研究确定明确的对象。我们先来探讨 "科幻电影是什么"的问题。

（一）感官分工：科幻电影的特点

在进化的意义上，感官是生物为适应环境而发展出来的专门化的信号分析器。眼、耳、鼻、舌、身是人类的五大感官，对应于视觉、听觉、嗅觉、味觉、触觉五种感觉。以之为根据，可以定义视觉信号、听觉信号、嗅觉信号、味觉信号、触觉信号。从理论上说，还可以进一步定义五种不同类型的艺术，但在实践中真正获得长足发展的是视觉艺术和听觉艺术，这首先是由于视觉器官和听觉器官的感受性不那么容易钝化。根据上述分类，电影是以视觉为中心的艺术。更准确地说，默片属于视觉艺术，有声片属于视听艺术。后者包含的听觉信号可以丰富视觉信号所能传达的内容，或者起补充、注解作用，人声、音乐和音效都是如此。倘若同时诉诸嗅觉、味觉和触觉，电影就成了以视觉为中心的全媒体艺术。历史上有过相关的实验，如气味电影、触觉电影等。

美学在本义上是感性学，主要以美、艺术和审美为研究对象。因此，若想从视觉的角度对电影进行美学研究，必须思考视觉美、视觉艺术美和视觉审美等问题。顾名思义，视觉美是通过视觉感觉的美，其特点是存在于一定的空间之中，形态具备可视性，造型符合美的规律（如形式上的平衡、对称、体现比例协调的黄金分割律等），使人赏心悦目。电影这一意义的视觉美主要通过画面体现出来，其特点在于以动态为主。视觉艺术美关注的是在艺术意义上区别于现实的美。它之所以可能，前提是人的视觉系统经过训练之后能够从所接收的信号中区分出空间的维度，懂得二维的视觉对象是平面的，三维的视觉对象是立体的。不仅如此，人的视觉系统还能区分出空间的套叠，即一个空间处于另一个空间的包容之中。电影之"影"，呈现的就是为现实空间包容的艺术空间。第一次接触电影的人难以做到这一点，因此可能会被《火车进站》（*The Arrival of the Mail Train*，1895）之类的短片呈现的景象吓坏，以为火车在现实空间冲自己开过来，其实那不过是发生在艺术空间的事情。有了上述艺术空间，电影便可以呈现各种各样的视觉美。辨认出上述艺术空间，观众也就不必担心受到电影中发生的事件的困扰。至于有意打破现实空间和艺术空间的界限，以期收到特殊效果，那就是另一回事了。人们之所以需要视觉审美，是由于在视觉系统中起支配作用的大脑追求新异性或陌生化信息，目的是实现大脑的自我更新。它成了电影作为以视觉为中心的艺术追求奇观性的根本原因。新异性视觉信号表现的是人们没见过的东西，陌生化视觉信号代表的是虽然见过、但不知道为什么变了样的东西。观众可以通过对这些信号的解读领悟事物之间新的因果关系，体会到编导传达的态度或意图，并确认自己理解、评价这些事物和意图的能力。这是电影认识价值、教育价值和审美价值的心理来源。

若与其他类型的影像加以比较，科幻电影具备如下特点：①其影像是由电光源投射出来的。因此，有什么样的照明光源，就有什么样的电影。这些光源包括碳弧、白炽灯、卤钨灯、金属卤化物灯、短弧氙灯、激光器等。由电光源投射出来的活动图像或动态影像，这是"电影"的本义。②其内容是非现实的，或者说是缺乏现实对应物的。由电光源投射出来的非现实性活动图像是"幻想电影"。如果单靠人的眼睛，大脑不介入的话，是很难对影像的现实性做出判断的。大脑一旦介入，人们原先的世界观就会起作用。从主创人员的角度看，如果他们认为所欲呈现的超自然现象确实存在，那么制作出来的影片只能叫"志怪电影"。从观众的角度看，如果他们确认所见到的影像代表了完全可能存在的超自然现象，那么估计这类影片在他们的心目中是"传奇电影"。只有编导和观众都相信其内容的假定性（远离现实），而且这种判断不妨碍他们制作和欣赏相应的内容，这类影片才是纯粹意义上的幻想电影。③其幻想是以科技为参照系（特别是围绕未来科技）展开的。由电光源投射出来、以科技为参照系的非现实性动态影像，就是"科幻电影"。不过，如果被取为参照系的科学是公认的原理，技术也是现在就已经成熟的，那么这类电影只能说是科普电影或科教片。如果被取为参照系的科学是公认的原理，技术则是根据上述原理在近未来或远未来才有可能出现的，那么这类电影属于比较严格的科幻电影。如果被取为参照系的科学只是某些科学家提出的假说（或者干脆只是编导假托科学家角色提出的），技术则是从神话传说或文艺作品（如玄幻小说、魔幻电影等）中援用的，那么这类电影属于观念艺术或泛科幻电影。

（二）艺术坐标：科幻电影的维度

所谓"艺术坐标"，在这里是指人们用以为具体作品定位的维度，如形式、内容、类型等。在具体语境中，"科幻电影"可能被人们置于不同维度加以谈论，指属于艺术内容的题材，属于艺术形式的体裁，或者给艺术本体贴上的标签，即类型。

科幻电影可能会被视为一种题材。所谓"题材"是指那些经过集中、取舍、提炼而进入作品的生活事件或生活现象，可以按时间标准分为三大类，即历史题材、现实题材和未来题材。科幻电影从总体上属于未来题材电影，它可以描写现实或历史，却是置于未来视野中加以描写的。未来视野体现了科幻电影的幻想性。它描写的事件涉及科技的未来或未来的科技，因此以"科"冠名。就上述定位而言，发展科幻电影关系到争夺未来定义权的问题。

科幻电影又可能会被视为一种体裁。电影意义上的体裁俗称"片种"，主要有故事片（剧情片）、纪录片、戏曲片、科教片、美术片（动画片）等。与之相应的分类法看来是以影片生产方式为基准的。大致而言，故事片是由真人表演脚本规定角色的作品，纪录片是以让真人（或其他对象）表演其生活中实际角色的作品（亦即社会表演学意义上的作品），戏曲片是由真人按舞台要求表演脚本规定角色的作品，科教片是让源于科技知识人格化的角色进行表演的作品，美术片是让绘制或生成的图像成为"演员"来表演一定角色的作品。以上分析综合运用了两种分类标准，即表演者和被表演者。因此，这种分类方法只是一种经验主义的方法，并不符合标准通约性的要求，但它很常用。蓝凡认为电影类别是电影最基本的影像形态，其中，故事片是以表演影像来叙事，纪录片是以实录影像来叙事，动画片则是以造型影像来叙事。它们的区分是就电影作为艺术的本体特性（用声光影组成的影像叙事的方法和属性）而言的。[1]这种分类方法比较严谨。若从此出发理解片种，那么科幻电影主要是指故事片，但也可能包括其他片种（如果后者定位于未来题材的话）。"科幻动画片""科幻纪录片"已经是学术界关注的对象，虽然还未达到能和科幻故事片三足鼎立的程度。本书研究的"科幻电影"以科幻故事片为主，兼及科幻动画片。

科幻电影还可能会被视为一种类型。若说科幻电影是"电影类型"的话，那是将它置于常态性电影分类中加以考察的。若说科幻电影是"类型电影"或"类型片"的话，那是强调它是市场与资本相互叠加的产物。正如邵牧君指出的，"类型电影有三个基本元素，一是公式化的情节，如西部片里的铁骑劫美、英雄解围；强盗片里的抢劫成功、终落法网；科幻片里的怪物出世，为害一时等。二是定型化的人物，如除暴安良的西部牛仔或警长，至死不屈的硬汉，仇视人类的科学家等。三是图解式的视觉形象，如代表邪恶凶险的森林，预示危险的宫堡或塔楼，象征灾害的实验室

---

① 蓝凡：《电影类型新论》，《艺术百家》2012年第6期，第133—134页。

里冒泡的液体等。从艺术上说，这类公式化、概念化的东西是不可取的，但由于这种公式和概念并不是干巴巴的，相反地往往颇有刺激性，所以很能引起观众的兴趣，哪怕见头知尾，仍然流连忘返"①。在电影史上，科幻电影最初应当是作为电影类型出现的。当相关企业发现它在市场上受欢迎时，会有意扶植，按照成功作品的模式不断制作，这就将科幻电影由电影类型打造成了类型电影。按照阿尔特曼（R. Altman）的解释，"类型"有如下四种含义：作为蓝本，是制片工业用以参照的一种公式、程序和范例；作为结构，是指一种组织影片文本的框架；作为标签，是一种由发行商设计决定的分类名称；作为合约，是由观众从接受角度建立的一种观影视点。②

有关类型电影的讨论，经常是以好莱坞为根据进行的。好莱坞制作的类型电影致力于宣扬"美国梦"，在 20 世纪上半叶独占鳌头，是"古典好莱坞"的标志。艺术总是需要不断创新的，电影也不例外。到了 20 世纪 50 年代，就有编导试图引入不同于既有类型片模式的新内容、新手法，由此形成了所谓的"超类型"。20 世纪 60 年代之后，激烈的社会动荡催生了"反类型"。相关影片充当了"新好莱坞"的标志，描写未来智猿统治人类的科幻片《人猿星球》（*Planet of the Apes*，1968）可以为例。它们在反叛古典类型片的过程中形成了新类型，20 世纪 70 年代是其巅峰期，以科幻片《发条橙》（*A Clockwork Orange*，1971）就是在这一时期出现的。20 世纪 80 年代，保守主义在美国社会回归，导致古典类型片复兴，影坛出现了类型片与反类型片共生的局面。后者的代表作有以复制人身份危机为主题的《银翼杀手》（*Blade Runner*，1982），戏仿"星球大战"系列片的《太空炮弹》（*Spaceballs*，1987），描写不甘受政府催眠电波控制的人们研制出可以看透现实的眼镜的《极度空间》（*They Live*，1988）等。20 世纪 90 年代，"X 世代"在电影内容上反对宏大叙事，在电影手法上以拼贴取代蒙太奇，以此将后现代风格纳入主流视野，其背景是美国消费社会高度发达、新媒体革命高歌猛进。类型片与反类型片的界限在后现代语境中趋于消解，这是"后好莱坞"的特征之一。与此同时，好莱坞的全球战略不断取得进展。为了强调美国作为世界中心、好莱坞作为世界电影中心的地位，好莱坞致力于迎合全世界对于美国的幻想，淡化了本土特色与民族特色，原先的类型片与反类型片进一步融合，

---

① 邵牧君：《西方电影史概论》，中国电影出版社 1982 年版，第 33 页。

② Altman R, *Film/Genre*. London: British Film Institute, 1999, p.14.

我们看到的更多是为世界市场定制的影片（不妨称之为"泛类型片"），如描写美国主导世界抗击外星人斗争的科幻片《独立日》（*Independence Day*，1996）等。这种倾向一直延伸到 21 世纪，以关注全球性重大问题为特征，代表作有表现对发展 AI（artificial intelligence，人工智能）之疑虑的电影《我，机器人》、描写未来人类如何在末日求生的《星际穿越》等。作为上述倾向的反弹，20 世纪 90 年代，美国兴起了关注本土现实的独立电影运动，从而形成了延续至今的商业娱乐电影与小制作独立电影百花齐放的格局。后者的代表作有《这个男人来自地球》（*The Man from Earth*，2007）等。

在我国，如果要对标好莱坞电影工业发展科幻电影，必须要考虑类型片地位的演变。我国没有好莱坞那么强大的电影工业，也没有好莱坞那么成熟的类型电影，但有比其他国家数量更多的互联网用户和手机用户，也有大量被视频网站标注为"科幻"的网络电影，更不要说短视频了。以此为背景，一方面发展面向全球市场、体现"人类命运共同体"理念的大制作院线电影，另一方面发展面向国内市场、反映本土关怀的小制作网络电影，是比较现实的选择。当然，如果能够将二者的优势结合起来，那在战略上就更胜一筹了。这需要以知识产权（intellectual property，IP）转化为纽带，制作同一系列（或采用"同一世界"构思）的多部作品，使之彼此呼应。若单个企业无法胜任，可以通过建立产业联盟等方法来实现。

（三）范畴组合：科幻电影的定义

美国的维泰勒（T. P. Vitale）认为，科幻是最重要的一种题材，但不同的人对科幻的定义不同。[①]"科幻电影"是一个内涵和外延都不太确定的范畴。从构词的角度看，"科"可以理解为科学原理、科学精神、科学假说，也可以理解为科学技术、科学实验，并由此扩大到科技界、科技风云等；"幻"可以理解为幻想、幻觉、幻象、幻景、幻术等；"电影"可以理解为电光源映射的动态影像、视觉艺术、视听艺术，范围小到故事片，大到可以容纳文字、摄影、绘画、动画、音乐、舞蹈、雕塑、戏剧、建筑等多种艺术的现代科艺综合体，甚至涵盖电子游戏、虚拟现实等。因此，由"科"＋"幻"＋"电影"组合而成的范畴（即"科幻电影"），可能有多种不同的解释。

---

① 〔美〕托马斯·P. 维泰勒：《序言》，见〔美〕迈克尔·马洛里《科幻影视大事记》，哈迷疯子译，人民邮电出版社 2016 年版，第 6 页。

根据 2021 年 2 月 22 日进行的检索，在中国知网收入的文献中，最早提到科幻电影的是瀚波于 1978 年写的一篇外论综述。他认为，"科幻片讲的是未来，又明言是虚构的幻想，许多人以为这是纯属主观的随意空想，其实它受到一系列现实条件和历史条件的制约，是帝国主义国家进行思想控制和文化渗透的重要工具之一"①。这段话表明了当时国内某些学者对于国外科幻电影高度警惕的态度。随着改革开放的深入，上述情况有所改变。其标志之一是 1988 年黑尔曼（C. Hellmann）所著《世界科幻电影史》（*Der Science Fiction Film*，1983）②被译成中文出版。书中引用并支持奥地利科幻文艺家弗兰克（H. W. Franke）对科幻电影所下的定义："科幻电影所描写的是，发生在一个虚构的、但原则上是可能产生的模式世界中的戏剧性事件。"③这段话成为国内学术界定义科幻电影最早的根据之一。吴振尘考察了前人对科幻片所下的定义，指出："科幻片是表现假说题材的影片。所谓假说，是指科学研究中对客观事物的假定，即尚需确认的理论和学说。"④以假说来限定科幻片的定义，突出了影片科学知识的假说性和推测性，与神话、童话、魔法等类影片区别开来，比较符合创作实际。如吴振尘所言，相对于弗兰克等的定义，这个定义的优点在于：一是简洁易懂；二是避免了"原则上可能产生""虚构的""戏剧性事件"等含糊的限定；三是改正了科幻片以科学原理或科学现象为剧作基础的不当说法。新定义以"假说题材"取代"科学原理或科学现象"，体现了概念的准确性。同时，统一了黑尔曼纠结的科学和伪科学之分，显示了科学与幻想的内涵，支持了科幻电影与科学原理无关的题材分类的合理存在，为科幻电影的创作搭建了更为广阔的平台。

虽然人们给科幻电影下过多种不同的定义，但基本上都是围绕科技性（或科学性）、幻想性和影像性做文章。例如，张东林认为，以影片摄制时已被揭示或尚在揭示的科学原理或科学现象作为剧作基础，展现某一虚构世界中的戏剧性事件的影片，即为科幻片。⑤根据英文版维基百科的解说，科幻（science fiction，或 sci-fi）是一种电影类型，使用推测性、虚构性、基于科学的现象描述方法，这些现象并未被主流科学完全接受，例

---

① 瀚波：《西方科幻电影与当前的"银河热"》，《电影艺术译丛》1978 年第 00 期，第 273—287 页。

② Hellmann C, *Der Science Fiction Film*. München: W. Heyne, 1983.

③ 〔德〕克里斯蒂安·黑尔曼：《世界科幻电影史》，陈钰鹏译，中国电影出版社 1988 年版，第 2 页。

④ 吴振尘：《论科幻片的类型定义》，《电影评介》2011 年第 3 期，第 7—8、16 页。

⑤ 张东林：《世界科幻电影经典》，中国电影出版社 1998 年版，序言。

如，地外生命形式，外星世界，超感官知觉和时间旅行，以及未来派元素，又如，空间飞船、机器人、电子人、星际旅行或其他技术。科幻电影通常被用来关注政治或社会问题，并探索人类状况之类的哲学问题。[①]中文版维基百科也说："科幻电影（science fiction film）是电影的一类，采用科幻作为题材。确切来说，科幻电影是以建立在科学上的幻想性情景或假设为背景，在此基础上展开叙事的电影。科幻电影所采用的科学理论并不一定被主流科学界接受，例如外星生命、外星球、超能力或时间旅行等等。科幻电影常常使用可能的未来世界作为故事背景，用太空船、机器人或其他超越时代的科技等元素彰显与现实之间的差异。许多科幻电影会表现出对于政治或社会议题的关注，以及哲学方面如人类处境的探讨。一些科幻电影是从科幻文学作品改编而成，但科幻电影会注重撷取其中的文学或人文方面的元素，而无视科幻文学比较注重的科学严谨性和逻辑性。"[②]

笔者进行的科幻电影研究从本体论入手，聚焦于创意，致力于阐述科幻电影为何创作、创作什么、怎么创作等问题。在中国电影出版社付梓的"科幻电影创意研究系列"之一《危机叙事》（2019）、之二《后人类伦理》（2019）、之三《黑镜定位》（2020）中，笔者以超过 200 万字的篇幅阐述了如下原理：①科幻电影创意源于面向未来的忧患意识。危机叙事既是围绕危机起因讲述的故事，又是描绘人物在危机中表现的叙事，同时还是希冀对化解危机有所帮助的叙事。科幻电影对于危机叙事的展示具备"科"字当头、"幻"为其体、"电"助其力、"影"为其容的特点。②科幻电影创意的重点是后人类语境中的科技伦理、幻想伦理和创造伦理。它们表现为将现有伦理延伸到科幻情境，在科幻情境中对现有伦理加以审视，或者提出超越现有伦理的新问题。③科幻电影创意在方法论上的特色是以映射科技为切入点激浊扬清，包括借助科技光明穿透玄幽（黑暗之镜）、透视科技光明见到阴影（黑斑之镜）、仰仗科技光明重塑江湖（黑客之镜）。

三、他山之石：从传播研究看科幻电影

继上文所言"科幻电影是什么"之后，另一个重要问题值得探讨：对我国而言，科幻电影是怎么来的？从传播研究的角度看，大约 16 世纪

---

① Wiki, "science fiction film", http://en.wikipedia.org/wiki/Science_fiction_film.
② 维基百科：《科幻电影》，http://m.tw.cljtscd.com/wiki/科幻电影。

末，西方近代科技就开始通过来华传教士等中介传播到中国。19 世纪末，西方科普和科幻开始由中国知识分子引入。20 世纪初，西方商业性科幻电影开始传入中国。当时，中国急需发展科技以及相关的意识形态，正因为如此，"赛先生"、科普、科幻都受到欢迎，对中国摆脱封建思想的束缚、增强国力和自信产生了积极作用。20 世纪上半叶，科技崇拜在西方艺术界催生了未来主义等流派，科技批判则通过西方马克思主义大行其道。后者对中国学术界近年来关于科幻电影的阐释和评价产生了较大影响。20 世纪下半叶，西方产业经济学日益关注电影产业，新生的文化经济学崭露头角，相关成果为中国 20 世纪后期以来发展文化产业提供了借鉴。科幻电影不再被当成质疑的对象，而是作为中国亟须发展的缺门或弱项。正是在这样的背景下，近年来，国家主管部门将科幻电影视为我国电影产业新的增长点。

（一）新型机器：西方发明的启迪

对于中国而言，科幻电影最初是舶来品。它为什么率先在西方产生呢？要回答这一问题，必须了解西方科技、科普与科幻作为大背景的发展。

近代以来，西方科技及与之相适应的科普、科幻崭露头角，其影响扩大到全世界。对于中国而言，这种影响是所谓"西学东渐"的组成部分。如果说"西学"是形而上的话，那么西方造出的机器则是形而下的。技术、科普、科幻都是二者之间的中介。对于中国普通民众而言，抽象玄妙的西学或许难以入门，但具体可感的洋机器却并非如此，洋船、洋枪、洋炮等不仅是机器造出来的，其自身也是机器。机器既是科技威力巨大的证明，又是西方意识形态传播的媒介。电影最初正是作为机器传入中国的（上海徐园内的"又一村"于 1896 年 8 月 11 日使用电影机放映"西洋影戏"）。

在西方，近代科技兴起于 16 世纪。它以实验为基础，以技术日趋广泛的社会应用为条件，有别于先前处于朴素、萌芽状态的古代自然科学以及局限于手工业的古代技术。作为近代科技的推动者，科学家肯定了理性在发现真理、解决问题方面有几乎无所不能的作用，这种观念、主张和思维方式被称为"科学理性"；技术人员认为技术至关重要，强调规则的价值，这种观念、主张和思维方式被称为"技术理性"。科技工作者的上述特征合称"科技理性"。他们通过交往而形成的社会群体便是所谓"科技界"的由来。相对正式的科学组织最早出现在欧洲，如意大利的西芒托学院（Academia del Cimento，1657）、英国皇家学会（Royal Society，

1660）、法兰西皇家科学院（Académie royale des sciences，1699）等。19世纪末，西方实现了从业余科学家向以全职科学家为主的转变，科学共同体进一步稳定、壮大，成为科技界的核心。

西方不仅发明了近代科技，而且发明了近代科普。作为近代科技先驱，意大利天文学家、物理学家伽利略（Galileo Galilei）已经从事了科普意义上的实践，即面向公众的科学宣传。这类讲座兼有分享知识、启蒙思想、获取支持、娱乐大众等功能。1799 年，英国皇家协会（Royal Institution）成立。这是世界上第一个正规的科普协会。《爱丁堡科学杂志》（The Edinburgh Journal of Science）在 1821 年 4 月 1 日创刊号上刊登了《关于不规则氧化对硬币和奖章铭文的恢复》（On the revival of the inscriptions on coins and medals by unequal oxidation），并称之为"科普类稿件"。①1872 年，纽约的阿普尔顿（D. Appleton）推出《科普月刊》（The Popular Science Monthly）。这表明科普不仅作为界别建立了组织、作为文体获得标识，而且逐渐有了自己的专属媒体。

从创作的角度看，西方科幻在一定程度上是对于西方科普流露出的唯科学主义或技术崇拜的反弹，肇始于英国作家玛丽·雪莱（M. Shelley）的小说《弗兰肯斯坦》（全名是《弗兰肯斯坦——现代普罗米修斯的故事》，1818）。从命名的角度看，卢森堡裔美籍工程师雨果·根斯巴克（H. Gernsback）于 1926 年创办杂志《惊奇故事》（Amazing Stories），其副标题 Scientifiction 是对科幻小说的原始称呼，由 scientific（科学的）一词和 fiction（幻想故事）一词合成。因此，就其本义而言，科幻小说指的是科学幻想故事。根斯巴克对《惊奇故事》的命名表明：他欢迎有科学根据的小说或者说根据科学创作的有趣故事。正是从这样的认识出发，他又创办了《科学奇妙故事》（Science Wonder Stories）、《科学侦探月刊》（Scientific Detective Monthly）等刊物。根斯巴克被尊为"科幻杂志之父"，如今世界科幻协会（World Science Fiction Society，WSFS，又译世界科幻小说协会）大名鼎鼎的雨果奖就是为纪念他而设立的。它的正式名称为"科幻成就奖"（Science Fiction Achievement Award），自 1953 年起每年在世界科幻大会（World Science Fiction Convention）上颁发。

西方科技、科普和科幻都是在封建社会后期传入中国的。有三个历史现象值得注意：①明代中叶，西方来华传教士成为科技推介者，目的主要

---

① "Contributions to popular science: No. I. On the revival of the inscriptions on coins and medals by unequal oxidation", The Edinburgh Journal of Science, 1824, Vol.1, No.1, p.37.

是通过那些希望借此使国家富强的士大夫影响最高统治者，以扩大所属宗教在中国的势力。他们在传播西方"格致学"时，特别强调其实用性。②清末，中国民主革命先行者从西方引入科普著作，目的在于传播科学知识，对民众进行思想启蒙，像严复 1898 年翻译法国学者赫胥黎（A. L. Huxley）的《天演论》就是如此。这本译作传播了"物竞天择，适者生存"的进化论观点。③20 世纪初，文学家从西方引入科幻作品，除宣传科学精神的作用之外，还起到了革新文学的作用，像 1903 年鲁迅翻译法国凡尔纳（J. G. Verne）的《地底旅行》（*Voyage au centre de la Terre*，今译《地心游记》）和《月球旅行》（今译《从地球到月球》）就是如此。①

　　无论是科技、科普还是科幻，都可以在古代社会找到源头。初民运用工具以制造工具的实践是古代技术之源，文明时代初期哲人关于自然规律的思考是古代科学之始，他们流传至今的相关言辞或论著可以充当古代就有面向观众或读者的科普的证据，至于神话传说中有关科技应用（如制造机器人）的故事则表明科幻同样渊源有自。若进行平行比较的话，可以发现中西方科技文化不乏相同之处。正如黄世瑞所说，"近取诸身，远取诸物"对中西双方来说都是适用的。②当然，二者的区别也是明显的。潘建红指出，"中国古代科技文化关注人，以伦理为主导，而西方科技文化则关注自然，崇尚理性的精神；中国古代科技文化强调思维的直觉性和意会性，并以实用经验为前提，西方科技文化的思维模式则是沿袭逻辑与分析的传统，注重对知识的检验"③。从总体上说，科幻电影是面向未来的，但并不排斥过去将来时的写法。就此而言，中西方科技文化史都可以成为科幻电影创意的借鉴。

　　古代中国有值得骄傲的科技成就。如彭顺生所言："中国传统科学技术是自 16 世纪才由盛而衰的。在此之前的整个中世纪，中国在科学技术方面，曾创造了不可胜数的世界第一，远远地超过了西方。"④古代中国也有值得重视的科普成就。如李忠明等所言，中国古代神话传说、民谚民谣、小说、戏曲等俗文学作品中蕴含大量科技因素，包括当时人们对天文

① 1878 年 7 月 6 日，《北华捷报和最高法庭与领事公报》（*North-China Herald and Supreme Court and Consular Gazette*）文化与生活版刊登书讯，介绍儒勒·凡尔纳的科幻小说系列中的《鹦鹉螺号：海底两万里》。该报出版于上海，这表明西方科幻小说当时已经开始传入中国。至于全文翻译，估计是此后的事情。
② 黄世瑞：《中西科技思想文化比较》，《自然辩证法研究》2002 年第 7 期，第 68—71 页。
③ 潘建红：《中西科技文化比较观》，《求索》2007 年第 7 期，第 121—123 页。
④ 彭顺生：《16 世纪前中西科技之比较》，《历史教学》1998 年第 12 期，第 15—18 页。

地理的观察与记录，对自然变化的认识与思考，对技术工艺的概括与描述，以及对神秘未来的想象与预测。[①]古代中国同样也有值得铭记的科幻成就，例如，《山海经》可以视为平行世界奇观大全，《列子》一书收入了不少类似于近代科幻短篇的故事，《西游记》借神魔故事表达了某些有意思的科幻观念。中国科幻电影不仅可以对中国近现代文学家的科幻作品进行改编，也可以将中国古代科技、科普和科幻当成自己的创意资源。

为什么中国在科技领域的领先地位后来会被西方取代呢？陈卫权认为，原因主要有两个：一是社会历史形态差异。欧洲历史具有明显的阶段性，从奴隶制向封建制的过渡有着清晰的断限，其标志即公元475年西罗马帝国的灭亡。如果说西欧的封建制度是以蛮族入侵的方式推倒了奴隶制大厦后重建的话，那么中国的封建统治者便只是赶走了旧大厦的主人，而完全利用了其原有结构。在政治制度、统治方式诸方面，中国较多地保留了奴隶社会形式。社会历史的不同，使科学技术的发展在欧洲表现为阶段性，在中国表现为延续性。中国社会史的延续性使科学技术的发展没有中断。如果说欧洲科技史是台阶形的，那么中国科技史就是慢坡形的。二是思想意识形态差异。中国以伦理道德为主体的封建统治思想使非宗教的神学思想和科学技术融为一体，致使科学技术不能超越封建主义的框框，扭曲了科学的本来面目。许多科学见解、创造发明不能沿着正确的轨道发展，从而不能产生划时代的作用。如罗盘被用于看风水，历法被用于换朝代以及天文学和占星术的孪生现象等，都说明了中国科技的这一特征。[②]赵国锋、张沛认为，西方采用主客体分离的思维方式，高扬理性、提倡理性思维，建设了以重商主义为主体的海洋文明，发展对外贸易，互惠互利，形成了一种向外扩展的外向型文化；中国文化营造的封建社会环境时间较长，统治阶级对文化学术的高压禁锢政策、长期的传统文化中的保守趋向和科举选士等，都不利于科学技术的发展和进步。加上较为封闭的地理环境滋生的因循守旧、保守内敛、闭关锁国等现实，终于导致落后。[③]孟丹认为，"我国古代探索科技文化时，是将伦理放于首位，认为人在科技文化中的地位相当重要，但西方国家恰恰与我国相反，他们对于自然更

① 李忠明、相婷婷、李蓓蓓：《科普视阈下的中国古代俗文学独特价值研究》，《科普研究》2018年第3期，第42—48、107—108页。
② 陈卫权：《中西科技发展差异之比较——从中西人文环境说起》，《池州师专学报》2003年第6期，第86—88页。
③ 赵国锋、张沛：《从中西文化传统比较看近代中国科技发展滞后的原因》，《内江科技》2006年第5期，第103、105页。

加注重，认为理性精神非常重要"①。明清八股文禁锢了知识分子的思想，使得知识分子对仕宦前程趋之若鹜，中国科技文化的发展失去政策支持。中国科幻电影在创意上自然可以包含对科技史的反思，从总结经验教训入手，探讨繁荣科技之路。当然，这种创意不应是对科技史的生搬硬套，而是应当结合科幻电影自身的特点。

20 世纪 50 年代开始，现代科技在世界上崭露头角。与先前的近代科技不同，现代科技是由科技哲学、自然科学与技术、社会科学与技术以及各交叉学科形成的庞大体系，在计算机、互联网等新发明的推动下加速发展，在不断分化和综合的过程中实现自我更新。物质科学、生命科学、信息科学等方面取得的突破正推动新一轮科技革命，宇航技术的进展正在拓展人类的生存空间。在这个时期，由于社会制度、意识形态、利益诉求不同而形成的各种国际阵营都力求通过发展科技增强其实力，科技的负面影响则通过环境迅速恶化等全球性问题日益尖锐地表现出来，这些问题又只能靠发展新科技来解决。正是在上述矛盾运动中，环境科学与技术成为人类社会可持续发展的重要依托，哲学界各种与之相关的流派日益活跃。以之为背景，科普与科幻既产生了新的共鸣，也形成了新的对立。科普对科技的宣传由于搭上媒体革命创造的快车得以迅速扩大影响，科幻对科技的批判则变得日益深入、激烈。处在这样的历史背景下，科幻电影将既有科技成果当成想象的基点，将未来科技成果当成想象的取向，接触了科技影响的方方面面，从造福人类的积极作用，发展到灭绝人类的消极作用，最后发展到好恶相克的"双刃剑"作用。

从落后挨打到自强自立，科技现代化在中国现代化过程中发挥了重要作用，这决定了中国人对科技的基本态度。中华人民共和国成立伊始，就在《中国人民政治协商会议共同纲领》中写入了提倡爱科学（第四十二条）、普及科学知识（第四十三条），提倡用科学的历史观点，研究和解释历史、经济、政治、文化及国际事务，奖励优秀的社会科学著作。②此后，文化部设立了科学普及局，这在我国中央政府部门建制史上是首创。1950 年，中华全国科学技术普及协会、中华全国自然科学专门学会联合会成立，分别负责科学普及、科学提高的工作。1952 年，科学普及局与文物局合并为社会文化事业管理局，全国科学技术普及协会成为具体负责

---

① 孟丹：《中西科技文化之比较》，《文化学刊》2019 年第 5 期，第 171—172 页。
② 《中国人民政治协商会议共同纲领》，1949 年 9 月 29 日，http://www.law-lib.com/law/l aw_view.asp? id=283576。

全国科普工作的群团组织。1958 年，它和中华全国自然科学专门学会联合会合并为中国科学技术协会（简称"中国科协"）。后者成为负责我国科普工作的主要全国性群众组织，并持续至今。所属省、市、县级科协多达数千个。这些协会的成员有不少是科幻作家，中国科普作家协会（1979年成立）的成员也是如此。在澳门，2006 年成立了世界华人科普作家协会（World Chinese Science Popularization Writer Association）。

中国科技现代化的历程也决定了中国科普和科幻的起始关系——二者自问世起就是你中有我、我中有你。刘慈欣曾用喻人手法对其关系的演变予以描写："他们（指科普和科幻。引者注）目睹了最后一个王朝的覆灭，感受了科学在少年中国引起的情窦初开般的骚动和向往，一起走过民国的腥风血雨，一起在新中国的五十年代和八十年代创造了不大不小的辉煌。但在八十年代中期，他们看到外面的世界中，自己的同类都是特立独行，就开始互相嫌弃对方，认为对方降低了自己的品位，最终分道扬镳。两个孩子拉着的手刚刚松开，就双双跌入泥潭不可自拔，直到 20 世纪九十年代才先后挣扎出来，灰头土脸地各自走自己的路，发现在经济社会的原野中到处都是迷茫和挫折，发现已年过百岁的自己仍是孩子。终于，他们又在一个路口上重逢了，又重新拉起手来。"①他认为，"科普型科幻是中国的创造，而中国科幻最大的辉煌也是科普型科幻创造的"②。对于上述过程，刘慈欣在接受专访时另有一种表述。据他所言，"世界经典科幻作品中，或多或少都有科普理念，但总的来说，科幻文学和科普是两回事。中国的情况比较特殊。科幻文学 20 世纪初在中国出现，中国的第一部科幻作品是 1904 年荒江钓叟所著的《月球殖民地》。那时的中国社会渴望崛起，渴望接受文明。科幻因此被赋予使命，成为一种传播科学的工具。鲁迅先生的论述就很有代表性：科幻是精于科学，委以人文。即把科学用大众容易接受的方式传播。到了 20 世纪 80 年代，这种情况得到修正，科幻的文学属性得到强调。但在 90 年代第三波科幻文学热潮中，中国的科幻又走到另一个极端，现在的科幻作品中看不到一点科普的影子。科普性科幻几乎是中国的特色，我们为什么不把它保留下来呢"③。刘慈欣说的主要是科幻文学（特别是科幻小说）。尽管如此，其观点对于科幻电影同样是适用的。强调科幻作品的科普价值是我国科幻电影研究由来已

---

① 刘慈欣：《当科普的科幻尝起来是文学的》，《中国科技奖励》2010 年第 6 期，第 78 页。
② 刘慈欣：《当科普的科幻尝起来是文学的》，《中国科技奖励》2010 年第 6 期，第 78 页。
③ 刘慈欣：《科技越进步，科幻越艰难（专访）》，《环球时报》2013 年 1 月 18 日。

久的一种倾向。例如，王一鸣指出，"当代，科幻作品中对社会大众影响最广的是科幻电影。科幻电影与一国的科技实力关系密切，也对科技创新具有预见和启发的效果，是当代科普的一种有效媒介方式"①。不过，在艺术实践中，真正属于科普型的科幻电影却很少，只有《小太阳》和《神奇的梦想飞船》（2019）等几部。其中。也许真的有刘慈欣所说的科普与科幻一度相互嫌弃的问题。如今，这种情况正在改变。2020 年 10 月 31 日，跨越界别的中国科普研究所中国科幻研究中心成立，正是标志性事件之一。

在科幻文学领域，西方陆续成立了不少组织，如费城科幻协会（Philadelphia Science Fiction Society，1936）、英国科幻协会（British Science Fiction Association，BSFA，1958）、美国科幻和奇幻作家协会（Science Fiction & Fantasy Writers of America，SFWA，1965）等。世界性科幻文学组织除前面提到的世界科幻协会之外，还有世界华人科幻协会（World Chinese Science Fiction Association，CSFA，2010）等。我国相关的跨地区组织有中国网络科幻协会（2002）等，地方性组织有上海浦东新区科幻协会（2019）、成都市科幻协会（2021）等。这些文化组织比较松散，主要活动是交流、评奖等。至于爱好者社团，那数量就更多了。近年来，有不少高校成立了这类以"科幻协会"为名的学生社团。

（二）迷人样板：西方电影的示范

在考察作为背景的科技、科幻与科普之后，我们要追问的是："西方科幻电影如何在中国产生影响？"

西方科幻电影比科幻小说晚了近 1 个世纪才出现，它是在科技、科普和科幻的合力下起步的。19 世纪，科学家在电磁学、感光化学等领域取得的突破，发明家在胶片、电光源、连续摄影等方面取得的成果，构成了科幻电影得以诞生的技术条件。倘若发明家自己录制影片以宣传其技术，这就构成了科普；倘若上述影片呈现的相关内容超出了当时技术条件所能达到的水平，这就构成了科幻。我们可以从上述角度理解法国卢米埃尔兄弟（A. Lumiere, L. Lurmiere）拍摄的《熟食机械公司》（*La Charcuterie mécanique*，1895）。该片又名《机械屠夫》，以自动机为题材，描写屠夫将生猪放入机器，拉出几乎包装好的猪肉制品供销售。也许它是科普电影和科幻电影共同的先河或前奏。类似的作品有美国爱迪生工作室推出的

---

① 王一鸣：《科幻电影、创新及科普》，《科技导报》2013 年第 23 期，第 84 页。

《屠夫商店搞笑》（*Fun in a Butcher Shop*，1901）等。此后，艺术家开始介入，法国富有的导演、演员梅里爱（G. Meorge）就是当时的关键人物。他不仅购买现成的摄影机，而且造出自己的摄影机并申请专利，拍摄了《小丑与自动化》（*Gugusse et l'automaton*，1897）等作品，由星影公司（Star Film Company）出品。其所拍的滑稽短片《伦琴射线》（*Les Rayons Röntgen*，1898）表现的骨架离体起舞，《太空人的梦》（*Le Rêve d'un astronnome*，1898）描写的主角攀登绳梯上月亮，都是科幻性的。1902 年，他导演了片长达 21 分钟的《月球旅行记》，以此成为科幻电影的"鼻祖"。

1903 年，在德国留学的林祝三携影片和放映机回国，租借北京前门打磨厂天乐茶园放映电影。1905 年，北京丰泰照相馆的任庆泰拍摄了一段由谭鑫培主演的京剧《定军山》，向这位著名京剧老生祝寿，中国自制电影的历史由此开创。1925 年，开心影业公司出品了汪优游、徐卓呆执导的《隐身衣》。它描写了万能博士发明隐身衣和嗅觉放大器，造成匪夷所思的结果。①该片上演后，《游艺画报》《图画时报》《联益之友》《新上海》《紫葡萄》等刊物都发表了剧照。它应当是中国第一部科幻电影。②当时报刊上有关它的评介，可以说是我国科幻电影评论之发端。不过，也许是由于《隐身衣》的情节不够曲折等，某些学者却将这个美誉给了 1938 年新华影业公司拍摄的《六十年后上海滩》。③后者的构思可能受到了美国《五十年后之世界》（*Just Imagine*，1930）的影响，虽然我们还无法找到传播学意义上的证据。至于法国导演梅里爱拍摄的《月球旅行记》等影片是否在中国上映过，目前也没有资料能够说明。根据笔者对《全国报刊索引》的检索，《大陆报》（*The China Press*）1917 年 11 月 27 日第 8 版刊登简讯，介绍上海大戏院（The Isis Theater）前一天晚上放映了神秘电影《多米诺骨牌》（*Dominó*）。据说它是英国跨大西洋电影公司（The Trans-Atlantic Film Co. Ltd.）于 1914 年制作的，但其内容不可考。值得一提的是，1929 年 4 月 7 日，《上海星期日泰晤士报》（*The Shanghai Sunday Times*）刊登简讯，将《大都会》（*Metropolis*，1927）作为神奇幻想片加以介绍。它是德国 1927 年出品的机器人题材作品，是货

---

① 黄鸣奋：《从滑稽片到故事片：再探我国科幻电影发端》，《科普创作评论》2021 年第 3 期，第 79—86 页。

② 涵：《滑稽片〈隐身衣〉本事》，《新闻报》1925 年 11 月 9 日第 4 张第 1 版。

③ 张衍：《中国早期科幻小说与电影中的科学呈现》，《文化学刊》2018 年第 1 期，第 157—161 页。

真价实的科幻片。1933 年 7 月 8 日，上海大戏院放映了德国乌发电影公司（Ufa LogoUfa）出品的《月亮上的女孩》（*Girl in the Moon*，又译《月亮旅行记》）。1933 年 7 月 11 日，《新闻报本埠附刊》发表了郑宗宪的《"月球旅行记"评》，这是已知我国最早的关于外国科幻片的评论。由此看来，在西方科幻电影传入中国的过程中，德国影片发挥了重要作用。当时，在上海的德国人为数不少，主要生活在公共租界。上海大戏院位于四川北路虹江路口，原是戏曲剧场，由意大利人劳罗（A. E. Lauro，一译罗乐）和中国人邓子羲等于 1917 年出资改建。劳罗在上海创办了罗乐电影公司（Lauro Films），拍了 200 多部影片。[①]它是已知中国最早的外资电影企业，至于其是否拍过科幻片，有待考证。

1929—1933 年，美国爆发的经济危机波及整个资本主义世界，这就是所谓的"经济大萧条"。人们为了排遣危机造成的苦闷，纷纷进影院，美国电影由此形成了十年左右的"黄金时代"。影院适应观众需求推出夜场"双片制"，在票价基本不变的情况下，一次放两片，经常一部是投资巨大、制作相对精良、由大明星或知名导演拍摄、大制片厂出品的"A 片"（主片），另一部是成本低廉、水准相对粗糙、由一般导演和演员担纲、小制片厂出品的"B 片"（附赠）。后者没有采用昂贵特技镜头的经济条件，转而诉诸刺激性画面与情节，销路居然很好，其中就有不少科幻片，还有恐怖片、黑帮片等。到了 20 世纪 50 年代，为了应对电视媒体的挑战，好莱坞取消"双片制"，重点发展体现自身优势的宽银幕、立体声、大气势的影片，但此时 B 片已成气候，为市场所看好。因此，好莱坞以 A 片水准拍 B 片类型，推出了《星球大战》等广受好评的影片。20 世纪 80 年代，好莱坞进入了"大片"（blockbuster）时代。当时，20 世纪福克斯、哥伦比亚和华纳等大制片公司分别被澳大利亚报业、可口可乐、索尼、时代出版等商业巨头并购，逐渐朝综合性媒体集团发展，将业务范围拓展到出版、广播、电视和娱乐等行业。大片获得来自整个产业链的支撑，票房早就不再是利润的唯一来源。

进入新时期之后，我国的电影业实施改革转制，电影市场则有条件地对外开放。1994 年初，广播电影电视部正式决定以国际上普遍采用的票房分成方式每年引进十部基本反映世界优秀文明成果和基本表现当代电影艺术、技术成就的影片。[②]正如丁屏风形容的，"十部进口大片破门而

---

① 汤惟杰：《记录过上海的意大利人》，《新民晚报》2014 年 12 月 6 日第 B15 版。
② 范志忠：《百年中国电影商业美学的主题变奏》，《当代电影》2007 年第 3 期，第 141—148 页。

入，使萎靡不振的中国电影业为之一振，更使某些口口声声标榜‘玩电影’的中国影人如梦初醒，顿生‘失乐园’的悲凉之感"①。虽然中国自1953 年起就开始布局电影工业的建设，并且在设备制造和影片生产方面取得了不俗的成绩，但此时国内的电影企业与国际传媒集团相比，差距实在是太大了。改革所有制，面向市场，走大片之路，成为中国电影业的选择。正如王擎所说，民营电影撑起中国大片时代。②2002 年，张艺谋推出了国产大片《英雄》。2019 年，郭帆推出了国产科幻大片《流浪地球》。在某种意义上，他们都借鉴了好莱坞的经验。学术界呼吁发展电影工业，主要也是以好莱坞为参照系的。

我们应当看到，好莱坞不等于整个美国电影工业。20 世纪中期，一些电影公司处于垄断地位，实施步骤严谨、瞄准市场的制片人制度，以期将利润最大化，这引起了某些追求自由发挥的电影人的反感。他们另起炉灶，摆脱这些电影公司的控制，致力于发展独立电影，拍出了不少和商业电影截然不同的影片，如前文提到的科幻片《这个男人来自地球》等。独立电影是体制之外的电影，在这一点上和我国所谓的"地下电影"有可比性。实际上，电影生产是在一定的社会关系中进行的，这种关系对于电影企业而言就是生产关系。从生产关系着眼，科幻电影的工业研究应当深入到电影人内部，探讨编剧、导演、制片人等角色的定位、作用、矛盾，相应的社会团队的功能，以及它们对电影生产、流通和消费产生的影响。

20 世纪 50 年代初，新中国电影工业草创之际，面对的是以已有半个世纪之经验和人脉的好莱坞为代表的西方电影工业体系。今天，我们重提建设中国自主电影工业体系的时候，面对的是好莱坞在全球扩张过程中形成的势力强大的跨国传媒集团。社会历史条件至少发生了如下变化：①从总体上看，中国已经深度融入了世界市场，尽管逆全球化潮流导致的"脱钩"风险依然存在。②新一轮科技革命、工业革命、媒体革命改变了电影工业所处的生态环境。数字化、网络化、信息化、智能化使科幻视频作为用户生成内容迅速增长，大有后来居上的势头。③经过半个多世纪的建设，中国的综合国力大大增强，为电影工业奠定了可靠的基础，尽管不少关键技术还掌握在西方国家或国际传媒集团手里。

在这样的历史条件下，从事中国科幻电影工业研究，不能不重视如下基本原则：①在电影市场问题方面坚持双循环，以国内市场为主；②顺应

---

① 丁屏风：《"十部大片"现象启示录》，《电影评介》1995 年第 6 期，第 14—15 页。
② 王擎：《民营电影撑起中国大片时代》，《电影》2007 年 Z1 期，第 11—12 页。

数字化、网络化、信息化、智能化的大趋势，既要拍好院线片，又要重视网络电影和短视频；③努力促成我国科学家、发明家相关研究成果在电影领域的转化，争取在关键技术上取得突破。

（三）严肃标准：西方哲人的警示

西方人如何看待科幻电影？这个问题的答案在很大程度上取决于其依据的数据来源。如果说科幻电影的票房价值、移动通信网络上的点击和留言更多地反映了西方公众对具体影片的基本态度，那么西方思想家（尤其是马克思主义者）提供的更多是一种具有广泛意义的严肃标准，虽然未必针对科幻电影而言，却对科幻电影评论或研究具有启迪作用。

在西方，近代科技在促进生产力的发展、推动社会转型以至于摆脱中世纪宗教的束缚等方面发挥了重要作用。但是，它在整体上服务于资产阶级积累财富、对外扩张的需要，不仅导致了人的异化，而且带来了生态破坏的恶果，甚至创造了以大规模杀伤武器毁灭人类的可能性。事实证明，科技在资本主义社会中与工业资本紧密结合，势必导致科技的异化。

20 世纪之后，西方马克思主义者在新的历史条件下弘扬批判精神，以求唤起公众的警觉。他们与科幻电影关系比较密切的观点主要有以下几个方面。

第一，意大利共产党创始人之一葛兰西（A. Gramsci）的文化霸权批判。他所说的"文化霸权"主要是指统治阶级对社会成员思想的控制与支配。无产阶级要推翻资产阶级的统治，就必须粉碎其文化霸权。这个概念后来被其他学者扩展到国际关系上，用来探讨帝国主义与反帝国主义的文化运动及其话语表述问题。

第二，德国第一位社会哲学教授霍克海默（M. M. Horkheimer）的大众文化批判。霍克海默是法兰克福学派的创始人，他相信马克思主义，但认为现存制度无法改变。在他看来，大众文化虽然以"大众"为名，却是由其他社会阶层的代表（而非大众本身）决定的。大众文化的特征是商品化、技术化、标准化、欺骗性。

第三，德国哲学家阿多诺（T. W. Adorno）的文化工业批判。阿多诺是法兰克福学派第一代的主要代表人物。他对文化工业的批判主要集中在以下几个方面：①以商品拜物教支配文化的生产、流通与消费，旨在追求利润，艺术也不例外；②按标准化原则进行生产，用表面上的多样性掩盖实际上的同一性；③通过大批量生产和复制，以数量几乎无限的产品满足大众的需要，貌似给了大众自由选择的权利，实际上是以同一化产品重塑了大众的需要；④粉饰生活，使人们错将假象当成现实。

第四，德裔美籍哲学家马尔库塞（H. Marcuse）的科技异化批判。马尔库塞是法兰克福学派左翼的主要代表，率先系统阐述了科技异化理论。他认为发达工业社会将本来用于征服自然的科学移用于征服人，不仅利用技术成功地压制了反对派和反对意见，而且压制了人们内心中否定性、批判性和超越性的向度。社会因此成为单向度的社会，而生活于其中的人则成为单向度的人。

第五，德国哲学家哈贝马斯（J. Habermas）的科技意识形态批判。哈贝马斯是法兰克福学派第二代的中坚人物。他敏锐地注意到，19世纪后25年以来，科学和技术在先进的资本主义国家日益相互依赖，科技因此成了第一位的生产力。不仅如此，这些资本主义国家对科技的干预增加了，科技则使资本主义国家的存在合理化，因此成了意识形态，甚至具有比以往的意识形态更强烈的意识形态性。

第六，加拿大学者莱斯（W. Leiss）的科技理性批判。莱斯是生态学马克思主义奠基人。他认为资本主义制度下的科学技术和异化消费建立在"控制自然"观念的基础上，是当代生态危机的根源。解决当代生态危机的关键是理顺需要、商品和满足之间的关系，应当将人对需要的满足引向自主性和创发性的劳动中。

根据黎婵、石坚的考订，西方马克思主义科幻批评由加拿大犹太裔学者达克·苏恩文（D. Suvin）发起，《科幻研究》（*Science-Fiction Studies*，1973）和《乌托邦研究》（*Utopian Studies*，1988）两大杂志成为这一学派的主要聚集场所，其研究活动主要在美国、加拿大展开，影响波及英国、爱尔兰、澳大利亚、法国及意大利。该学派成员的研究各有侧重，有时互为矛盾。使他们成为同一流派的不仅有对科幻的共同关注，还有在分析中所持的共同立场，即乌托邦的终极视野。例如，该学派中最负盛名的美国学者詹姆逊（F. Jameson）认为，科幻小说是继历史小说之后表达乌托邦未来——与现在具有根本性差异的未来——的重要文类，作为科幻次文类的乌托邦文学则以乌托邦欲望为直接内容。[1]其代表作《未来考古学：乌托邦欲望和其他科幻小说》（*Archaeologies of the Future, The Desire Called Utopia and Other Science Fiction*，2005）已有中文版。[2]

---

[1] 黎婵、石坚：《西方马克思主义科幻批评流派的乌托邦视野》，《四川大学学报（哲学社会科学版）》2013年第5期，第65—72页。
[2] 〔美〕弗里德里克·詹姆逊：《未来考古学：乌托邦欲望和其他科幻小说》，吴静译，译林出版社2014年版。

　　在西方马克思主义看来，电影的生产和消费属于文化工业、大众文化的范畴，科幻电影也不例外。不过，科幻电影以"科"当头，与科技的关系更为密切。西方马克思主义者在展开社会批判时，经常就文化产品的标准化立论。实际上，上述批判本身也是有一定的标准的。这种标准来自他们作为启蒙思想家或社会良知的代表所持的立场。他们进行的社会批判已有大量汉语译著，成为学术界用以分析科幻电影的依据之一。这些批判在西方语境中具备很强的针对性，即将矛头对准资本主义制度固有的弊端。20 世纪末以来，中国大力发展文化产业。在源头上，"文化工业"和"文化产业"是同一个词，即德语的 Kulturindustrie，首见于阿多诺的《启蒙辩证法》（1944）一书。中国实行的是中国特色社会主义制度，与西方国家迥然有别。因此，西方马克思主义者进行的社会批判对于中国发展文化产业有什么样的借鉴作用，是有待深入考察的问题。

　　在西方，马克思主义是很重要的一个哲学流派，但并非主流意识形态或指导思想。直接为当代文化工业服务的学科主要是产业经济学和文化经济学。产业经济学是第二次世界大战之后在日本兴起的，较早关注电影产业问题，如 1948 年美国的派拉蒙反垄断案等。这门学科的研究相当具体，有以下几个方面：①电影产业本身，如产业组织、盗版以及数字技术变革的影响、合同实施和融资决策等；②电影票房，如影响电影票房的因素、影评对票房的作用、明星到底能给票房带来什么、不同级别的影片及其利润回报、对电影需求的预测等；③影片的发行及放映序列，如怎样选择首映时机、何时发行 DVD、电影票房的季节性等；④电影院排片、选址和空间竞争，如邻居电影院的放映顺序是否应该差异化、新建电影院对老电影院的影响、来自电影院的反垄断问题；等等。①这门学科的研究者擅长运用经济学量化分析工具，习惯于以经济利益为衡量标准，不考虑我国所说的公益性文化事业与商业性文化产业的区别。文化经济学于 1967 年兴起于美国，它将主流经济理论应用于文化艺术领域，并进行了一系列创新，不是简单地将文化生产纳入物质生产的轨道，比较注重对文化生产自身特点的分析。不过，它先前主要关注高雅艺术而非流行文化，近年来才有所改变。②

　　上文着眼于新型机器、迷人样板和严肃标准，在比较视野下从传播研

---

① 张洁、芮明杰：《经济学研究者所关注的电影产业——来自产业经济学视角述评》，《社会科学》2014 年第 11 期，第 39—49 页。

② 张斌：《欧美"文化经济学"研究及启示》，《国外社会科学前沿》2021 年第 2 期，第 88—99 页。

究的角度考察了西方发明的启示、西方电影的示范、西方思潮的警示，主
要目的是弄清对我国而言"科幻电影是怎么来的"。随之而来的问题是：
"中国人如何看待西方科幻电影？""西方人如何看待中国科幻电影"？
在全球化时代，从理论上说，电影传播是双向的。西方电影传播到中国，
中国电影也传播到西方，但从总体上说二者不对称。以科幻电影为例，传
统意义上衡量电影市场反响的指标主要是票房价值，即影剧院售出戏票产
生的经济效益。西方将输入中国电影市场的科幻大片当成"票房收割
机"，反过来，国产科幻电影对西方的影响则很小。在国内票房排行榜
上，我国科幻电影以《流浪地球》居前（名列各类电影第三），为 46.87
亿元；其次为内地与香港合拍片《美人鱼》（2016），为 33.97 亿元；第
三名为《疯狂的外星人》，为 22.14 亿元。①根据 2022 年 3 月 8 日对全球
电影票房总排行榜"最高终身总票房"（Top Lifetime Grosses）的检索，
《流浪地球》排名 129，全球总票房为 699 992 512 美元，主要源于中国
（691 264 912 美元），此外还有澳大利亚（1 202 717 美元）、新西兰
（224 778 美元）、韩国（99 844 美元）等。②《美人鱼》排名 186，全球
总票房为 553 810 228 美元，主要来自中国（534 546 424 美元），此外马
来西亚（7 025 381 美元）、越南（4 419 787 美元）、新加坡（3 110 642
美元）、澳大利亚（843 885 美元）、泰国（279 960 美元）、新西兰
（177 911 美元）、英国（173 553 美元）。③《疯狂的外星人》无具体排
名，全球总票房为 327 598 891 美元，都是来自中国。④上述数字说明，若
以票房价值为尺度衡量，我国科幻电影排名最靠前的三部影片的观众群都
以本国为主。相比之下，《流浪地球》在国外有些影响，《美人鱼》在国
外有较大影响，《疯狂的外星人》在国外全无影响。中国电影人希望有更
多自己出品的影片能够在国际上获奖（"奥斯卡金像奖"情结），也希望
能够打开国外（尤其是西方）的市场，这是对标好莱坞、大力发展电影工
业的初衷之一。不过，这个愿望的实现并非一蹴而就的。比较现实的做法
之一，是借鉴中国网络文学"出海"的经验，在努力开拓国内市场的基础
上争取"外溢效应"。

　　本节从平行研究入手，首先探讨了中西方不同社会环境对科幻电影的

---

① 根据艺恩娱数网站（http://ys.endata.cn）提供的数据整理（2022 年 3 月 8 日）。其他榜单显示
的票房数值略有差异，但排名是一致的。
② Box Office Mojo. http://www.boxofficemojo.com/title/tt7605074/?ref_=bo_cso_table_129.
③ Box Office Mojo. http://www.boxofficemojo.com/title/tt4701660/?ref_=bo_cso_table_186.
④ Box Office Mojo. http://www.boxofficemojo.com/title/tt6660238/?ref_=bo_se_r_1.

影响和反影响；其次进行类型研究，分析了科幻电影的特性、属性和定位；最后展开传播研究，说明中西方互动与科幻电影发展的关系。由此可以看到，"中国科幻电影"既是逻辑范畴，又是历史范畴。在理论上，对它进行美学研究时，要考虑到它作为以视觉为中心、由电光源投映的非现实性影像的特征，关注它如何围绕未来科技展开想象；在实践中，在对它进行工业研究时，要考虑到它在全球化进程中的历史地位，关注西方文化输入以及中国文化安全等问题；在理论和实践相结合、美学研究和工业研究相结合的意义上，要关注由于中西方经济环境、政治环境和文化环境的影响而产生的差异，以及对国际交流的贡献。这些问题都是值得深入研究的。

第二节　科幻电影视野下的中国

科幻电影诞生于现代意义上的民族和国家已经纷纷建立的时代。对于我国而言，科幻电影是作为技术发明和精神产品从西方国家输入的。国产科幻电影问世于 20 世纪 20 年代（以 1925 年上映的《隐身衣》为标志）。它不仅依托本土企业制作、为本土观众生产，而且从本土文化汲取营养，并将本土生活作为素材来源，聚焦于中国之人、中国之物、中国之事，以此显示出中国特色。当然，在全球化的进程中，中国科幻电影完全可能出现有关其他国家的描写，正如其他国家的科幻电影也可以塑造中国形象那样。[①]这类描写和塑造是相映成趣的。不过，要论科幻电影视野下的中国，焦点仍在本土。下文从中国之人、中国之物、中国之事的角度予以分析。

一、科幻电影视野下的中国之人

"中国"至少具备三种可能的含义：①在自然的意义上，指东亚特定的地理区域；②在社会的意义上，指以汉族为主体的统一的多民族国家；③在心理上，指以华夏文明为源泉的特定人类共同体。与此相对应，"中国之人"可能是指东亚特定地理区域的居民，以汉族为主体民族统一的多民族国家的黎民，或者以华夏文明为源泉的人类共同体的移民。在科幻语境中，某些非人智能体由于各种原因出现在如今中国所处的地理区域内。

---

① 黄鸣奋：《走向人类命运共同体：国外科幻电影创意与中国形象》，《探索与争鸣》2017 年第 10 期，第 118—126 页。

他们不仅具备大致与人类相当的心理水平，而且与人类产生各种意义上的互动，由此形成了"中国居民多样化"的趋势。某些普通中国人由于各种原因产生身体异变，虽然在外表上还属于人类，却拥有异乎寻常的机能或技能，由此形成了"中国黎民异能化"的趋势。某些人类智能体或非人智能体不仅从中国出发（或再出发）走向其他国家，而且走向其他天体，由此形成了"中国移民宇宙化"的趋势。上述趋势可能会彼此交织。

（一）非人智能与中国居民的多样化

所谓"中国之人"，首先是指定居在东亚特定地理区域的人类，最早的可能是生活在距今约 170 万年的元谋人。从原始群、氏族、部落到部落联盟，从古代国家到现代国家，"中国之人"历尽沧桑，但无论组织形态如何转变，迄今为止都是作为同一物种而存在，并以人类成员（地球人）的身份和"他国之人"交往，"他国之人"也是以人类成员（地球人）的身份前来中国。

虽然如此，与现实题材的电影相比，科幻电影毕竟以幻想为特色。它不仅是对现实的反映或影射，而且是对未来的幻想和虚构。例如，由于科技昌明激发想象腾飞等缘故，不少影片出现了有关外星（广义上包括平行宇宙）智慧生命来到中国的描写。这些智慧生命习称"外星人"，是相对于地球人而言的。他们来到中国，原因包括被动迫降、主动访问或野蛮入侵等。《外星萝莉》（2016）的设定是一场流星雨将外星人胡妮胡可带到中国某城市，降落在代驾金钟二的家中。《星灵之末日异能》（2017）的设定是 1908 年外星人来地球，飞船坠毁在俄罗斯，只有六个幸存者，流落在中国。《钢铁飞龙之再见奥特曼》（2017）的设定是友好宇宙人奥特曼专门拯救地球、打怪兽。《疯狂的外星人》的设定则是外星人因想和地球人建交而遣使前来。

外星人在中国的遭遇大致包括如下类型：其一，作为客人获得帮助。例如，《来历不明》（2013）中迫降中国沙漠的外星人在业余天文观察站获得帮助，逗留一段时间终回母星。其二，作为另类遭到排斥。例如，《超能疯人院》（2020）描写了智慧生命从公主星等天体络绎造访中国，不料因为言行举止不合人类常规而被视为疯子，被关进诸葛钢铁负责的精神病院。其三，隐藏身份潜伏下来。例如，《平行宇宙之恋》（2020）设想了可以感染机器人的艾菲虫病毒。受感染的机器人在心理上成为共体，总名为"斐恩"。他们自从发现黑洞是联结不同宇宙的纽带之后就来到地球，不仅潜伏下来，而且开办冯氏集团公司，启动以机器替代人体为宗旨的"女娲计划"。它在表面上是让人类摆脱生老病死的伟大创举，实际上是想接着用病毒感染已经机器化的人类，将这些被控制的机器人运回他们原先所在的平行宇宙，改变那里的战争态势。其四，转变身份实现归化。例如，动画片《烈阳天道》（2020）中的杜卡奥是对地球人友好的外星将军。他在 1400 年前调解了因为天道星人的飞船悬停地球上空而引发的冲突，如今在地球海军中效力，曾为孙悟空打造 88 件分身铠甲。外星人与地球人同为智慧生命，虽然血统不同，但似乎可以超越生殖隔离，《隐形侠》（2022）就是以星际混血儿王二狗为主人公而构思的。《外太空的你》（2020）的主角则是星际混血儿姜然，其特点在于具备时强时弱的预知力。

在某些影片中，中国人与外国人、地球人与外星人的矛盾彼此交织。其模式至少包括以下几个方面：①中国人帮助外星人对付外国人。例如，我国香港地区的《魔翡翠》（1986）描写了香港地区的秘密协警帮助外星人保全其电脑，对付苏联特务。②中国人与外国人联手对付外星人。例如，《星际密码》（2018）描写的是中国机甲战士和马来西亚黑客联手抵御邪神从端口入侵。③外星人介入不明国籍的地球人之间的矛盾。例如，《锤神》（2020）描写了外星侏儒独自驾驶飞船迫降地球。其所邂逅的帮派首领美杜莎帮助他修好通信设备，希望找到能量石以激活秘密武器，打败以刀霸为头目的另一帮派。

除外星人之外，我国科幻电影还塑造了多种源自本土的非人智能体的形象，由此谱写了后人类叙事的新篇章。例如，《坏小子特攻》（2000）中的少女 Eleven 是中日混血克隆体。《血姬传》（2017）中的方墨是人类与吸血鬼的混种。肖熹、李洋指出，后人类叙事有三个特征："其一是拟人观，即多以人形、半人、拟人的角色为主角；其二是时间递归叙述，关于人本主义的反思都指向了未来，又因未来而不断回返现在，故事总是围绕在现在与未来彼此的观照和引用中，形成递归式的叙述模式；其三是灭绝焦虑，核心矛盾冲突都表达为某种焦虑形态，这一焦虑又与灭绝的想象相关联。换句话说，通过拟人化的形象在未来与现在的因果观照中，呈现和宣泄人类或宇宙灭绝的焦虑的电影，都以某种方式参与了后人类叙事。"[①]与西方科幻电影相比，我国科幻电影的特点是以入世伦理去消解未来的焦虑，这一方面是指用当下的日常生活去处理异能人机器人、人造

---

① 肖熹、李洋：《中国电影中的后人类叙事（1986—1992）》，《电影艺术》2018 年第 1 期，第 38—43 页。

人、合成人等形象，而不是预演未来的戏剧冲突，像《霹雳贝贝》《隐身博士》《毒吻》等就是如此；另一方面，这些影片倾向于用中国式的生活伦理和道德礼仪去检验可能威胁人类命运的问题，像《男人的世界》《合成人》《凶宅美人头》等就是如此。① 这种运用血缘关系和世俗逻辑去化解敌对矛盾的宿命论是非常具有中国特色的，在西方电影中却只是偶有表现。贾斌武认为，中国科幻电影中的后人类想象基本上很少回应未来，也较少呈现人类的灭绝焦虑。②

（二）科技研究与中国黎民的异能化

所谓"异能化"，指的是获得常人所不具备的异常能力。在神话时代，人类通过想象将异能赋予彼岸世界的超性存在物，由此造出了神灵鬼怪。在传说时代，人类通过想象将异能赋予拥有特殊血统、邂逅特殊机遇、做出特殊努力和（或）做出特殊贡献的特殊人物，由此造出英雄豪杰。在文明时代，异能逐渐成为理性思考、科学研究、技术实践、艺术创造等活动的对象。

从总体上看，中国科幻电影不是像西方科幻电影那样突出个人英雄主义。异能者本事再大，也并非仅凭一己之力就可以拯救人类和地球的英雄，而是需要群体力量帮扶的个体。号称"中国儿童科幻电影的第一部成功之作"③ 的《霹雳贝贝》可以为例。主角贝贝因出生时飞碟出现而手上带电，必须戴手套才能防止麻人。他为无法合群而感到深深的苦恼，到长城呼唤宇宙人为他解除带电能力。其后问世的《电磁王之霹雳父子》（2020）描写的是中国儿童刘雷有家族遗传的带电基因，想当超人。父亲为阻止外国人格雷教授拿他做实验而发功，引发爆炸后失踪。刘雷发现自己的电没了，从此多年寻父、寻电。最终，刘雷和儿子小宝进化成会飞的超人。影片以他们成立科学之家结束。这个结局虽然和《霹雳贝贝》有所不同，但仍以回归群体为宗旨。

就基本定位而言，科幻电影从科技理性的角度理解并描绘异能。例如，我国香港地区的《中国超人》（1975）描写了冰河魔主从 1000 万年的冬眠中醒来，打算征服地球。她毁坏了中国几个城市以显示其魔力，又

---

① 肖熹、李洋：《中国电影中的后人类叙事（1986—1992）》，《电影艺术》2018 年第 1 期，第 38—43 页。
② 贾斌武：《中国科幻电影中的后人类想象》，《上海艺术评论》2019 年第 2 期，第 31—34 页。
③ 林雪飞：《中国儿童科幻电影的第一部成功之作——〈霹雳贝贝〉》，《辽宁教育行政学院学报》2008 年第 1 期，第 140—142 页。

回其老巢组织骷髅军。由刘英德教授领导的太空科学研究所将研究员雷巴顿转变成功夫超人。他是人类御敌的希望所在，接连击败多个怪物。不过，科技理性在科幻语境中可能是变形镜头。例如，《快递侠》（2018）描写了待业青年马丢因为摄入劣质胶水而使其各种体液都具备黏性，经过训练可以操控自如地发射和收回。他加入超能协会，明里以快递为业，暗里和电女、火男、铁臂、天眼等伙伴一起致力于维护社会秩序，成为超级英雄。当时，Seven 生物科技公司科学家比尔违规进行克隆实验，绑架CEO 的女儿小雅以获得数据库密码。这五个超级英雄解救 CEO 和小雅，但铁臂因被比尔注射试剂而失控。电女、火男、天眼站在快递侠身后，合力促使他发出电光石火超能胶，将铁臂打回原形。快递侠以其品格赢得小雅的芳心。又如，《爱是一场温柔幻觉》（2020）中的小婷死后能够继续与活人（包括男友与婚介等）进行在线交谈。对于这种现象，表面上看来是异能使然，实际上却是科技支持的缘故。小婷在刚出车祸时由科学家植入脑机接口，躯体虽死，意识犹生。后来，由于她的大脑逐渐萎缩，化名的"幻觉"就无法再维持这样的虚拟交往了。值得注意的是，某些影片一方面显示出将异能置于科技理性视野下加以考察的倾向，另一方面试图继承神话传说中有关异能的资源。例如，动画片《烈阳天道》以孙悟空为地球守护神。他的开场白很有特色："这就是我的战争，因为这是我的家。神河宇宙赤乌恒星系地球星神州。"与《西游记》的描写不同，他是一位具备平民意识的神灵。他到小店要啤酒。开车，用手机拍照，并自语："拍了照片不知该发给谁。我是斗战胜佛，高得不得了，还是没朋友。隐姓埋名，怕吓了黎民百姓。他们是主宰，我守护他们。"他还是一位了解科技价值的神灵，愿意穿上外星将军为他打造的分身铠甲以增强力量。

在西方数码艺术理论中，有和科技增强身体相关的两个概念，即"电子人"（cyborg，音译为赛博格）[①]和"功能性电子人"（fyborg）[②]。前者通常进行了身体改造，后者则可能泛指一般科技用户。如果我们将人类的体能定义为基点的话，那么借助于科技而获得的能力都属于异能，无论是否进行了身体改造。科技使我们变得比以前更为强大，但也使我们变得比以前更弱小（如果丧失了科技支持的话）。正因为如此，科技依赖成为某些科幻电影揭示的问题。例如，《超能手机》（2020）描写的是设计师

---

① Clynes M E, Kline N S, "Cyborg and space", In *Astronautics*. New York: American Rocket Society Inc., 1960, pp.26-27, 74-75.

② Chislenko A, "Are you a cyborg? Legacy systems and functional cyborgization", http://www.ethologic.com/sasha/articles/Cyborgs.rtf.

郝凡事事依靠超能手机，甚至和花店店主叶文君谈恋爱也指望它为自己规划。经过一番思想斗争，他才摆脱手机依赖症，对文君说出情话。

（三）宇宙航行与中国移民的太空化

地表上的人口流动是渊源有自、司空见惯的现象。我国很早就出现了描写海外移民的科幻电影，《珊瑚岛上的死光》可以为例。这一作品表现了海外华人科学家的故土之思。又如，《黑洞来的那一夜》（2018）以到美国留学的松松为主角，描写了洛杉矶因彗星飞进而生成多个小黑洞，其中一个出现在他的画本上，可让手穿过，好像是画出来的，他因此有了一番奇遇。

以宇航科技的兴起为条件，人类着手实现"飞天"的梦想。我国香港地区短片《感觉更好》（2012）描写了某军人在火星上插上中国国旗。《飞天》（2011）描绘了中国航天员的圆梦之旅。与此同时，地球上生态环境恶化，成为人类思考开发异星的契机。根据《机甲核心》（2018）的构思，2069 年人类耗尽了地球上的化石能源，将月球上的 He-3 当成解决能源危机的希望，成立了国际能源集团负责开采。

在这样的背景下，宇宙移民成为某些国产科幻影片的题材。我国动画片《超蛙战士之初露锋芒》（2010）描写了人类因为地球环境恶化而移民异星。其中，迁徙到沼泽星的变异为蛙族。他们面临梯族（具备蟑螂基因的另一人类移民）的侵略。我国动画片《超蛙战士之威武教官》（2012）描写的是同为地球人移民后裔的蛙族、智能族结盟，抗击梯族的入侵。智能族托普教官擅长训练新兵，带领他们提前投入战斗，为掩护蛙族大撤退而牺牲。《星际流浪》（2019）描写的是科学家海雷研制出星际移民关键设备——曲率发动机，它成为星际集团（统治者）和"游荡者"（反抗势力）的争夺对象。凡是触碰过它的人，一旦丧命就会引发时间循环。海雷因此经历多次死亡，最后让机器与星际集团派来的机械化部队同归于尽，自己则与朋友逃往东方重建家园。《火星爱情故事》（2020）描写的是 2112 年半人马星系人类移民张慧敏驾飞船回地球抢救冷冻人，因遭遇未知智能袭击迫降火星 53 号古人类定居点，就如何启动那里的设备向地球发信号求助，获得"网恋大神"赵文生的指点。他们遇到时间循环，实际上是赵文生希望与她远程长相厮守使然。来自另一时间线的赵文生让张慧敏赶紧离开火星。后来，前一个赵文生启动时间漩涡重置器，使两条时间线合一，将她救出来。她来地球找他，成立赵建国公司，准备去火星。

根据马克思主义的观点，国家是人类社会特定发展阶段的产物，将来要走向消亡。某些科幻电影对国家消亡的前景加以展望，将危机叙事定位于人类共同未来。例如，《火星追击》（2018）以打击星际走私白酒为题材，执法者是由地球联盟派出的机器人警察艾波波。他在奉命追捕走私犯时屡次受挫，但初衷不改。《流浪地球》描写的人类在太阳系已经无法生存之际"带着地球去流浪"，则是在联合政府的领导下进行的。此举有非人智能体（机器人）参与，显示了人类通过发展科技获得的救亡图存的异能，同时又体现了人类移民的太空化。张卫、张瑶以上述影片的成功为例说明："不要用现实主义限制自己对未来中国的想象力，不能以为只有现实主义才能传达主流价值观，科幻电影也能传达主流价值观……我们应该对单一的电影观念予以丰富和升级，相信非现实电影依然能传达正义、勇敢、责任、牺牲等正面价值理念，传达我们的核心价值观，彰显我国的软实力。"①

与国外科幻电影相比，我国科幻电影就社会层面而言主要有如下特点：①在主体的意义上，既坚持以中国人为本位的立场，又以"海纳百川"的气度看待未来居民多样化的可能性。②在对象意义上，展开科技赋能的狂想，展示中国背景下由下层向上层的社会流动。有关异能的创意可能来自当下科技发展所未达到的水平、当下科技设备匪夷所思的应用、未来科技可能拥有的发明，等等。③在中介意义上，拓宽视野，采用"上帝视角"审视民族文化、星球文明等的演变与出路，或者借助外星人、机器人等运用"另类视角"观察地球文化、人类文明的弊端，或者通过"移民视角"观察文化与文明迁徙、变异的可能性。

二、科幻电影视野下的中国之物

与前述"中国"的三种含义相对应，"中国之物"至少具备三种可能的含义：①在自然的意义上，指存在于东亚特定地理区域的各种物质产品；②在社会的意义上，指以汉族为主体的统一的多民族国家的精神产品；③在心理上，指以华夏文明为源泉的人类共同体的文创产品。当科幻电影将视野聚焦于它们时，就形成了中国物华天宝的科技幻想、中国伦理意识的科技关怀取向、中国心理逻辑的科幻寓言。

（一）中国物华天宝的科技幻想

中国地大物博，本来就可以益人神智。幻想类电影进而驰骋想象，构

---

① 张卫、张瑶：《中国科幻片的前行痕迹与未来发展》，《电影艺术》2020 年第 4 期，第144—148 页。

思出种种奇异之物，作为情节衍化的线索、人物塑造的根据、想象力消费的依托。以来源为根据，可以将这类异物分为三大类：①本土地产类。例如，《慕容骑士》（2020）中有神奇法力的水晶石是自然之物，《变异九头蛇》（2020）中基因工程造出的九头蛇是人工之物，它们都是幻想的产物。②天降中国类。例如，《超能少年之烈维塔任务》（2009）描写的是星球毁灭者阿加雷斯和大地战神列维塔交战到了地球，后者的能量石之一坠落于中国境内青龙山一带。《守护者前传之觉醒》（2017）描写了两千年前坠落于中国的太空暗黑物质诱发变异，超能者产生正邪分化。《外星人事件》（2020）描写的是外星人飞船迫降中国农村，引诱村民用类似地球人烤玉米的方式栽培形状类似蘑菇的特殊植物，说是要补充资源，实际上是想通过这种植物控制地球人，将他们变为奴隶。友好的外星人利用可以喷紫雾的药水帮助地球人增加力量，对抗上述植物的影响。③天地交汇类。例如，《坑蒙拐骗外星人》（2018）描写的是土豆星国王为解决饥荒问题乘飞船来地球，降落在土豆岛，结果遇到一群想利用他去坑蒙拐骗的人。当地有一只锦鸡，被一名妇女当成凤凰抵债给包哥。包哥将它带到了土豆岛，其相好岚岚为了施行调包计，骗看守外星人的村民说那只鸡是外星鸡，若抓回来就能立大功，村民信以为真。外星人飞走后，土豆岛的人拿这只锦鸡大做文章，以证明外星人来过。画外音："那只鸡成了第一个外星物种，中国也成了第一个有外星文明的国家。"

以上三类异物也可以出现在神幻、魔幻、玄幻等影片中。相对而言，当它们见于科幻电影时，通常和科学实验、科学考察、科学研究、科学鉴定等相关。例如，我国香港地区的《特异功能猩球人》（1992）将麒麟球作为物引，传说它能使河水变质，若人经常饮用这种河水，可以获得异能。该片的情节以对它进行科学鉴定为切入点。又如，《狂暴迅猛龙》（2020）中的稀有金属具备特殊性能，倘若被闪电袭中，可以扭曲时空，导致史前恐龙出现。为了找到它，科学家不惜深入险境。

如果说科学重在分科的知识体系和求真的探索精神，那么技术则重在具体的解决方案和对应的物质产品。我国科幻电影描写的技术大致包括如下类别。

第一，主要用于改造（或改变）自然环境的技术。它至少包括下述类型：①能量类，如《小太阳》中太空轨道上用于反射阳光的反射镜，《珊瑚岛上的死光》中的高效原子电池，《未来警察》（2010）中的太阳能天幕，等等。②环保类，如我国的《现代豪侠传》（1993）中的净水系统等。③力量类，如《科学杀人狂》（2016）中的反引力技术，《星际流浪》中可使飞船速度超过光速的曲率发动机，等等。④时空类，如中、美合拍动画片《魔比斯环》中的时空隧道，《时间逆流》（2018）中可以用来倒转时间的手表，《幻界游戏王》（2019）中通过时空轮回来惩罚罪犯的技术，《丛林少女之重启》（2020）中的时间重启器，等等。

第二，主要用于社会交往的技术。它至少包括如下类型：①服务机器人，如《错位》中的替身机器人，如中、日、美合拍动画片《阿童木》中作为亡儿化身的机器人，我国动画片《桂宝之爆笑闯宇宙》（2015）中擅长烹饪的厨神大宝机器人，《所爱非人》（2016）中的配偶机器人，《机械娇娃》（2017）中的伴侣型手办人，《我的新款女友》（2017）中可植入本真人脑细胞的生物机器人，《超能萌女友》（2018）中具备瞬移、穿越等异能的生物机器人，《和陌生的你每一天》（2018）中的智能管家，《机械陪伴》（2020）中的分布式陪伴型人形机器人，等等。②机器设备，如我国香港特区《追击 8 月 15》（2004）中假装睡觉的鼻鼾机，《人工少女》（2018）中可以促进人造人产生灵魂的量子云设备"金手指"，《时空救援队》（2019）中可生产克隆体的生物模拟器，《机械画皮》（2020）中使机器人生物化的皮肤生成系统，《仿生迷局》（2020）中使仿生人得以拥有硅晶合成皮肤的液体打印设备，《动物出击》（2019）中可以听懂动物语言的智能耳机，等等。③心理技术，如《内在转移机》（2013）中可将情思转移到他人身上的技术，《非法记忆》（2019）中的记忆转移技术，《战斗天使》（2019）中可以将经过定制的记忆传送并储存在用户的大脑中、取代原有记忆的传感器，《黑脑》（2020）中将潜意识研究和脑波通信研究结合起来开发出真实梦境的"黑脑"技术，等等。④武器，如《超能联盟》（2016）中可以吸收所有物理超能力（如瞬移、摄物等）的原力枪，《拳语者》（2019）中可以通过实时计算与选择帮助拳击手取胜的高科技拳套，《我的外星人舅舅》（2019）中专门对付外星人的枪支，《电磁王之霹雳父子》中的霹雳荧光战甲，《记忆猎人》（2020）中的记忆枪（对准头部一扫就可以提取与删除记忆的武器，外观像手枪一样），《人类消失之夜》（2020）中用于打败机器人、破解防火墙的干扰器，《小矮人捉鬼记》（2016）中的高科技捉鬼工具，《机甲前线》（2017）中用于破解外星飞船防护罩的反频率干扰器，《时空送货人》（2017）中可以自动搜索目标、无线传播病毒的进攻型武器，《天才 J 之第二个 J》（2018）中可以利用偶然事件的堆砌来杀人的偶然公式，《天堂计划》（2018）中可以让虚拟人上网，并逃避网警追杀的解码器，等等。

第三，主要用于改造人类自身的技术。它至少包括如下类型：①药物类，如《化身人猿》（1939）中可将人变成猿猴的药物，《隐身博士》中的隐形药，《再生勇士》（1995）中可以使衰竭细胞增强活力的基因药物，《童梦奇缘》（2005）中可使人加速发育、一夜成年的催生药，《无间罪之僵尸重生》（2012）中可使死者复活、活人永生的药物，《致命拯救》（2017）中的长生不老药，《伊阿索密码》（2018）中可以治疗冷冻人苏醒后出血症的药物，《异类侵袭》（2019）中的万能型病毒克制药物，等等。②病毒类，如《丧尸之母》（2016）中可使人变成丧尸的生物病毒，《王者游戏：觉醒》（2018）中人工智能用以控制人类大脑的计算机病毒等。③芯片类，如《百变星君》（1995）中植入大脑后可指挥身体形态改变的芯片，《危险智能》（2003）中植入后可充分开发大脑潜能的芯片，《觉醒：仿生浩劫》（2018）中可复制记忆的量子芯片，等等。④设备类，如《别惹我之暴走校长》（2018）中旨在开发大脑潜能的磁力矩阵系统，《异能男友》（2018）中既可以利用用户记忆和欲望生成场景，又可以用来实施人脑控制的异能头盔，《战境：火线突围》（2018）中通过记忆重组开发虚拟人的装置，等等。

以上技术都是由中国人所发明的。我国科幻电影当然也可以描写其他国家或星球发明的技术。例如，《诡丝》（2006）提到日本科学家桥本所发明的反重力技术。《火星追击》提到紫星人所发明的可以和白酒搭配的饮品"白橙"（苏打水、橘子水混合而成的），《快乐星球之三十六号》（2018）提到快乐星球所发明的可倒立行走，具备生物、机器、数字三种形态的智能机器人，等等。

在科幻语境中，未来技术经常具备虚拟性的特点。对此，可以从下述要旨予以把握：①以假定性科学为根据。例如，在《科学杀人狂》中，生产反物质核武器的军工技术是以中国科学家提出的暗能量理论为根据的。②以假定性发明为依托。例如，在《天才室友》（2018）中，某科技学院学生钟澈开发出既可帮助人类又可操纵思维的 AI 全息投影仪，某公司黑心老板主动凑近他，想将它产品化，以控制客户的大脑。又如，《超能手机》构思了可以用来帮助谈恋爱的手机。它能够提供预案、信息和即时指导，增强当事人的信心，使其显得博学多才；能够了解追求的对象的兴趣爱好、人格特征、位置动向，供当事人参考；能够针对第三方创造交流的机会，以至于提供要挟的把柄。③以满足假定性需要为旨归。例如，在《请叫我救世主》（2017）中，人类生产机甲以对付入侵地球的外星使徒（硕大的机器人）。这类虚拟技术往往是不可能、不可行、不可靠或未经验证的。科幻电影编导之所以看重它们，直接目的是用其来编织故事，从伦理规范的角度来表达对科技的关怀。

（二）中国伦理意识的科技关怀

我国科技伦理思想有悠久的历史。徐少锦将古代科技伦理思想的要旨归纳为五条：第一，利用自然知识为封建道德作论证，要求科技人员遵守封建道德；第二，把科技活动视为一种道德活动，把发明器物的人称为"圣人"，而掌握高超技术的人也享有很高的荣誉。第三，不计较个人功名利禄，为科学事业和百姓生计贡献力量。第四，丰富的医学伦理思想。第五，珍惜资源，保护环境，维持自然界的再生产能力。① 陈万求等将中国传统科技伦理思想的基本精神归纳为天人合一、以道驭技、以人为本、经世致用。② 若论中国伦理意识在科幻电影中的体现，可以写一本厚厚的专著。下文仅就"以道驭技"、作为其对立面的"恃技废道"、作为否定之否定的"技道合一"略做论述。

"以道驭技"在伦理上意味着以道德规范约束技术开发与应用。我国科幻电影有不少这方面的描绘，例如，《再生勇士》中的科学家李民博士虽然是文弱的女性，却发明了能够增强已衰竭细胞的活力的基因药物，不仅使因公负伤、成为植物人的警察宋大畏复活，而且使其具备了超强的体能。《百变星君》中的姜司教授有正义感，帮助被黑帮迫害致死的富二代李泽星以人造人的形态复活。《机甲前线》中的都教授发明了反频率干扰器，研制出可以和外星人抗衡的战斗飞船，对人类打败入侵者发挥了关键作用。除正道直行之外，迷途知返也是"以道驭技"的表现。例如，《蝶变计划》（2018）中的麦教授是良心发现的疯狂科学家。他之所以疯狂，是由于宝贝女儿在 18 岁时得了怪病，他不得不跨越伦理领域探索基因疗法，甚至在富商的暗中资助下拿孤儿做基因移植和编辑的实验。他之所以良心发现，是由于遇到长相酷似其女儿的实验对象刘曼妮。他想放她一条生路，因此修改了先前的基因改造做法，没想到却造就了关键时候会长出翅膀、可以通过咀嚼散发魅素的蝴蝶人。后来，他又帮助刘曼妮及其同伴修改基因，延长了其寿命。又如，《变异九头蛇》中的教授在实验室造出九头蛇，因伦理委员会未通过，决定放弃此项目。

"恃技废道"在伦理上意味着因为狂热爱好科技而无所忌惮地从事研

---

① 徐少锦：《中国古代的科技伦理思想》，《道德与文明》1989 年第 3 期，第 27—30 页。
② 陈万求、刘灿、苑芳军：《中国传统科技伦理思想的基本精神》，《长沙理工大学学报（社会科学版）》2009 年第 4 期，第 112—117 页。

发，或者自恃拥有尖端科技而为所欲为。我国科幻电影中不乏相关描写，对此可以从不同层面举例说明。

1）就个人而言，《合成人》中的庞教授对哲学、法学和道德没有研究，却擅自实施脑移植，并让由此合成的人到华夏贸易公司顶岗，结果给国家造成重大损失。《荒野巨兽》（2020）中的韩医生当年剽窃发小的科研成果，事情败露后被研究所开除，没有正规的科学机构愿意聘任他，他自己觉得过了20年寄生虫般的生活。但是，此人不思悔改，仍然认为当年揭发他劣迹的人才是恶魔。偶然遇到天外陨石坠落，他希望借此研制出新型武器发大财，结果在前往荒原搜索陨石时被巨蜥咬死。因为他想验证到手的蜥蜴蛋是否为陨石原石而摔碎它，巨蜥本身则是受陨石辐射影响发生异变的。

2）就企业而言，《侵入脑神经》（2013）描写的是NHC公司致力于开发将人的神经系统电子化的药物，被注射者因此死亡。《极速游戏》（2017）描写的是游戏运营商通过专门的智能软件入侵全球定位系统，借助偷拍的视频要挟人。《异类侵袭》描写的是江源生物科技公司董事长为打破家族男性成员寿限而致力于开发万能型病毒克制药物，为此强迫他人做药物活体实验。

3）就官方而言，《拳神》（2001）描写了政府实施"上帝禁区开发工程"，造就达克等一批超能战士。但该工程在将100个被选中的警队精英当成"小白鼠"方面存在伦理问题。《卫斯理之蓝血人》（2002）描写了联合国特工和来地球寻找兄弟的美貌外星人接触，发现了政府的星际混种阴谋。

4）就外企、外国等而言，《伪梦迷情》（2018）描写了老外摩根在中国鲲城建立研究实验基地，盗取了全城人的脑部信息资料，准备从心理上控制全体市民。《人类消失之夜》中的外资企业天体公司谎称将十万人送到太空，实际是将他们改造成被其支配的复制人，并以机器人名义发动扫荡人类的行动。

5）就人类而言，《异兽之降龙之战》（2017）描写了人类跨过科技伦理界限，通过基因工程制造出介于蛇和蝙蝠之间的怪兽，使它的身体硬如汽车外壳，能够抵御人类常规武器（枪械、战机等）的攻击。主角负伤后受怪兽的影响而变异，才打败它。

6）就异类而言，《异能觉醒》（2018）描写的是外星生命想入侵地球，但无法直接穿越五维空间，因此在地球人中寻找具备特殊属性的寄体，植入外星病毒，以赋予其超能力为诱饵，控制他们的思维，进而通过他们控制其他人。上述影片的情节都是虚构的，但带有讽喻性。

"技道合一"主要是就兼具技术属性和伦理属性的智能机器人而言的。例如，《功夫机器侠之南拳真豪杰》（2017）、《功夫机器侠之北腿乱云飞》（2017）塑造了对人类忠心耿耿的未来机器人形象。他们奉命穿越回中国古代学功夫，将录有技能信息的芯片传送到人类未来基地，为打败外星入侵者做出了不可替代的贡献。《未来机器城》（2019）塑造了"浑身正气"的机器人7723的形象。据其开发者米大力博士介绍，它是第一个学习意义上的机器人，肩负着拯救人类的使命，必须通过学习来区分对错。该影片就是以其学习经历为主要情节的。我国科幻电影同样运用"技道合一"的原则来要求外星机器人，希望他们既有本事，又对地球人友好。譬如，《快乐星球之三十六号》的主角是来自快乐星球的难民机器人。他逃难来地球之后得到拾荒老人等的关爱，疾恶如仇，与母星人汇合后截击Q星球攻击地球的导弹，可以说从小小难民成长为人类救星。除此之外，我国科幻电影也揭示了智能机器人扮演反面角色的可能性，如《机械画皮》的主角形成自我意识之后剥取人皮为自己美容等。

（三）中国心理逻辑的科幻寓言

所谓"寓言"原先是指有所寄托的言语，后来发展成为用比喻性的故事讲道理的文学体裁。从语用学的角度看，寓言的特点是跳出现实语境，进入想象语境，科幻电影同样具备这样的特点。受中国传统文化的影响，国产科幻电影的编导自觉或不自觉地在自己的作品中运用具备民族特色的心理逻辑，使之具备寓言的属性。试举数例如下。

第一，祸福相依。《左传·襄公二十三年》："祸福无门，唯人所召。"① 《筒子楼超人》（2019）讲的就是这个道理。该片描写的是外星人飞船在迫降地球时坠毁，其能源（红色矿石）落在科学家陈草莓手里。外星人李叔变得一文不名，和其收养的幼子李默森蛰居于筒子楼的陋室，穷到有时须向邻居借米熬粥的地步。陈草莓则因为将捡到的红色矿石交给从事能源开发的端点星集团而大赚一把，不仅如愿当了董事，而且占有该集团20%的股份。不过，20年之后，李叔将李默森培养成了仗义疏财、虽居陋室却有拯救世界之宏志的青年，陈草莓却变成了虽然拥有经济实力但道德沦丧的野心家。她在开发红色矿石潜能方面一再受挫，急于获得可

---

① ［晋］杜预注，［唐］孔颖达疏：《春秋左传正义·卷三十五》，清嘉庆二十年南昌府学重刊宋本十三经注疏本，第782页。

能具备关键作用的粒子分离技术，在被发明该技术的皇天集团老板黄小毛拒绝之后，指使手下谋杀他。为了解外星人如何能像战斗机那样飞翔，她又绑架李叔，想强迫李默森就范，结果反被李默森所擒。

第二，无身何患。《老子》第十三章曰："吾所以有大患者，为吾有身，及吾无身，吾有何患！"[1]世俗忧患都是因为身体引起的，倘若没有身体，还发什么愁？根据《三体之灵魂危机》（2015）的构思，外星智慧生物进化到精神可以彻底脱离肉体而存在的阶段，形成了所谓的"灵体"或"灵魂"。如果他们不来地球进行科学考察，这些灵体或许可以安安稳稳地过无欲、无爱、无危机的日子。不过，对那些想要通过互动深入了解地球的外星科考队队员来说，人类社会可是完全不同的世界，有欲、有爱、有危机。标题所示的"灵魂危机"发生在那些因寄生于地球人肉身而重新恢复情感的灵体之上。

第三，人生如梦。苏轼说："多情应笑我，早生华发。人生如梦，一尊还酹江月。"[2]《超能事件》（2019）有此寓意。该片中的主角因受陨石影响而拥有超能力，又因不听女友规劝、运用超能力从事抢劫而被拘留。他回忆这段短暂的经历，自言自语："就像我们现在才感觉到几亿年前的星光一样，世界转眼间就变了，就像是昨天做了一个梦。"他想象自己与女友紫琳凌空起舞。"我们现在所看到的这一切，摄像机所拍下的这一切，可能并非真实存在，只是我们的脑海里愿意去相信的记忆罢了。或许，我们可以一边梳理过去的记忆，一边活在回忆里。"

第四，视死如归。《管子·小匡》有云："三军之士视死如归。"[3]科幻电影描绘的时间重置可以挽救人，因为他们即使走向死亡，依然可以坚信重生随即到来。《超时空救援》（2019）中的菲菲就是如此，她知道自己的每次死亡都将触发时间重置，为了使伤重的男友陆万痊愈，打开飞机舱门，从高空跳了下去。陆万在这次时间重置之后选择飞越子午线，这是一种可以避免菲菲非正常死亡的方法，代价是他对菲菲的追求必须重新开始（因为她将忘却与他的爱情）。

与国外科幻电影相比，我国科幻电影就产品层面而言主要有如下特点：①在手段意义上，将本土的物华天宝当成"中国元素"，围绕新型科技进行构思，不仅设想出现实生活中尚未存在的各种工具、机器、设备、

---

① [春秋]老聃：《道德经·第十三章》，古逸丛书景唐写本，第6页。

② [宋]苏轼：《念奴娇·赤壁怀古》，见[宋]黄升《唐宋诸贤绝妙词选·卷二》，四部丛刊景明本，第14页。

③ [春秋]管仲：《管子·小匡》，四部丛刊景宋本，第85页。

装备以及相应的原理、规律等，而且将它们人格化；②在内容意义上，遵循"以道驭技"的中国古训，反对"恃技废道"，在发展人工智能时主张基于人伦的"技道合一"，重视科技与伦理的关系；③在本体意义上，运用具备民族特色的心理逻辑（如祸福相依、无身何患、人生如梦、视死如归等），具备寓言的属性，往往言在此而意在彼。

三、科幻电影视野下的中国之事

在某种意义上，中国之事是因中国之人与中国之物运动变化、彼此结合而产生的。它至少具备三种可能的含义：①在自然的意义上，指发生于东亚特定地理区域的事情；②在社会的意义上，指以汉族为主体民族的统一的多民族国家经历的事件；③在心理上，指以华夏文明为源泉的人类共同体在迁徙过程中遇到的事变。就科幻电影创意而言，与中国之事关系最密切的有中国哲理、中国方略、中国历史等。我国科幻电影将它们与科技智慧、科技视野、科技潜能结合起来构思，演化出令人回肠荡气的情节。

（一）科技智慧与中国哲理的叙事化

古人认为智出乎争。《庄子·人间世》有言："德荡乎名，知出乎争……名也者，相轧也；知也者，争之器也。"①按照此书的看法，聪明才智是在反复斗争中锻炼出来的。争名夺利导致万物一体的道德观衰微，应当予以批判。尽管如此，智慧仍为生存竞争所必需。

智慧既包括笼统的人生智慧，也包括分门别类的领域智慧，如军事智慧、政治智慧、科技智慧等。科技智慧可以细分为以下几个方面：①发明科技所需要的智慧。例如，《错位》描写的是工程师赵书信当官后为应付没完没了的会议而按自己的形象制造一个机器人作为替身。《疯狂的外星人》描写的是外星人发明了可以连接飞船设备的头箍状脑波控制器。佩戴者失去了它，就不过是任被猴戏艺人用鞭子驱使的"低等生物"；戴上了它，就成为神通广大、可以将地球人当猴耍的"高等生物"。②推广与应用科技所需要的智慧。例如，在《动物出击》中，20 万吨货轮特洛伊号载有大量剧毒物质，遭到海盗袭击后以自动驾驶状态前往预定海港。猫博士不仅通过海事电话指点幸存者弃船逃生，而且想出分解毒物的办法。其因此得意起来，说"我真是太有才了"。又如，《最后的日出》（2019）中的主角孙炀对照热力学第一定律说明太阳会异变，用热力学第二定律说

---

① ［春秋］庄周：《庄子·人间世》，四部丛刊景明世德堂刊本，第 32 页。

明世界只会变得越来越糟糕（热寂），用热力学第三定律说明世界总是还有希望（因为不会达到绝对零度）。③纠正科技流弊、促进科技更新所需要的智慧。例如，《星际高手》（2019）描写的是神级学院于胜教授为开发大脑潜力而制造"脑白银"仪器，串通教师华西子绑架考中"试神"的优秀学生到选招院做实验。为了改进仪器，他准备拿人类最强大脑做活体实验，为此举办全球文斗赛，将脑白银当成奖品。嬴羽等察觉到了上述阴谋，挫败了于胜派来的受控人，逃离选招院。《三休之火星归来》（2016）描写的是科学家戴维和投资商奥德里奇以探索人类起源为名进行星际考察，想找到核心能量石、启动灭绝全人类的"过滤计划"。其秘书安妮发现后，与其恋人马克、哥哥亨利一起设法粉碎他们的阴谋。

我国科幻电影对科技智慧的描绘包含了富于哲理的辩证观点，与传统文化对智慧的哲理审视相吻合。试举例说明如下。

1）智者不惑，庸人自扰。孔子所说的"知者不惑，仁者不忧，勇者不惧"[①]，指拥有智慧的人不被世事迷惑。譬如，《珊瑚岛上的死光》描写的是科学家赵谦在海外发明了高效原子电池，因拒绝转让专利权而遭到某外国公司的迫害。其学生赵天虹带电池逃出，所乘飞机被击落。隐居荒岛的马太博士救起他，用自己发明的死光帮助他击毙该外国公司经理。该片中的赵谦、赵天虹、马太等都是有见识的科学家，不仅具备科技专长，而且在威逼利诱面前仍然保持清醒的头脑。另一些影片塑造了糊涂虫的形象，如《超能少年之烈维塔任务》中的盗墓贼穿山甲、耗子哥俩等。

2）情急智生，或曰"急中生智"。例如，在动画实景混合片《北海怪兽》（2006）中，外星小绿人借助飞船强光进入北京无聊青年塔南的大脑。中国生理研究院李家奇博士说塔南的体内有外星人，塔南立刻变得青面獠牙，并扼住博士的脖子，将他举高。博士情急之下掏出一包烟点燃，将烟雾朝塔南的脑袋喷去，即刻将塔南体内的外星人打垮。然后，博士给丧失意识的塔南做手术，从其右肩下取出外星人尸体，做成标本。

3）仁者见仁，智者见智。这是指人们由于处境、经历、利益、视野等方面的差异，对事物会有不同的看法。例如，《生化英雄之夺魂》（2016）中的三位科学家追求不同的超越目标。钟逸想研发促进基因重组的药物以造福人类；陆冰既想让作为情敌的钟逸服气，又想掌握足以左右人类命运的科学力量；高雅则追求"全人类人工智能"，将它当作无所不在、无所不能、无所不知的无限力量。影片以其标题提出了谁是生化英雄

---

① [三国]何晏集解：《论语·子罕》，四部丛刊景日本正平本，第22页。

的问题，是对生物科技的负面影响有所反思、人品高尚的钟逸？是在基因重组药物开发方面取得成功、技术高明的陆冰？还是利用陆冰取得数据和配方、成为最终胜利者的高雅？影片并没有给出清晰的结论。

4）智者千虑，必有一失。这一观点涉及智慧的局限性。例如，《欲念游戏》（2019）描写郭实发明了体感装置"化蝶系统"，其核心技术是通过生物电刺激大脑产生五感，可以使虚拟世界的梦想成真。但该系统运营时出现失误，导致郭实痛失爱女，难以自拔。

5）大智若愚。在动画片《钢铁飞龙之奥特曼崛起》（2019）中，为了引导所选定的"人间体"（传人）、小男孩乐乐成长，宇宙超人奥特曼留给他一个多模式智能投影魔方。在智者模式下，出现的是白发老头讲道："道不可坐等，德不可空谈。于实处努力，从知行合一上下功夫。"遗憾的是，由于年纪太小，乐乐听不懂，认为如此说理会使人得神经病。

6）"智慧出，有大伪。"①老子之所以这样说，是由于看不惯"人多伎巧，奇物滋起"的现象，有感而发。"大伪"无疑是"大道"的对立面，《我的外星人舅舅》中的何银河可以为例。他是被视为精神病人的科学家，成立了非人类研究中心，自称花600多年研制出专门对付外星人的枪，说它是"科学的结晶，人类的智慧"。它似乎有效，但其研制过程是荒唐的。若无作为实战对象的外星人，这枪如何能够研制出来呢？

7）智者自智。这是指有智慧的人不仅在逻辑上自洽，而且善于影响别人。例如，《家有天才》（2019）中的王伯伯说："几千万年前，恐龙进化得非常快，有的比现在的人还聪明，制造出飞行器，逃灾到异星，应当就是传说中的外星人。"此人见多识广，经常给孩子们讲外星人的故事，孩子们也逐渐开始相信。

8）情智相润。对健全人格而言，情感与智慧是相辅相成，缺一不可的。《机械陪伴》从反面做文章，描写的是科学家潇然一心研究向女性客户提供陪伴服务的机器人系统"享他"，但自己却忽视了对亲人与女友周诗晴的陪伴。在他死后，周诗睛宁可与对她奉献专一情感的机器人私奔，也不愿与潇然的化身维持关系。

9）乔獐作智，即自作聪明（装扮成獐子就以为是智者）。例如，《荒野巨兽》中的两个科研团队在分别寻找坠落陨石时遇险，因为他们进入巨蜥蜴的巢穴，引发了连锁反应。以文教授为首的团队发现巨蜥蜴的蛋可以用来吓阻巨蜘蛛的进攻，因此维护了自身的安全。另一团队的韩医生

---

① ［周］老聃：《老子·第十八章》，古逸丛书景唐写本，第9页。

却自作聪明地用摔的方法来检验巨蛋是否为陨石原石，被闻讯回巢的巨蜥蝎攻击并杀死。

从艺术的角度看，如果说武打之类的斗勇可以给观众带来视觉冲击与情感兴奋，那么用计之类的斗智则可以激励观众的探究动机与逻辑思考，增加影片的趣味性和知识含量。例如，《快乐星球之三十六号》的主要内容是快乐星球科学家老顽童与 Q 星球的 Q 博士过招。Q 博士先用损招摧毁快乐星球，老顽童制造的多态机器人三十六号作为唯一幸存者逃到地球，以生物人的形态被马老汉收养，发挥机器人的优势打败了三个窃贼。为了斩尽杀绝，Q 博士派助手大 Q 将三十六号抓到 Q 星球。三十六号将计就计，利用网络人形态进入 Q 星球的网络，利用生物人形态打败大 Q，按照老顽童爷爷事先的设计，将以数字生命形态躲在虚拟空间中的快乐星球的人拯救出来，在友好的 H 星球的帮助下，挫败 Q 博士，用细菌幽灵弹消灭地球人的行动。

（二）科技视野与中国方略的艺术化

"方略"是方针与策略的合称，在某些语境下也可能指措施与战略。"中国方略"至少包含三种可能的含义：①中国制定和实施的方略（以中国为主体）；②外国针对中国制定和实施的方略（以中国为对象）；③在华外国机构（特别是外企）为适应中国国情而制定和实施的方略。就相关学术研究而言，第一种含义最为常见，下文采用的正是这种含义。中国方略可依其起作用的领域划分为中国经济方略、中国城建方略等。近年来，中国提出的事关全球治理的方略包含了丰富的内容。从科幻电影创意的角度来看，有以下三点特别值得重视。

第一，正视大变局。习近平指出："放眼世界，我们面对的是百年未有之大变局。新世纪以来一大批新兴市场国家和发展中国家快速发展，世界多极化加速发展，国际格局日趋均衡，国际潮流大势不可逆转。"①习近平又指出："当今世界正经历百年未有之大变局，但和平、发展、合作、共赢的时代潮流没有变。"②我国科幻电影曲折地反映了上述状况。例如，《天狼星的来客》（2017）描写了地球人对引力波的探索引起天狼星人的警觉。后者的特工 798 入侵中国企鹅公司程序员林一的意识，目的

---

① 人民网：《习近平接见驻外使节工作会议与会使节并发表重要讲话》，2017 年 12 月 28 日，http://jhsjk.people.cn/article/29734770。

② 人民网：《习近平谈世界百年未有大变局中的三个"没有变"》，2019 年 10 月 25 日，http://jhsjk.people.cn/article/31421416。

是获取穿透中国互联网防火墙的通关代码，但他却爱上林一的同事章千千，改变了天狼星人将地球人当成纯粹程序的观念，反过来帮助地球人加密互联网空间。《疯狂的外星人》描写的是外星派人来地球，准备和 C 国建交。来使奇卡落入中国驯猴人耿浩及其朋友大飞手里，"不耍不相识"。奇卡被灌醉，醒来之后发现酒的妙处，带酒回去送礼，大飞趁机将酒生意做到其他星球。上述两部影片描写的主要是外星人和地球人的关系。最初入侵也好，谋求建交也罢，外星人的出现对于地球人来说都是前所未有的大变局。二者之间虽然少不了矛盾，但仍然有调适的可能性，这是编导所暗示的。

第二，端正科技观。习近平指出："未来几十年，新一轮科技革命和产业变革将同人类社会发展形成历史性交汇，工程技术进步和创新将成为推动人类社会发展的重要引擎。"[1] 他又指出："无论是搞冷战、热战，还是贸易战、科技战，最终将损害各国利益、牺牲人民福祉。"[2] 我国科幻电影既意识到了科技革命从整体上对人类社会产生的巨大影响，又对少数科技企业危及人民福祉的行为予以批判。例如，在《钢琴木马》（2013）中，跨国企业大松生物亚洲总部公司拿福建南靖居民做基因实验，因为这里一度与世隔绝，保存了古代中国人最纯净的基因库。黑客王阿明闻讯之后，联想到《生化危机》游戏中针对基因缺陷开发病毒的内容，意识到上述实验可能涉及针对中国人的 DNA 袭击。于是，他和女友李清子一起向警方举报，使大松生物公司涉及的基因战阴谋被挫败。又如，在《黑客风云》（2017）中，上市制药公司 Trum B 进入中国市场，从一款普通的感冒药起家，千方百计扩大产品销路。它依靠技术人员找到中国顾客的 DNA 缺陷，在缺陷处植入病毒体，使得单一的 DNA 病毒广泛传播，其目的就是控制病人的耐药性，使病人对药物产生依赖。由生物人与电子人组成的变色龙军团发现该公司的不法行为之后，奋起与之斗争。

第三，建设共同体。在阐释中国对外开放战略和外交政策时，习近平强调"我们的事业是得到世界各国人民支持的事业，是向世界开放学习的事业，是同世界各国合作共赢的事业"[3]。他多次阐明了中国坚定不移地

---

① 习近平：《让工程科技造福人类、创造未来——在 2014 年国际工程科技大会上的主旨演讲》，2014 年 6 月 3 日，http://www.xinhuanet.com/politics/2014-06/03/c_1110966948.htm。

② 人民网：《习近平出席世界经济论坛"达沃斯议程"对话会并发表特别致辞》，2021 年 1 月 25 日，http://jhsjk.people.cn/article/32011489。

③ 人民网：《习近平同外国专家代表座谈时强调：中国是合作共赢倡导者践行者》，2012 年 12 月 6 日，http://jhsjk.people.cn/article/19806788。

走和平发展道路的决心和构建人类命运共同体的理念。我国科幻电影的代表作《流浪地球》弘扬主旋律，描绘了未来时代人类救亡图存的共同努力。正如庞书纬分析的，该片表现出对世界优秀文明成果的尊重和对全球合作前景的乐观态度。其中的人物在一定程度上超越了具体国籍，具有人类寻求自我拯救的象征意义。"全片的高潮之一是来自全球各地的救援人员放弃可能是最后与家人团聚的机会，合力推动苏拉威西发动机撞针使其点火成功，这也契合了整部电影主题：拯救地球，需要全人类的智慧和力量。"①有些影片则致力于揭示建设人类命运共同体可能遇到的障碍，例如，《虫族》（2020）描写了 EVO 实验室负责人摩尔在后天启时代一边制造病毒，一边卖抗体疫苗。他蓄意加剧人类定居点浅谷城的内部矛盾，鼓动特洛伊战队投奔自己。浅谷城勇士火线察觉其阴谋，与之同归于尽，幸存者着手重建浅谷城。

中国提出的事关全球治理的方略是从当下世界的政治、经济大势出发的，立足于现实环境。相比之下，我国科幻电影有关各种共同体之矛盾的构思立足于虚构条件，未必能和现实环境精确对应。尽管如此，正视大变局、端正科技观、建设共同体的方略对于我国科幻电影的创作和鉴赏仍然具有重要参考作用。

（三）科技潜能与中国历史的拟议化

在现实背景下，中国历史是按照从过去、当下朝向未来的趋势发展的。所谓"拟议化"是指科幻电影沿着过去未过、现实不现、未来已来的思路展开想象。

过去之所以未过，原因之一是当下人们试图从科技与幻想相结合的角度破解历史谜题。例如，1934 年 8 月 8 日，辽宁营口发现龙形尸体，《盛京时报》做了报道。②《超自然事件之坠龙事件》（2017）设想我国国防科工委所属绝密机构 709 局派上尉董灵、中尉金木水通过时空门回到1934 年辽宁营口，调查当地的坠龙事件。又如，天启年间，北京发生过原因未明的大爆炸。《古着商店之天启大爆炸》（2019）将它设想为未来世界机器人追杀人类反抗军领袖尼奥将军及其侍卫周武上校而引发的。据设定，只要二者距离小于 5 米，就会爆炸。实际上，周武体内也藏有炸

① 庞书纬：《人类命运共同体视野下的中国科幻电影——以〈流浪地球〉为例》，《传媒观察》2019 年第 7 期，第 96—99 页。
② 《蛟类涸毙》，1934 年 8 月 14 日，http://www.360doc.com/content/17/0808/13/188 41360_677561461.shtml。

弹，因为他们准备去暗杀人工智能首领"救世主"。该片为天启大爆炸提供了一种科幻答案。

现实之所以不现，原因之一是当下人们试图从科技与幻想相结合的角度展望未来。例如，当下中国正大力发展人工智能，目标是占领制高点。《战斗天使》设想 2050 年中国已经成为世界第一人工智能大国。上海的斋藤集团开发并运营的斋藤系统让人们得以生活于其中，用户达 27 亿。又如，中国 2018 年在贵州建成"天眼"，跻身世界天文观测领域前列。《外太空的你》因此设想了能够汇聚磁场的"天眼"，它可以用来给地球人与外星人的混血儿疗疾。

未来之所以已来，原因之一是人们试图从科技与幻想相结合的角度反思当下，亦即人们的憧憬作为目标介入当下的现实。科幻电影进而设想未来真的派人来到当下，这些不速之客试图从改变现状入手实现其长远目标。我国有大量影片是循着上述思路创作的，其中包括不少励志片。例如，《天降机器女仆》（2017）描写了程序员沈大宝在从 2046 年穿越而来的机器人伊娃的帮助和激励下发愤图强，成为行业翘楚；《我的机器女友未成年》（2017）描写了未来科学家白帅派机器人穿越到现世，激励 60 年前的自己奋发向上；《AI 女友》（2018）描写了未来机器人 D 号激发当下小混混（先天性心脏病患者）的生活热情，等等。

若论沟通过去、当下和未来，现阶段的科技已经提供了某种可能性。《幻界重生：虚空秘境》（2018）描写了 VR 公司设定虚拟情境，帮助三个在现实中受挫企图自杀者找回迷失的自我。他们穿越到了明朝、宋朝，又从未来穿越到了现在，讲出了平时压抑在心里不敢讲的话，释放了内心的痛苦，增进了生的勇气。这三个人原先互不相识，因在 VR 情境中扮演一定角色而进行互动，回到现实生活之后分别实现了与至爱亲朋的关系正常化。这类 VR 教育项目如今其实是基本可行的。VR 技术通过创建虚拟世界，能够将思政课本中原本固有的历史图片、历史事件、历史人物模拟出来，还可以利用 VR 技术的交互性，让学生在虚拟世界与历史人物对话，从而让脸谱化、符号化的历史人物鲜活起来、立体起来。[①]如果 VR 设备是多用户版的，那就有条件让人们在虚拟情境中交往，实施上述影片所设想的思想教育。与之相比，某些科幻电影设想借助虫洞、时间机器让当事人能够进行真正的（而非虚拟的）时间旅行，以此为契机构思有意义

① 田雨：《浅谈 VR 技术在高职院校思政课实践教学中的应用》，《高等教育前沿》2022 年第 1 期，第 221—222 页。

的情节。例如，《超时空猎杀》（2020）提出了这样的问题：倘若虫洞出现使时间旅行成为可能，如何进行管理？为了防止时间旅行者改变历史，现实世界的人类必须将自己的权益、权力延伸到既往世界，所谓"时空管理局"就是这样诞生的。尽管如此，人类活动的跨时代管理确实并非易事。为此而组建的守卫队承受了巨大的压力，有多人殉职。两任队长都要求关闭虫洞以彻底阻止偷渡，局长石旭天却认为虫洞是人类的宝藏而无意关闭。先是队长秦朗以枪指着局长石旭天行谏，结果被关起来；后是继任队长左石率部反叛，强行穿越时空门进入历史上的秦阳城，以颠覆历史作为威胁，要求当局关闭虫洞。前队长秦朗奉命与特工景彤等前往说服左石放弃袭击秦阳王以改变历史的计划，要旨是"石旭天已经答应给我关闭虫洞的钥匙。但你得跟我回去"。石旭天虽然同意，但未能阻止部下杀死燕使，只好自己假扮燕使去见秦阳王。景彤回到当下，却发现人事已非。这两件事之间存在因果关系：左石在历史时空取代了燕使，新局长在当下时空取代了老局长石旭天。左石此举的本意是维护历史，但历史终究被改变；秦朗接受说服左石之任务的前提是石局长同意关闭虫洞，但由于历史被改变、新领导未必兑现前任领导的许诺，因此虫洞估计很难被关闭。这类矛盾实际上体现了虫洞带给人类的悖论。

与国外科幻电影相比，我国科幻电影就运营层面而言主要有如下特点：①在方式意义上，通过科技智慧与中国哲理的互动实现叙事意蕴的升华；②在环境意义上，贯彻中国文化方略，关注正视大变局、端正科技观、建设共同体等主旋律命题；③在机制意义上，强调对科技改变历史之作用的反思，提供可成为议题的核心理念，引导观众深入探讨。

总体而言，我国科幻电影在构思中突出危机意识，涉及从个体到族类的灾难、从表情到潜意识的恐惧、旨在救亡图存的对策等。它将化"危"为"机"当成要旨，危机缘由是以科技为参照系所能定位的，危机心理是以科技为参照系所能阐释的，危机对策是以科技为参照系所能理解的。在现实生活中，"国家兴亡，匹夫有责"。在科幻语境中，宇宙兴亡，人人有责。这种责任感构成了我国科幻电影的重要特色。

第三节 科幻电影中国属性研究

"中国科幻电影"何以为"中国的科幻电影"？这并非对"在中国制作的电影"或"描写中国的电影"进行解释就能说明的问题。众所周知，科幻电影由西方创始，它之所以具备中国属性，至少有如下原因：①从传播学的角度看，西方科幻电影传入中国之后发生了入乡随俗的改变，其中最显而易见的是加上中文字幕或译成中文等。此外，还有为适应传入中国之需要而发生的内容改变，如所谓的"中国定制版"等。②从创造学的角度看，受舶来品的启发，中国本土开始摄制自己的科幻电影。这类作品首先定位于国内市场，为国内观众服务，因此显示出不同于西方科幻电影的属性。③从政治学的角度看，中国在20世纪中叶以来经历了由站起来、富起来到强起来的转变。与此相适应，主流意识形态将发展科幻电影和增强文化自信联系起来。以此为背景，下文着重从社会层面考察新中国文化政策对本土科幻电影的影响，从产品层面考察中国科幻电影如何综合中国元素、表明中国态度、彰显中国特色，从运营层面考察中国科幻电影如何凝聚中国智慧、纳入中国管理、建设中国学派。

一、中国科幻电影的社会属性

从社会层面对中国科幻电影属性的考察，主要着眼于国家的决策，其中包括下文所述的主体维度上以"百花齐放"为方针、对象维度上以服务人民为宗旨、中介维度上以文化安全为原则等。

（一）贯彻"百花齐放"方针

1956年4—5月，在中共中央政治局扩大会议和最高国务会议第七次会议上，中共中央和毛泽东正式提出"百花齐放、百家争鸣"的方针。①据李洁非的考订，上述方针"1956年正式公布，随后年余，威力推之。迨至1957年夏季，反右斗争兴起，声势始弱"。此后二十年（含"文化大革命"），"双百"方针偶尔提及。1978年3月5日，第五届全国人大一次会议通过新宪法，将"双百"方针写入总纲第十四条："国家实行'百花齐放，百家争鸣'的方针，以促进艺术发展和科学进步，促进社会主义文化繁荣。"②《中华人民共和国电影产业促进法》第四条规定："国家坚持以人民为中心的创作导向，坚持百花齐放、百家争鸣的方针，尊重和保障电影创作自由，倡导电影创作贴近实际、贴近生活、贴近群众，鼓励创作思想性、艺术性、观赏性相统一的优秀电影。"习近平多次重申"双百"方针。例如，他在2020年的一次讲话中提出："要坚持为人民服务、为社会主义服务的方向，坚持百花齐放、百家争鸣的方针，全

---

① 中国政协网：《百花齐放，百家争鸣》，2011年9月26日，http://www.cppcc.gov.cn/2011/09/26/ARTI1317001118828439.shtml。
② 李洁非：《"双百方针"考》，《文艺争鸣》2018年第8期，第34—57页。

面繁荣新闻出版、广播影视、文学艺术、哲学社会科学事业，着力提升公共文化服务水平，让人民享有更加充实、更为丰富、更高质量的精神文化生活。"①

从"百花齐放"的角度看中国科幻电影，不能不说它作为美丽的花朵很迟才绽放。直到 1991 年，还有学者著文，将它当成被遗忘的空白，强调："我们有义务促进和帮助科幻电影这种新的电影文化因子的生长，使之成为与社会主义商品经济相适应又具有独立价值取向和创造活力的电影文化新形态。"②之所以造成这种现象，除了"双百"方针的贯彻总体上有过起伏之外，还有科幻小说一度被当成精神污染的问题（20 世纪 80 年代初）。对此，尹传红已经做了考订。③在这样的氛围中，很难指望科幻电影能够获得繁荣。上述情况到 20 世纪 90 年代发生了很大的改变，标志之一是某些著名科学家（如"两院"院士、著名水电工程专家潘家铮等）加盟科幻小说创作。国产科幻电影按理应当也迎来转机，但却遇到进口院线大片的挤压，直到进入 21 世纪之后才在网络平台上逐渐趋于活跃，经过蓄势，终于在 2019 年迎来了以院线大片《流浪地球》为标志的高峰。

当下国产科幻电影已经可以说是花团锦簇了。根据笔者所见，它们有多种形态，在数量上以网络电影为主，在质量上以院线电影为优。若按属地划分，有内地（大陆）科幻片、香港科幻片、台湾科幻片，以及多地、多国合拍片等；若按观者划分，有儿童科幻片、青春科幻片、成人科幻片等；若按人物划分，有科幻警匪片、科幻黑帮片、科幻武侠片等；若按载体定位，有胶卷科幻片、数字科幻片、网络科幻视频等；若按维度定位，有 2D 科幻片、3D 科幻片、VR 科幻片等；若按平台定位，有院线科幻片、电视科幻片、网络科幻片等；若按样式定位，有科幻动画片、科幻音乐片、科幻舞蹈片等；若按基调定位，有粉色科幻片、黑色科幻片、绿色科幻片等；若按运动定位，有科幻体育片、科幻动作片、科幻冒险片等；若按知效定位，有魔性科幻片、奇性科幻片、玄性科幻片等；若按情效定位，有科幻恐怖片、科幻悬疑片、科幻惊悚片等；若按意效定位，有科幻悲剧片、科幻喜剧片、科幻正剧片等；若按交互定位，有科幻推理片、科幻游戏片、科幻励志片等；若按模式定位，有科幻故事片、科幻纪录片、科幻广告片等；若按辩证法定位，有元科幻片、似科幻片、反科幻片等；

① 习近平：《在教育文化卫生体育领域专家代表座谈会上的讲话》，《人民日报》2020 年 9 月 23 日第 2 版。
② 朱立新：《遗忘的空白——对科幻电影的呼唤》，《电影新作》1991 年第 2 期，第 63 页。
③ 尹传红：《中国科幻百年（下）》，《中国科技月报》2000 年第 5 期，第 14—19 页。

若按空间定位，有海洋科幻片、太空科幻片、陆地科幻片等；若按时间定位，有科幻历史片、科幻新闻片、科幻预言片等；若按聚居定位，有城市科幻片、乡村科幻片、集镇科幻片等；若按本位定位，有泛科幻片、软科幻片、硬科幻片等；若按事件定位，有科幻灾难片、科幻战争片、科幻犯罪片、科幻革命片等；若按目标定位，有校园科幻片、商业科幻片、艺术科幻片等。上述名目与其说是排他性的分类，还不如说是可以并存的标签。

（二）坚持服务人民宗旨

为人民服务是中国共产党的宗旨，也是党对文艺工作者的要求。马克思主义经典作家认为人民是历史的创造者。"社会主义文艺，从本质上讲，就是人民的文艺。毛泽东同志在延安文艺座谈会上指出：'为什么人的问题，是一个根本的问题，原则的问题。'邓小平同志说：'我们的文艺属于人民'，'人民是文艺工作者的母亲'。江泽民同志要求广大文艺工作者'在人民的历史创造中进行艺术的创造，在人民的进步中造就艺术的进步'。胡锦涛同志强调：'只有把人民放在心中最高位置，永远同人民在一起，坚持以人民为中心的创作导向，艺术之树才能常青。'"[1]习近平要求文艺工作者坚持以人民中心的创作导向，丰富和发展了马克思主义关于文艺为人民服务的思想宝库。

对电影而言，"服务人民"至少有如下三层含义：①各级政府通过发展电影产业服务人民。《中华人民共和国电影产业促进法》第五条规定："国务院应当将电影产业发展纳入国民经济和社会发展规划。县级以上地方人民政府根据当地实际情况将电影产业发展纳入本级国民经济和社会发展规划。国家制定电影及其相关产业政策，引导形成统一开放、公平竞争的电影市场，促进电影市场繁荣发展。"②电影工作者服务人民。例如，张铁林等在介绍自己对为人民服务的理解时说："我是服务于老百姓的，我是服务于媒体的，我创作的根源，创作的动机，创作的方向要随着老百姓的喜好，随老百姓的审美趣味和审美水准而调整。"[2]③电影服务人民。例如，童刚等指出："在新中国历史变革的每一个重要关头，电影都发挥着反映人民心声、传扬时代呐喊的关键作用，是推动文化进步、构建

① 习近平：《在文艺工作座谈会上的讲话》，见中共中央宣传部《习近平总书记〈在文艺工作座谈会上的重要讲话〉学习读本》，学习出版社2015年版，第14—15页。
② 转引自陆花、张赞波：《电影就要为人民服务 暨南大学艺术学院院长、著名演员张铁林谈电影教育与教学》，《北京电影学院学报》2006年第2期，第87—94页。

精神家园的历史大格局中最为活跃、最为有效的力量之一。"①

与其他题材的电影不同，科幻电影主要是以解放想象力、激发创新精神、关注科技价值的方式服务于人民的。正是在这一意义上，吕轶芳指出："2019 年《流浪星球》的上映开启了中国的科幻元年，向全世界见证了中国人民丰沛的想象力和强大的科学理论和实践经验。"②科幻电影设定的世界、讲述的故事可能经不起科学家的严格推敲（例如，经中国科学技术大学师生计算分析，《流浪地球》所设想的点燃木星大气产生激波推开地球估计很难实现，木星的引力潮汐撕裂地球也不太可能③），但由此引发的争议仍然可以益人神智。在类似的意义上，李叶平说："由于知识结构的不同，普通人和科学家的科幻电影观影体验存在差异具有必然性，产生争议也在所难免，但这样的争议对于提升我国人民群众的科学素养具有正面意义。"④

（三）秉持文化安全原则

在国家层面，所谓"文化安全"至少包含了如下三方面的考虑：一是防止外来文化侵蚀、挤压甚至颠覆本国文化，妨碍其健康发展；二是防止因文化失范造成身份认同混乱，破坏正常的社会秩序；三是防止本国文化因为被封锁而丧失在世界上应有的地位。

胡惠林指出："全球化不仅带来经济安全问题，而且也带来文化安全问题。面对全球化背景下的西方强势文化和'文化霸权主义'对中国文化产业发展构成的威胁和挑战，必须克筑国家文化安全体系。"⑤在电影领域，我国主要采用下述措施来维护文化安全：①将国外影片进口权集中于国企中国电影集团公司（简称"中影集团"）；②对进口大片实行配额制；③要求电影行业组织依法制定行业自律规范；④法人或其他组织与境外合作摄制电影，须经国务院电影主管部门批准；⑤公民、法人和其他组织承接境外电影的洗印、加工、后期制作等业务，必须报省（自治区、直

① 童刚、尹鸿：《继承传统 改革创新 服务人民 创造辉煌——童刚局长谈新中国电影 60 年》，《当代电影》2009 年第 10 期，第 4—11 页。
② 吕轶芳：《中国科幻文学的崛起之路》，《火花》2019 年第 3 期，第 11 页。
③ 江红波：《科学严谨虽重要 影视虚构可理解——材料作文"科学与艺术"作文升格》，《作文与考试》2019 年 Z3 期，第 45—48 页。
④ 李叶平：《认知图式对科幻电影观影体验的影响——以〈流浪地球〉为例》，《文化学刊》2020 年第 5 期，第 128—131 页。
⑤ 胡惠林：《文化产业发展与国家文化安全——全球化背景下中国文化产业发展问题思考》，《上海社会科学院学术季刊》2000 年第 2 期，第 114—122 页。

辖市）人民政府电影主管部门备案。不得承接含有损害我国国家尊严、荣誉和利益，危害社会稳定，伤害民族感情等内容的境外电影的相关业务。此外，我国也采取积极措施促进电影"走出去"，对优秀电影的外语翻译制作予以支持，并综合利用外交、文化、教育等对外交流资源开展电影的境外推广活动。国家鼓励公民、法人和其他组织从事电影的境外推广，也鼓励他们通过到境外合作摄制电影等方式进行跨境投资。

在科幻电影领域，同样存在涉及国家文化安全的问题。国外某些影片对我国流露出明显的敌意，像美国的《末日机器》（*Doomsday Machine*，1972）、《危难当前》（*Scorcher*，2002），印度的《第七感》（*7 Aum Arivu*，2011），奥地利的《蜥蜴弗里德尔的崛起》（*Die Gstettensaga: The Rise of Echsenfriedl*，2014）等就是如此。它们歪曲中国政府在国际交往中的立场，甚至将中国塑造成为害人类的邪恶国家。[1]对于这类影片，我们应当通过影评等途径引导观众明辨是非，消除它们的恶劣影响。

国家文化安全并不只是意味着防止西方通过文化输出施展其霸权，而且意味着我们应当主动传播自己的文化。如原文泰所言，对于"中国电影走出去"的文化战略来说，科幻片因为其自身类型特质实际上是最具有潜力的电影类型。[2]不过，这方面还存在不少困难，主要原因在于多数国产科幻影片是面向本土市场的，未考虑到国外观众接受上的语言障碍、文化隔阂，还有就是传播渠道有限、对国际电影市场的行情不了解。要想打破这种局面，还有很多工作要做。

应当说明的是，西方国家同样关注文化安全问题。例如，英国早在1889 年就颁布了《公务秘密法》（*Official Secrets Act*），其后屡经修订，以配合打击故意危害国家安全和利益的斗争[3]；从 1909 年开始通过立法对视听产品实行审查分级制度，规定在任何时间均不得播出被电影审查局拒绝颁发证书的内容。在美国，据有关专家介绍，自从共和政体建立以来，联邦和州政府都提出保守秘密的权利，理由是透露某些事情将不利于公共利益。政府出于国家安全目的对新闻出版加以约束，防止危险人物和材料

---

① 黄鸣奋：《走向人类命运共同体：国外科幻电影创意与中国形象》，《探索与争鸣》2017 年第 10 期，第 2、118—126 页。

② 原文泰：《全球本土化视野下国产科幻电影的发展》，《电影文学》2016 年第 17 期，第 4—7 页。

③ 魏永征、张咏华、林琳：《西方传媒的法制、管理和自律》，中国人民大学出版社 2003 年版，第 59 页。

入境。[①]有关法律体现了西方国家对其文化市场的管控。虽然它们经常标榜"言论自由"，实际上仍是筑有防火墙的。至于"文化安全"的具体标准和措施，是根据各国国情制定的，体现了相应的价值体系与目标定向。对中国而言，社会主义核心价值观是国家文化安全的精髓。

上文所说的以"百花齐放"为方针、以服务人民为宗旨、以文化安全为原则，集中体现了我国文化产业在社会层面的特点，其精神适用于包括科幻电影在内的各个分支。

二、中国科幻电影的产品属性

顾名思义，中国科幻电影首先是指由中国出品的电影。作为文化产品，它在表现手段上综合运用各种中国元素，在思想内容上侧重表达中国态度，在类型本体上彰显中国特色，以此形成和其他国家科幻电影相区别的定位。

（一）综合中国元素

若从屏幕呈现判定电影的国别性，那有多种要素可以作为根据，如片头片尾的文字说明，影片主体的人物、风物、事物、场景等。我们将它们统称为"显性国别元素"，对国产电影而言就是显性中国元素。隐而不显、作为支撑系统起作用的则是特定国家的电影技术、电影工业、电影平台、电影思维等，它们构成了隐性国别元素，对国产电影而言就是隐性中国元素。科幻电影在综合运用中国元素方面已经有成功的例证。例如，周延伟指出："作为中国科幻电影的类型化奠基之作，《流浪地球》表达了硬核的东方价值，形塑了末世逃亡的中国式视效景观。可以说，由中国元素组合而成的视觉特效在很大程度上成了决定该片成功的关键因素。经元素整理后发现，影片通过传统元素和现代元素的绞合塑造了地下城生活、地表新秩序以及都市废墟三处典型的中式景观。这些未来与现实并置的悖论式景观以怀旧作为内在的建构机制，通过修复型怀旧和反思型怀旧两种场景建构策略使观众不自觉地占据了影片预设的怀旧者位置，从而引发了观众的情感共鸣。"[②]

在国产科幻电影中，当然也可以运用其他国家显性或隐性的元素。先

---

① 〔美〕T. 巴顿·卡特、〔美〕朱丽叶·L. 迪、〔美〕马丁·J. 盖尼斯等：《大众传播法概要》，黄列译，中国社会科学出版社 1997 年版，第 119—131 页。

② 周延伟：《来自未来的怀旧——〈流浪地球〉的中国式视效景观的制造逻辑》，《北京电影学院学报》2019 年第 9 期，第 22—31 页。

说显性元素。从创意的角度看，选取其他国家的场景存在某些好处，例如，既能够促进电影产品进入相应国家的文化市场、赢得这些国家的观众的关注和认可，也能够满足营造奇观的要求、给本国观众新鲜感，同时还能够显示创作视野的广阔性、情节意义的国际性、主题思想的世界性。①被纳入中国科幻电影的其他国家的元素至少存在三种可能的定位：一是仍然归属于所在国家，亦即作为原系统中的元素来表现，其意义和价值必须结合相应的国情（特别是观众对于这些国情的既有印象）才能恰当理解、阐释与评定；二是整合于更大的意义系统，虽然采用的是具有地域性、国别性或文化性的元素，但主要用于展示跨越地域、国别和文化的特殊事件或观念；三是脱离所在国家、纳入影片所设定的国度、世界（甚至是新的星球或星系），成为和原系统关系不大的比较纯粹的元素，其意义和价值必须结合新的国情、世情或"星情"来理解。与上述理解相适应，就中国科幻电影而言，使用他国元素存在如下三种不同的考虑：一是立足于从某个侧面展示其他国家对中国的理解、看法或印象；二是立足于跨地域、跨国别、跨文化交流的互动性，展示不同文化相互渗透的可能性；三是定位于本土与世界的统一，展示本土现象的世界意义或世界现象的本土呈现。不论哪种考虑，上述转变都是经过艺术加工实现的，可以从艺术创意的角度予以剖析。

再说隐性元素。习近平指出："科学技术是世界性的、时代性的，发展科学技术必须具有全球视野、把握时代脉搏。"②从这个角度看，电影技术以及以之为基础的电影工业、电影平台、电影思维等都具有世界性，亦即可以为不同国家（或来自不同国家的人）所使用，这是问题的一方面。问题的另一方面是，电影技术有专利权的保护，电影工业存在所有制的约束，电影平台有注册地归属，电影思维有使用者的国民身份制约，就此而言，这些隐性元素又具备国别性。正因为如此，中国科幻电影的成功不仅体现为屏幕所展示的各种显性中国元素充满魅力的有机交融，而且体现为作为支撑系统的各种隐性中国元素的综合作用，其中包括中国电影工作者对相关技术的创新性运用，中国电影工业系统整体上的实力和效率，中国电影平台（包括院线、网络等）整体上的水平和功能，中国电影思维的创造性和专业性，等等。王一鸣等将科幻电影视为在一定程度上对一国

---

① 黄鸣奋：《走向人类命运共同体：国外科幻电影创意与中国形象》，《探索与争鸣》2017 年第 10 期，第 2、118—126 页。
② 习近平：《深化科技体制改革 增强科技创新活力》，2013 年 7 月 17 日，http://politics.people.com.cn/n/2013/0717/c1024-22231248.html 。

当前科研能力和制作技能的一种折射。①这种观点是有来由的。

在全球化背景下，各国的电影企业可能联合制片、联合发行，由此形成了来自不同国家的隐性或显性国别元素同时起作用的状况。这些元素从总体上说都是为塑造形象、表达主题服务的。

（二）表明中国态度

从内容维度考察科幻电影的中国属性，可以有许多不同的做法，如将影片内容置于中国文化的背景下，指出其渊源关系；将影片内容置于中国精神的内核里，指出其旨归要义；将影片内容置于中国社会的矛盾中，指出其现实关怀，等等。在比较的视野中，常见的做法主要有以下三种。

一是求同，旨在展示中国在问题意识上和其他国家的相似、相通、相同之处，中国科幻电影与其他国家科幻电影在主题思想上与其他国家的殊途同归，等等。根据张瑶的看法，中美科幻片共同分享着科幻作品通常涉及的主题，例如，根据已有科学发现、科学规律对未来或未知的世界或事物进行想象和推理，将人类视为宇宙中的一个种族，对人类的命运、文明走向等宏大主题进行探寻，对人类科学技术发展带来的负面结果进行反思。②周清平将《流浪地球》与美、英合拍片《星际穿越》加以比较，认为它们都包含了技术神话叙事，即以现代科技为基础，通过想象来叙述技术的超能力故事，背后是大众的技术崇拜。这两部影片都有拯救末日人类的主题（环境恶化与人类生存之间形成核心冲突），也有拯救地球团队内部之间矛盾冲突的副线，着重展现未来时空的奇异景观，给观众以强烈的视听冲击。③以上两个例子都重在求同。

二是别异，旨在展示中国与其他国家在文化传统上的差异性，中国科幻电影与其他国家科幻电影在价值观念上的不同点，等等。例如，陈家宁等对《流浪地球》与美国的《2012》（2009）加以比较，认为它们存在如下民族文化差异：呈现灾难上的悲剧文化与乐感文化，面对灾难的思辨理性与实用理性，拯救灾难的个体意识与集体主义，灾难背后的出走情结与

① 王一鸣、黄雯、曾国屏：《中美科幻电影数量比较及对我国科幻电影发展的几点思考》，《科普研究》2011 年第 1 期，第 27—32、57 页。
② 张瑶：《产业错位与市场争夺——中美科幻电影比较研究》，《当代电影》2013 年第 8 期，第 158—160 页。
③ 周清平：《科幻电影中的技术神话叙事：〈流浪地球〉与〈星际穿越〉比较阅读》，《文艺论坛》2019 年第 4 期，第 95—99 页。

家园情怀。^①宋歌通过与美国《2001：太空漫游》（*2001：A Space Odyssey*，1968）的比较，指出"《流浪地球》让人惊艳的一点是带着地球流浪，寻找新家园的设定，从此处就与好莱坞大片划开一条界线，是家国情怀而非个人主义"^②。王若璇对《流浪地球》和韩国的《雪国列车》（*Snowpiercer*，2013）加以比较，指出前者致力于构建人类命运共同体，以目前的世界联合国组织为基础建构中央联合政府；后者延续西方价值观，个人英雄主义与自由、平等的观念成为其中"世界"重构与再次重构的驱动力。^③

　　三是整合，即将求同与别异有机结合起来。譬如，"同"是全人类面临的共同问题，"异"是各国提出的不同方案。陈远洋认为，《流浪地球》为人类奉献了来自东方的对人类命运和危机的思考，艺术地展示了拯救人类命运的中国方案——在颠覆性灾难面前，通过构建跨国家和种族的人类命运共同体，共度时艰，实现人类的集体自我拯救。^④在这个意义上，中国方案是由中国领导人倡导的具备世界价值的方案，《流浪地球》结合所设定的具体情境，将它具体化了。又如，"同"是各国科幻电影经常涉及的共同问题，"异"是特定国家的科幻电影提出的解决上述问题的不同方案。例如，因为各种原因，地球生态恶化、面临危机，这种问题设定在各国科幻电影中很常见，解决办法通常是逃离。相比之下，正如荆棘指出的，"电影《流浪地球》提供了一个崭新的，明显带有农耕文明孕育下'有土，斯有人'意涵的中国方案：为地球装上发动机，冲出地月轨道、进而冲出太阳系……人类与地球的命运捆绑在一起，于宇宙洪荒间流浪——这是导演郭帆一直在寻找的中国科幻的文化内核，也承载着一代中国人心中关于家、情感与乡愁的重要意义"^⑤。王雨薇则认为，在关乎人类命运的思考面前，影片以带着地球一起流浪的"中国方案"诠释了构建人类命运共同体这个时代命题，从时空维度、审美表达、政治立场三个层

①　陈家宁、刘志秀：《论科幻电影的民族化与世界化——〈流浪地球〉与〈2012〉之比较》，《天津大学学报（社会科学版）》2019 年第 4 期，第 289—294 页。

②　宋歌：《〈2001：太空漫游〉与〈流浪地球〉比较研究》，《记者摇篮》2019 年第 3 期，第 82—83 页。

③　王若璇：《意识形态·国族话语·价值传达：中韩科幻电影〈流浪地球〉与〈雪国列车〉比较研究》，《东南传播》2020 年第 2 期，第 68—72 页。

④　陈远洋：《〈流浪地球〉——拯救人类命运的中国方案的艺术实践》，《电影文学》2019 年第 8 期，第 76—80 页。

⑤　荆棘：《"有土，斯有人"——郭帆的科幻漂流记》，《齐鲁周刊》2019 年第 7 期，第 10—11 页。

面实现了传统文化价值观的跨文化突破。①再如，"同"是特定科幻电影为剧中不同国别人物设定的共同问题，"异"是这些人物提出的解决上述问题的不同方案。例如，《流浪地球》设定的共同问题是流浪中的地球在途经木星时面临其巨大引力的威胁。以色列科学团队率先提出了引爆木星氢气、用气浪推离地球的办法，但推演结果成功率只有 0.03%，因此未被地球人联合政府采纳。三小时后，北京中学生刘启也想到这个技术方案，而且悟出了提高成功率的关键，即众志成城。其父刘培强（国际空间站宇航员）牺牲自己，助其实施。上述三种意义上的"中国方案"分别着眼于中国领导人提出的方案、中国科幻电影主创人员构想的方案、具体剧情中由中国人提出的方案，它们又是彼此相通的。如果我们分别将它们编号为一、二、三，那么方案一体现的是《流浪地球》在指导思想上的中国性，方案二体现的是这部影片在艺术创意上的中国性，方案三体现的是这部影片在人物塑造上的中国性。

求同、别异与整合虽然是三种不同的比较方法，但在表明中国态度这一点上有相通之处。求同是表明中国以及和其他国家的利益攸关，别异是表明中国有自己的核心利益、具体国情和意识形态，整合是表明中国在世界上作为负责任大国的基本立场以及为解决人类共同性问题做出贡献的愿望。

（三）彰显中国特色

这里所说的"本体"，在艺术学的意义上是指艺术手段和艺术内容的统一。承前所论，科幻电影采用的中国元素（作为手段）、表明的中国态度（作为内容）都属于中国特色范围，二者的统一便构成了本体意义上的中国特色。不过，常言之"中国特色"还有发生学意义上的含义，意为不同于其来源、有别于同源的其他分支、源于中国的实践和创造等。所谓"有中国特色的科幻电影"也是如此。

在强调科幻电影的中国特色时，我们首先是有意识地将它和西方源头区别开来。西方现代科幻是在科学和艺术分化的大背景下产生的，这种分化在 19 世纪初的科幻小说《弗兰肯斯坦》问世时已经有所表现，到 20 世纪中叶则非常明显。当时，英国物理学家、小说家史诺（C. P. Snow）自述常常在科学家和文艺家这两个集团之间游移。"虽然这两个集团的聪明

---

① 王雨薇：《重构与表达：〈流浪地球〉对传统文化价值观的现代阐释》，《四川戏剧》2019年第 9 期，第 112—114 页。

才智相当，种族相同，出身背景没有太大差异，拥有相同的收入，但是他们几乎完全不和对方沟通，他们在理性、道德和心理氛围上，几乎没有一点共性……事实上，这道鸿沟比一座海洋还要宽"，"我相信整个西方世界的理性生活，都已分裂为两个渐行渐远的极端……文学知识分子在一个极端，科学家则在另外一个极端，物理学家又是科学家这个极端里最具代表性的人物"。①西方科幻电影经常嘲讽"疯狂科学家"，事出有因。相比之下，中国科幻电影虽然存在受西方影响的一面，但总体来说对科学家还是比较友善的。这种不同于西方科幻源头的定调，实际上反映了中国主流社会对科技界的基本态度。

在强调科幻电影的中国特色时，我们还有意识地将它和非西方的其他国家的科幻电影区分开来。除中国之外，其他东方国家也出品了不少科幻电影，例如，泰国出品了《冲出黑暗》（*Out of the Darkness*，1971）、《虫虫欲动》（*Cool Gel Attacks*，2010）、《红鹰侠》（*Red Eagle*，2010）等。印度出品的科幻电影数量更多，如《印度先生》（*Mr. India*，1987）、《印度超人前传》（*Koi... Mil Gaya*，2003）、《印度超人》（*Krrish*，2006）、《神之化身》（*Dasavathaaram*，2008）、《2050 爱情故事》（*Love Story 2050*，2008）、《宝莱坞机器人之恋》（*Enthiran*，2010）、《第七感》、《超世纪战神》（*Ra.One*，2011）、《印度超人3》（*Krrish 3*，2013）、《24》（*24*，2016）、《宝莱坞机器人 2.0：重生归来》（*Enthiran 2*，2018）、《短路》（*Short Circuit*，2019）等。与这些国家相比，中国科幻电影的特色可能表现在其他方面，例如，歌舞分量有限等。

在强调中国科幻电影的特色时，我们还必须强调源于中国的实践和创造。例如，司纪中提炼出镜像设置中的民族特色，所举的例子是《流浪地球》的多重镜像中都涵盖了中国重庆、杭州与上海等大城市的标志性建筑，这是家园之情的象征。还有一个典型的镜像，就是在充满"福"字的大年初一（寓意回家团圆），"因此，中国当代科幻电影在叙事镜像当中并不会落在逃离居住的适合区，而是将故事的情节落脚在父子情与责任身上，他们共同肩负起维护自己家园的责任，这与西方以科幻暴力为主的科幻片有着本质的区别"②。赵卫防将《流浪地球》置于集中体现中国性的"新主流大片"予以定位。他指出该类影片包含三个方面的内涵：主题层

---

① 〔英〕史诺：《两种文化》，林志成、刘蓝玉译，猫头鹰出版社 2000 年版，第 91—146 页。
② 司纪中：《中国科幻片叙事性的跨媒介研究》，《电影文学》2020 年第 2 期，第 38—39 页。

面的中国主流价值观表现、形式层面的类型书写及制作层面的重工业模式。上述三个层面同时具备，方能形成"新主流大片"。"新主流大片"起源于 2010 年前后部分香港影人"北上"内地后的主旋律电影创作，如陈可辛、林超贤等监制、导演的《十月围城》（2010）等。恪守同样的美学路线，内地影人拍摄了《建国大业》（2009）、《建党伟业》（2011）、《铁道飞虎》（2015）、《战狼》系列（2015—2017）、《流浪地球》、《八子》（2019）等"新主流大片"。根据赵卫防的看法，"新主流大片"又可置于主流商业片之中定位。当下，在中国电影工业的平衡系统中，包括"新主流大片"在内的主流商业片是其主要构成。除此之外，还有两种重要组成元素，即艺术电影、作者电影，还有介于商业片与艺术电影之间的文艺片（如 2019 年上映的《银河补习班》）。[①]

从总体上说，中国特色也好，其他国家的特色（如美国特色、印度特色等）也好，都是由其历史铸造的。但是，科幻却以面向未来为特色。丁卓认为，"迄今为止，以中国和日本为代表的亚洲科幻仍受制于欧美科幻的未来意识，建立有中国特色的科幻创作和研究体系，必须以儒释道思想为精神源泉，关注对人类全面发展构成威胁的一切破坏性力量，从自然科学和人文社会科学各领域进行跨学科的科幻文学创作与研究，塑造未来新人"[②]。这种看法试图将过去（"精神源泉"）、现在（关注"破坏性力量"）和未来（"新人"）统一起来，可供参考。

三、中国科幻电影的运营属性

从运营层面对中国科幻电影属性进行研究，主要着眼于科幻电影作为智力创造、特殊商品、文化载体或政治工具发挥的作用、受到的限制，经常关注 IP 转化、市场营销、文化输出、意识形态斗争等课题。下文所说的凝聚中国智慧、纳入中国管理、建设中国学派，是中国科幻电影在运营层面的显著特性。

（一）凝聚中国智慧

所谓"中国智慧"指的是中国文化的精髓，源于实践经验的升华、形而上学的思考，以及内心省察的顿悟等。像"天人合一""道法自然"等，就是体现了中国智慧的格言。智慧不同于智能。前者代表了思维器官

① 赵卫防：《中国性与平衡性：中国电影工业美学新观察》，《艺术百家》2020 年第 2 期，第62—67 页。
② 丁卓：《科幻文学关键词：未来》，《长春大学学报》2020 年第 9 期，第 66—71 页。

的终极功能，后者则代表了思维器官的具体能力。二者通过体现反思取向的智慧论有机结合起来，表现在"因事长智""智出乎争""人多智广""以智驭智""大智若愚""至智不谋"等成语中。

科幻被钟艺雪称为"靠想象飞起来的智慧云"，因为它的特点是"根据有限的科学假设，在不与人类最大的可知信息量冲突的前提下，虚构可能发生的事件"①。"科幻带着孩子打开智慧之窗"，因为"科幻小说对孩子们想象力、创造力的启迪以及里面所呈现的对科学的探索精神，是其他任何书籍都无法媲美的"②。读者也用"中国智慧"来评价刘慈欣的作品，像杜学文就写了以之为题的文章。③将"凝聚中国智慧"作为从方式维度考察国产科幻电影的要旨，意味着要求创作者更多关注创意的策略论，也要求鉴赏者更多关注从形象塑造到哲理内涵的转化。

从策略论的角度看，赋予意象更丰富的含义，是提高影片智慧水平的方法之一。胤祥执导、由夏笳编剧并领衔主演的短片《Parapax》（2007）④为主人公设定物理学博士、小资女作家、电影工作者三重身份，以展示"元科幻"（即对于科幻的反思），就是例证之一。《异星怪兽之荒野求生》（2020）关于"门"的构思也是很巧妙的。该片包含了三重意义上的"门"：一是地球与异星之间的时空门。科学家偶然获得了一块晶莹的陨石，想研究其中包含的暗能量，未料到对它进行射线扫描时打开了虫洞，有怪物穿越而至。二是陨石研究基地隔离屏障上的缺口。异星怪物穿过时空门来到基地之后，被当成实验对象。它咬死咬伤基地所有工作人员之后，从缺口逃逸。这个电子屏障原本是用于割断基地和地球上其他空间之联系的，范围是以基地为中心、周围 2 公里，目的估计是防止实验风险扩散到基地之外。基地幸存的一位博士必须设法将怪物送回异星，同时解除基地隔离屏障。三是上述博士在追踪陨石和怪物过程中邂逅的到基地附近野营的男主角秦枫、女主角瑶瑶之间的心扉。秦枫性格内向，虽然喜欢瑶瑶多年，但一直羞于启齿。瑶瑶虽然开朗，但仍有女性的矜持，期待他主动开口。博士虽然将陨石复位、解除了电子屏障，但被怪物咬伤，死

① 钟艺雪：《科幻：靠想象飞起来的智慧云》，《高中生之友》2019 年第 12 期，第 4—7 页。

②《科幻带着孩子打开智慧之窗》，《家教世界·创新阅读》2019 年第 4 期，第 4 页。

③ 杜学文：《中国想象与中国智慧——读刘慈欣科幻小说集〈时间移民〉》，《黄河》2015 年第 5 期，第 96—102 页。

④ 根据夏笳 2020 年 2 月 27 日通过微信对本书作者所做的解释，"Parapax 是由前缀 para（parellel，paradox）加上后缀 pax（来自科幻电影 K-PAX）组成的生造词，大概指一种多重宇宙的时空观，就好像 Matrix 在电影《黑客帝国》中指代整个系统一样，恐怕不好翻译为汉语"。因此，本书保留该片标题的原文。

前将打发走怪物的任务交给了秦枫。后者为争取让瑶瑶有机会开启时空门，舍命和怪物相搏，生死之际才将"我喜欢你"说出口。最后，时空门打开后产生的强大负压将怪物吸走，秦枫总算挣扎到瑶瑶将时空门关上，两人终成情侣。将时空门、屏障缺口和心扉联系起来，令人想起《鬼谷子》这本书为什么将"捭阖"作为第一篇。"捭阖"就是开合，就是各式各样的门的运动。作者其实是想向学生传授他认为最根本的人生智慧，即如何立身，也就是自立的根本。该篇所述的是策士应有的智慧。相比之下，《异星怪兽之荒野求生》表现的是科技人员应有的智慧。在该片设定的情境中，"门"开合得当，科学家可以顺利进行异域研究，实验风险不会扩散，有情人终成眷属。"门"开合不当，异星怪物会闯进来，实验风险会殃及无辜，心上人也不会理解自己。

　　从鉴赏者的角度看，我国科幻影片提供了不少可以提炼出哲理内涵的描写。试从现有影片列举数例：①智为情蔽。《天龙号醒来之返航迷途》（2017）描写了天龙使者章渔要聚集五名助手，共同发力，以唤醒坠落在地球海底火山口三百年的天龙号飞船，但是他被爱情蒙蔽了双眼，将恋人邱琳错当成了第五个助手。其实，她是敌对星球留在地球上的种子，即将对天龙人构成致命的危害。②人无完人。在我国短片《迷失的一半》（2019）中，妙龄女子淑敏通过专业公司寻找心仪的完美男子张浩，被告知此人居然是人工智能司机。她当初为和正开车的张浩合影而引发交通事故，专卖店修好了汽车，连带调换了新司机，因此淑敏再也无法见到自己的心上人。③智因利昏。在《超能疯人院》中，光卓星球人洋洋来地球寻找因测试太阳系航道、飞船故障而滞留的姐姐，凭定位找到疯人院。院长诸葛钢铁热衷于研究外星人，囚禁其姐姐做实验，想一举成名，将反对私自关押外星人的老院长倪澎杰当成精神病人。洋洋以协助举办新闻发布会来换取自由，院长钻进飞船当场演示，没想到飞船和滚筒洗衣机的外观相似，事先被乡下农户掉了包，他被"滚"之后发疯。

　　（二）纳入中国管理

　　科幻电影的生产、流通与消费是在一定的环境中进行的。因此，可以从环境定义所属科幻电影，由此产生了"亚洲电影""欧洲电影"等类别。所谓"环境"，大致可以分为自然环境、社会环境和心理环境。当我们将"中国科幻电影"当成研究对象的时候，关注的首先是国家作为社会环境对科幻电影的规定性。后者集中表现在政府对科幻电影生产、流通和消费活动的管理上。

　　我国电影管理史可以追溯至清末。1911 年，上海城自治公所颁布《取缔影戏场条例》，这是中国最早的电影放映条例。1923 年，江苏省教育会电影审阅委员会成立，标志着地方性电影检查制肇始。1926 年成立的北京教育部电影审阅会则是中央一级的电影检查机构。1949 年，成立"中央电影局"，负责指导电影工作。1953 年，政务院通过《关于加强电影制片工作的决定》，提出电影艺术应具有文化娱乐的重大作用。1986年，电影局由文化部划归广播电影电视部（1998 年 3 月改名为国家广播电影电视总局）。2004 年，国家广播电影电视总局下发《关于加快电影产业发展的若干意见》，落实中共中央关于深化文化体制改革的总体部署。2018 年，根据中共中央的《深化党和国家机构改革方案》，中央宣传部统一管理电影工作，对外加挂国家电影局牌子。

　　我国已经将电影产业管理纳入法制轨道。作为标志性事件，《中华人民共和国电影产业促进法》已经于 2017 年 3 月 1 日实施。在此之前，《电影管理条例》已经实行多年，屡经修订。和世界上大多数国家一样，我国对电影实行的是审查制，但这并不意味着没有进行过分级制的尝试。1988 年，《中共中央关于改革和加强中小学德育工作的通知》提出："要建立对影视片的审查定级制度，对中小学生不宜观看的影视作品作出明确的规定。"①当时的广播电影电视部据此发布了《关于对部分影片实行审查、放映分级制度的通知》，将少年儿童的年龄标准确定为 16 岁及以下，授权电影事业管理局在分别按标准审查国产和进口影片时，要明确划定以下"少年儿童不宜观看"的影片：凡有强奸、盗窃、吸毒、贩毒、卖淫等情节的影片；凡有容易引起少年儿童恐怖感的暴力、凶杀、打斗情节的影片；凡表现性爱及性行为情节的影片；凡表现社会畸形现象的影片。②该文件自 1989 年 5 月 1 日正式实行。由梁明、穆德远执导的我国第一部立体声恐怖片《黑楼孤魂》（1989）率先被划为"少儿不宜"。但是，电影分级也遇到了不少问题，主要是经济文化发展水平、电影管理水平都跟不上。还有些电影将"少儿不宜"当成炒作对象，王进导演的故事片《寡妇村》（1989）很早就以此做过宣传。这部电影获 1989 年第十二届大众电影百花奖最佳故事片奖、法国第六届蒙彼利埃国际电影节金熊猫奖，水平还是比较高的。另一些等而下之的影片就等着利用分级的机会合

---

① 中共中央：《中共中央关于改革和加强中小学德育工作的通知》，1988 年 12 月 25 日，http://m.jyb.cn/zyk/jyzcfg/200602/t20060220_55349_wap.html。

② 广播电影电视部：《广播电影电视部关于对部分影片实行审查、放映分级制度的通知》，1989 年 3 月 25 日，http://www.law-lib.com/law/law_view1.asp?id=5627。

法地占领市场。鉴于诸如此类的原因，上述文件于 2003 年废止。

除国家层面的审查制度之外，科幻电影还在多个层面和管理有关：①观念层面。管理制度是根据管理观念设计的。②媒体层面。科幻电影可以作为媒体资产，适用于信息生命周期管理。对具体影片而言，首映、重映、修复等都需要精心安排。随着影片数量的增多，媒体资产管理面临如何从海量电影资料提取有价值的信息的问题，适时引入人工智能助手便是顺理成章之事。③工业层面。科幻大片的拍摄与制作是一项庞大的系统工程，像《流浪地球》就动员了约 7000 名从业者参与。如何实现他们之间的心理相容、有效协作，离开科学化、精细化的管理是不可想象的。负责现场调色和现场视频管理的 SJ-Works 团队负责人刘杨在回忆参与过程时说："工业化，首先是人的'工业化'——专业素养的工业化。把自己的工作做好，把细节做到完美做到极致。"①这种精神和完善的管理制度是相辅相成的两个方面。

环境与管理都可以成为中国科幻电影比较研究的重要切入点。例如，古荒基于文化产业链的分析视角，从创意设计、制作生产、传播扩散等产业环节对《阿童木》未能延续日本动漫《铁臂阿童木》（1952—1968）之辉煌的原因进行了剖析，指出阿童木形象的科幻缺失以及不同国家之间的文化张力导致的文化断层是贯穿其中的核心原因。②

（三）建设中国学派

就电影而言，学派和流派通而不同。前者以理论影响见长，后者以创作实绩见长，它们又是彼此渗透、相互倚重的。

在中国，电影学派的建设大致经历了如下发展阶段：①动画学派首开风气。根据尹岩的看法，动画电影中的"中国学派"，实际上就是中国民族化的动画电影。1957 年，上海美术电影制片厂厂长特伟提出"探民族风格之路"的口号，从此开始了"中国学派"自觉的建设历程。③②学术研究设立范畴。郑雪来于 1984 年率先提出"建立具有中国特色的电影

---

① 刘杨：《〈流浪地球〉现场调色和现场视频管理流程解析》，《现代电影技术》2019 年第 5 期，第 45—48 页。

② 古荒：《电影〈阿童木〉缘何未能延续动漫〈铁臂阿童木〉的辉煌传奇——基于文化产业链分析视角的比较研究》，《科普惠民 责任与担当——中国科普理论与实践探索——第二十届全国科普理论研讨会论文集（2013）》，第 124—130 页。这是中国科普研究所编印的会议论文集，已收入中国知网，但未正式出版。

③ 尹岩：《动画电影中的"中国学派"》，《当代电影》1988 年第 6 期，第 71—79 页。

学"①，倪震在 1985 年论及"建立并形成我国电影中的史诗学派"的问题。②有学者归纳了新时期十年电影理论的成就，将提出下述新课题作为五项建树之一："建设独具中国民族特色的电影美学，并在世界的东方开拓出中国电影学派之路。"③2002 年，袁玉琴以华语电影导演侯孝贤为例，对中西融通的电影学派加以探讨。④③北京电影学院扛起大旗。2015年，中共中央政治局常委李岚清在北京电影学院举办的"知识分子与文化修养"的讲座中表示，中国电影不能一味追求票房价值，而牺牲对艺术的高尚目标的追求。他期待着能够出现影响世界的中国电影学派。⑤2016年，北京电影学院成立未来影像高精尖创新中心，提出中国电影未来发展的制高点的终极使命就是要构建和夯实中国电影学派。④学术界热烈响应。近年来，建构中国电影学派已经成为学术界的研究热点，陆续发表的论文就有 100 多篇。

胡智锋指出："新时代中国电影学派"理念的倡议和阐发，是在中国进入新阶段，文化和电影急需新理念和新格局的背景下提出的。相较凭借内在凝聚力被追认的思想型学派，"新时代中国电影学派"更接近具有紧密制度化、专业化连接的组织型学派，回应着国家战略、产业升级、学术建设以及社会引领的四重历史和现实需求。其理念和主张可以梳理为战略观、文化观、美学观、创作观和教育观五个大的方面，对打造具有原创力、竞争力、传播力、影响力和引领力的电影艺术作品，实现电影强国和文化强国的远景目标具有重要意义。⑥科幻电影研究（特别是中国科幻电影研究）是中国电影学派建构的题中应有之义，中国电影学派建构则为中国科幻电影研究开拓了思路。以下几条是值得注意的。

一是树立中国科幻电影研究的目标。根据侯光明的看法，"中国电影学派的目标就是形成具有中国美学文化特质的电影学派，以期对内满足人民群众不断增长的对高质量文化产品的需求，对外增强中国电影的国际影

① 郑雪来：《电影学及其方法论问题——兼谈建立具有中国特色的电影学的一些设想》，《电影艺术》1984 年第 3 期，第 28—42 页。
② 倪震：《成荫的艺术道路》，《北京电影学院学报》1985 年第 2 期，第 2—26 页。
③《新时期十年中国电影理论的建树》，《电影评介》1988 年第 6 期，第 17 页。
④ 袁玉琴：《中西融通的电影学派管窥——侯孝贤电影的长镜头风格与意境创造》，《世界华文文学论坛》2002 年第 4 期，第 62—66 页。
⑤ 王荣辉：《李岚清：期待出现能影响世界的中国电影学派》，2015 年 10 月 17 日，http://china.huanqiu.com/article/9CaKrnJQEBS。
⑥ 胡智锋：《"新时代中国电影学派"的历史逻辑、现实依据与未来理念》，《北京电影学院学报》2021 年第 6 期，第 4—8 页。

响力和国际话语权"①。刘军认为，"建设中国电影学派，并不仅限于找到中国电影前进的方向，更重要的，是要形成和总结出独特的文化模式，它不仅保证中国电影的现代化，而且能够给其他国家和民族以启发，作为人类命运共同体文化大花园里的一枝花应该怎样独特地绽放"②。上述分析完全适用于中国科幻电影研究。科幻电影目前还是整个中国电影中的弱项，因此需要付出更大的努力去创作、研究。

二是明确中国科幻电影研究的取向。贾磊磊提出："中国电影学派的当代使命是建成中国电影的工业体系、美学体系、思想体系'三位一体'的宏伟大厦。"③周星阐述了中国电影学派的多样性建设任务——既研究中国电影特定形态、风格、创作和精神文化内涵等内容，也是中国电影的一种整体标识，对外彰显中国电影的整体面貌和独特景观，对内凝聚中国电影的共同体与创造核心。④中国科幻电影研究可以沿着工业研究、美学研究、思想研究推进，朝多样化建设方向发展。

三是总结中国科幻电影创作的经验。这些经验对学术界具有启迪作用。例如，以《流浪地球》首映成功为契机，北京电影学院未来影像高精尖创新中心中国电影学派研究部在 2019 年 3 月举办了"中国科幻电影的创世元年与中国电影学派的理论建构学术讨论会"，旨在从近期中国科幻电影的崛起及其与电影工业美学的互动、数字技术的升级利用、中国式价值观的表达等角度，探讨中国科幻电影的类型前景与文化内涵。

四是参考国外电影相关学派的做法。在世界范围内，这类学派的历史可以追溯到英国活跃于 1896—1912 年的布莱顿学派，20 世纪初出现的有美国维太格拉夫学派、瑞典学派等。20 世纪 20 年代出现的有苏联蒙太奇学派、美国的经验学派、德国的（新）电影学派和法兰克福学派、英国的纪录片学派、南斯拉夫的萨格勒布动画学派等。20 世纪 50 年代出现的有法国的电影手册派、加拿大的多伦多学派、波兰学派等。20 世纪 60 年代出现的有英国的伯明翰学派、美国的纽约学派等。其后出现的有 20 世纪 70 年代德国的柏林学派、20 世纪 90 年代的新柏林学派、21 世纪的柏林

① 侯光明：《历史轮回中的传承与坚守 建构中国电影学派》，《北京电影学院学报》2018 年第 3 期，第 5—10 页。
② 刘军：《中国电影学派的概念内涵与建设路径》，《艺术学研究》2019 年第 2 期，第 51—55 页。
③ 贾磊磊：《中国电影学派建构的反向命题》，《电影艺术》2018 年第 2 期，第 22—25 页。
④ 周星：《中国电影学派：多样性建设呈现的思考》，《电影艺术》2018 年第 2 期，第 26—30 页。

学派等。对此，潘源①、李洋②、唐媛媛③等学者已经做了考订。对于中国科幻电影研究而言，美国经验学派的实证性研究、法兰克福学派的思辨性研究、伯明翰学派的文化研究、多伦多学派和纽约学派的媒介研究等都是很有参考价值的。

　　中国由电影大国迈向电影强国、由文化大国迈向文化强国，是气势磅礴的历史运动。与此相适应，中国科幻电影应当实现从短板变为强项的转变。这不仅是指中国科幻电影的成就为世界各国的同行所公认，而且是指中国科幻电影成功地开拓了符合自己价值观、社会理想和艺术追求的新世界，并以此在世界科幻电影及相关领域引领风气。这是一个很高的目标，需要中国艺术界、企业界、学术界等相关界别长期不懈地共同努力。

　　本章依次探讨了中国视野下的科幻电影、科幻电影视野下的中国、科幻电影中国属性研究三个问题。科幻电影如今虽然已经发展为世界性现象，但是具体影片的创作、传播和鉴赏还是在一定国家进行的。因此，国家如何扶植科幻电影，科幻电影如何塑造中国形象，业界如何创作既有家国情怀又有世界眼光的中国科幻电影，诸如此类的问题都值得深入研究。陈旭光主张不能过于强调"中国性"和中国立场。因为当下我们正在进入"人类命运共同体"阶段，在这个阶段，电影生产中异质、跨地文化的多元互补融合必将成为一种常态④，这一见解也值得参考。

---

① 潘源：《国际视域中的电影学派发展脉络探析——兼谈中国电影学派的建设路径》，《艺术评论》2020 年第 11 期，第 54—74 页。
② 李洋：《21 世纪前十年的欧洲电影：德国、法国、意大利及其他》，《当代电影》2011 年第 11 期，第 122—131 页。
③ 唐媛媛：《新柏林学派——德国当代一支年轻的导演群体》，《电影评介》2013 年第 15 期，第 37—38 页。
④ 陈旭光：《电影工业美学与中国电影学派》，《艺术百家》2020 年第 2 期，第 54—61 页。

第二章 科幻电影的工业研究

科幻电影既是工业的产物,又是工业的映像;既包含了引领工业发展的想象,又体现了工业运营的成果。因此,"科幻电影的工业研究"实际上是科幻电影和工业体系之间的对话。与上述认识相适应,中国科幻电影的工业研究至少可以从下述角度进行:①从工业的角度研究科幻电影,关注科幻电影的工业渊源,可称为"工业视野下的科幻电影";②从科幻电影的角度研究工业,关注科幻电影有关工业的描写,可称为"科幻电影视野下的工业";③研究作为范畴的"中国科幻电影",关注中国科幻电影的工业属性,可称为"科幻电影工业属性研究"。以下分别予以论述。

第一节 工业视野下的科幻电影

科幻电影的工业研究以对工业本身的认识为出发点。什么是"工业"?在发生学的意义上,工业是人类物质生产领域社会分工的产物,主要以制造劳动工具、开采自然资源、对各种原材料进行加工的方式服务民生,并服务于其他产业。在系统论的意义上,所谓"工业"是工业部门、工业技术和工业组织的统一体。工业部门主要体现工业在人类经济体系中的地位,工业技术主要体现工业在人类文化体系中的地位,工业组织主要体现工业在人类政治体系中的地位。如何将科幻电影置于工业的视野下加以研究?这种方法视科幻电影为特殊的工业产品,不仅关注工业生产固有的专业化、标准化、规模化特征,而且关注工业部门、工业技术和工业组织如何为科幻电影的社会定位、产品定位和运营定位提供参考系,同时还关注生产科幻电影的需要如何促进工业部门、工业技术和工业组织的创新。

一、工业部门与科幻电影的社会定位

工业部门是人类对经济领域的活动实行分工的产物。在历史上,纺织、酿造等经济活动率先从农业中分化出来,相关企业构成了最早的工业部门。其后,新需要的产生、新技术的应用、新分工的出现、原有企业的

分化造就了新的企业，工业部门不仅在规模上不断扩大，而且在类型上日益增多。电影工业就是在这样的背景下作为其子类问世的。在宏观上对工业区划、工业体制和工业创新进行的考察，是对科幻电影相关基地、企业、行业进行社会定位的前提。

（一）工业区划与科幻电影相关基地

工业区划是工业区位与工业规划的合称。工业区位是就工业分布的地理位置而言的，工业规划则是国家或地区对一定时期内工业各部门发展建设和布局的总体部署。工业之所以朝特定地区聚集，主要取决于自然环境、交通条件、土地价格、人口构成等因素，同时也受到政策、市场、劳动力、原料与能源供应等的影响。国家或地方政府对工业发展进行规划时，通常都进行了战略上的考虑，如"实体经济是保持国家竞争力的基础""保护生态以实现可持续发展"等。在西方，古典经济学之父亚当·斯密（A. Smith）已经论及运费、距离、原料等因素对工业区位的影响。1909年，德国经济学家韦伯（A. Weber）率先对工业区位理论予以系统阐述，认为运输成本和工资是决定工业区位的主要因素。1944年，自然地理学与海岸科学家任美锷以韦伯的工业区位理论、孙中山的工业区位思想为基础，提出了中国六大工业区划方案。①中华人民共和国成立之后，政府不仅对整个工业的布局有通盘规划，对具体工业的定点也有战略上的考虑，像电影工业、软件园、高新技术开发区、动漫产业基地等均可以作为例子。下文以动漫产业基地、影视基地为例予以说明。

2006年，财政部等十部委下达了《关于推动我国动漫产业发展的若干意见》，该文件第四条提出：支持国家动漫产业基地建设，促进动漫"产、学、研"一体发展。积极支持建设集人才教育与培训、技术研发与服务、龙头企业集约发展、中小型企业孵化以及国际经济技术合作等多功能一体的国家动漫产业基地。部际联席会议要做好国家动漫产业基地的布局和规划，制订基地相关标准，负责基地的认定，建立有关评估机制。新认定的国家动漫产业基地建设，要优先与高新技术开发区和软件园区建设相结合，充分利用已有的政策、技术、服务、场所等条件。国家动漫产业基地实行优胜劣汰机制，每三年进行一次评估和调整。②国务院通过十部

---

① 转引自：吴传清：《论任美锷的中国工业区划方案》，《贵州财经学院学报》2009年第5期，第57—61页。

② 国务院办公厅：《国务院办公厅转发财政部等部门关于推动我国动漫产业发展若干意见的通知》，2006年4月25日，http://www.gov.cn/gongbao/content/2006/content_310646.htm。

委联席会议协调了方方面面的关系。2008 年，联席会议办公室选出了基础好、有特色的四家单位作为首批公共技术服务平台的建设单位。它们分别是北京、湖南和上海多媒体公共服务平台，以及常州数字娱乐示范基地。这四家单位成为中央财政资金扶植的重点对象。在贯彻落实上述文件精神的过程中，其面临着如何对"动漫"予以定性的问题。它究竟是文化产品、影视节目，还是出版物呢？文化部、国家广播电影电视总局、新闻出版总署从各自的职能出发予以定位，陆续建立了很多基地。2004 年，文化部已经着手建设国家动漫游戏产业振兴基地、命名国家文化产业示范基地，2007 年又致力于评审"国家级文化产业示范园区"。国家广播电影电视总局从 2004 年起分批核准设立国家动画产业基地、国家动画教学研究基地，从 2007 年起逐年评列"全国原创电视动画片生产十大城市"。[①]新闻出版总署自 2004 年起致力于建设国家网络游戏动漫产业发展基地[②]，自 2007 年起致力于建设国家动漫产业发展基地[③]，自 2008 年起命名"国家级数字出版基地"[④]。国家主管部门很重视，地方政府也很热情，各类动漫产业基地在短短数年内星罗棋布。这些基地将分钟数作为量化考核指标，结果是全国动画总时长迅速增加，很快由供不应求转向供过于求。2004—2012 年，国家没有出台专门针对科幻动画片的政策，因此这类作品的数量很少，已知的仅有《梦回金沙城》（2010）、《赛尔号 1·寻找凤凰神兽》（2011）、《赛尔号 2·雷伊与迈尔斯》（2012）等区区几部。值得一提的是中影集团在这方面的贡献。它成立于 1999 年，是国家广播电影电视总局批准设立的首批国家动画产业基地（2005），出品了《长江 7 号爱地球》（2010）等科幻动画片。这家企业于 2010 年联合中国国际电视总公司等 7 家单位共同发起设立了中国电影股份有限公司。《马小乐之玩具也疯狂》（2016）等科幻动画片就是由中国电影股份有限公司出品的。

　　若就企业自身需求而言，"从拍摄取景地到制片公司聚集地，再到产业集群地，国内外影视基地的发展大多都遵循了这一基本规律"[⑤]。这里

---

① 国家广播电影电视总局：《关于 2007 年度全国电视动画片制作发行情况的通告》，2008 年 1 月 30 日，http://www.360doc.com/content/20/0607/20/37960839_917064473.shtml。

② 《新闻出版总署举办动漫发展基地工作座谈会》，2008 年 1 月 26 日，http://www.ic37.com/news/2008-1_56771/。

③ 杨梅：《发挥产业聚集效应 提升动漫基地水平》，《山东经济》2008 年第 5 期，第 87—91 页。

④ 金鑫：《首个国家级数字出版基地在上海张江正式挂牌成立》，2008 年 7 月 16 日，http://www.gov.cn/gzdt/2008-07/18/content_1048766.htm。

⑤ 谈洁：《论海外影视基地的产业之路与镜鉴价值》，《电影评介》2020 年第 7 期，第 6—11 页。

说的是"影视基地"，如今这一提法比"电影基地"更为常用，说明了影视合流的现实。若从历史上看，是先有电影基地（如美国好莱坞），后有影视基地（如我国 1987 年由中央电视台建立的无锡影视基地）。在美国，现代意义上的电影基地始于莱默尔（C. Laemmle）于 1913 年建立的环球影城，最初主要承担大制片厂内部制作影片的任务，或向独立制片人出租摄影场地、器材。制片厂制度解体之后，美国各个电影基地开始独立运作，并迎接全世界影视基地的产业竞争。[①]在我国，影视基地可以追溯到 20 世纪 20 年代各大电影公司建立的片场，但其规模有限。无锡影视基地气派得多，占地约 100 公顷，水面面积达 200 公顷[②]，是国家首批 5A级旅游景区。其产权属于中视传媒无锡影视基地分公司。它是中国首家以影视文化与旅游相结合的主题园。这类基地不仅可以提供影视拍摄服务，而且具备观光旅游功能，因此为地方政府所看好。据刘汉文统计，"自1987 年央视无锡影视基地开业运营以来，各地影视基地投资建设的规模迅速扩张，全国大大小小的影视基地已超过千家，形成了几个比较知名的产业集群"[③]。这些基地主要分布在东部地区以及较为发达的中部地区，原因之一是那里的自然环境较为适宜。正如邵鹏、童禹婷指出的，中国影视产业经过几十年的发展形成了有自身地理学特点的产业分布与集聚。一条"胡焕庸线"勾勒出中国影视产业东南密集、西北稀疏的产业落差，而这种落差自然地延伸到了影视产业基地。[④]

　　影视基地为各类电影、各种电视节目的拍摄提供了强大的支持。例如，科幻电影《流浪地球》《疯狂的外星人》就是在号称"东方影都"的青岛万达影视基地拍摄的。这两部影片在 2019 年春节档火爆之后，众多影迷和媒体来到上述基地探秘，带动了当地旅游业的发展。《流浪地球》的作者刘慈欣的山西老乡王晓峰看了有关新闻后很有感触，撰文论证在山西建设科幻电影基地的可行性，所选取的角度有得天独厚的人才优势、雄厚独特的技术优势、千年积淀的文化优势、宽广多元的场地优势。[⑤]这恰好说明科幻电影基地选址可以成为工业区划学的研究课题。

① 单禹：《产业漂移与经济博弈：电影产业全球化视域下美国影视基地的机遇与窘境》，《当代电影》2011 年第 10 期，第 17—21 页。
② 无锡市滨湖区人民政府：《中视传媒无锡影视基地》，2022 年 9 月 23 日，http://www.wxbh.gov.cn/doc/2019/11/23/1561232.shtml。
③ 刘汉文：《影视基地发展现状与转型升级的思考》，《当代电影》2020 年第 5 期，第 51—56 页。
④ 邵鹏、童禹婷：《再谈华莱坞影视产业发展的"胡焕庸线"——中国影视基地的媒介地理学探析》，《未来传播》2019 年第 6 期，第 66—72 页。
⑤ 王晓峰：《未来山西之科幻影视基地》，《前进》2019 年第 3 期，第 59 页。

目前，我国科幻电影生产并不发达，因此它对工业部门的影响也不显著。虽然有人提议在山西建设科幻电影基地，但迄今为止有关跟进的报道很少，仅有山西天龙山成为蓝星球科幻电影飞行基地①等有限的新闻。真正的科幻产业集聚区建设是 2020 年在北京首钢园启动的。首钢园是国家首批城区老工业区改造试点。遵循北京市对新首钢高端产业综合服务区"传统工业绿色转型升级示范区、京西高端产业创新高地、后工业文化体育创意基地"的定位②，首钢园规划建设体育+、数字智能、文化创意三个主导产业。科幻产业集聚区建设属于文化创意产业，首钢集团已面向全球发起首钢园科幻场景征集活动，并致力于引进科幻大师工作坊，创立数字影视拍摄制作基地，建立"极致科幻"体验营，建设科幻特色主题剧场。在科幻影视产业链上，首钢园科幻产业集聚区看来定位于前端（即供给侧）。相比之下，科幻型的主题公园和特色小镇定位于产业后端（即消费侧），如重庆金源方特科幻公园等。2017 年，我国曾出现了"科幻主题公园热"，见于报道的有浙江平阳的"星际科幻谷"、贵州贵阳的"东方科幻谷"、四川成都的"中国科幻城"、青海冷湖的"火星小镇"等。

首钢园科幻产业集聚区的建设说明，国家统一布局、地方政府规划建设、企业自主选择三种途径在我国是可以彼此结合的，中影集团数字电影制作基地建设亦为一例。作为中央文化体制改革试点单位，中影集团在电影界乃至整个文化领域的改革发展中发挥了带头和示范作用。它所创办的国家中影数字制作基地被列入 2008 年北京人文奥运工程项目、国家"十一五"重大文化产业推进项目，2008 年 7 月 31 日举行落成典礼并正式营业。电影基地的社会定位主要体现了相关企业和所在国家、所在地区、所在城市的关系。就此而言，无锡国家数字电影产业园提供了实例。在地理上，它的总规划面积约 6 平方千米，分为中心平台区、制作集聚区、预留发展区和产业配套区。其规划设计遵循无锡市总体规划原则，体现了科技、人文、舒适和地域内涵，将现代影视制作的科技性与工业遗产元素进行充分结合，形成了具有影视文化特色的建筑风格和形象。在产业上，它计划以数字电影拍摄为龙头，以后期制作为支撑，形成集电影申报、拍

① 中央广播电视总台国际在线：《石窟数字复原引关注 天龙山成"蓝星球飞行基地"》，2020 年 12 月 8 日，http://js.cri.cn/20201208/f2a46e23-745a-c757-a7f5-29fd2462e576.html。

② 北京市规划和国土资源管理委员会：《北京城市总体规划（2016 年—2035 年）》，2017 年 9 月 29 日，http://www.sohu.com/a/195609470_667797。

摄、制作、发行、交易等功能于一体的完整产业链。[①]

（二）工业体制与科幻电影相关范畴

所谓"工业体制"，兼指工业体系和工业制度。工业体系是各类工业系统的合称，就范围而言，涵盖大型联合企业、地方工业系统、国家工业系统、国家集团工业系统等；就分工而言，包括主要提供生活消费品和制作手工工具的轻工业，主要为国民经济各部门提供生产资料的重工业，还有生产武器装备的军工业等；就要素而言，除生产单位之外，还包括管理机构、研发机构、产品销售服务机构、后勤保障机构等。工业制度则是经济管理体制的组成部分，在宏观上反映了中央政府和地方政府、国家和工业主管部门、国家和企业、工业主管部门和企业之间的责、权、利关系；在微观上反映了工业领域具体企业实施的管理模式。就前者而言，中华人民共和国成立之初实行的是由国家集中统一管理为主的方针，为解决中央政府和地方政府之间集体和分权问题进行过改革。新时期改革的目标集中在简政放权、增强企业活力上，不仅致力于在企业建立各种形式的经济责任制，而且积极搞活流通，发展以企业为主的横向经济联合。国家对企业的管理由直接控制为主向间接控制为主转变，主要运用经济手段和法律手段，并采取必要的行政手段，来引导和调节企业的生产经营活动。工业体系和工业制度的共同基点是生产资料所有制。中国通过对私改造建立了以公有制为主体的工业体制，在改革开放之后形成了国有企业与民营企业、内资企业和外资企业并存的局面，并在 2013 年全面深化改革的过程中决定发展国有资本、集体资本、非公有资本等交叉持股、相互融合的混合所有制经济。

从工业体制的角度研究中国科幻电影，至少有如下三种取向。

一是重在工业体制之"工业"，用重工业美学、轻工业美学之类的范畴分析科幻电影。2016 年，国家新闻出版广电总局电影局局长张宏森在"中国电影新力量"论坛上强调中国电影要形成"重工业产品推进，轻工业产品跟进，大剧情影片镶嵌在中间"的生态格局和产品体系。[②]2017年，北京国际电影节期间，在国内首家娱乐产业研究机构艺恩主办的关于电影市场新格局的行业对话中，亭东文化副总裁林天宏表示，未来电影行

---

① 林方亮：《从工业厂房到影视基地——无锡国家数字电影产业园建设规划探索》，《工程建设与设计》2012 年第 7 期，第 36—40 页。

② 《张宏森：电影市场好更应保持忧患意识》，2016 年 1 月 4 日，http://www.rmzxb.com.cn/c/2016-01-04/663652.shtml。

业的突破点有两个：一是重工业作品的发展，这是中国电影大的发展方向；二是电影可以回归故事本身，这是接下来要下大力气去做的事情，不要迷信大 IP、大导演、大明星、大公司。①同年 12 月 15 日，北京大学艺术学院与中国电影评论学会联合举办"迎向中国电影新时代：产业升级和工业美学建构"研讨会，聚焦电影工业升级与美学升级，积极寻求电影工业类型化和创作资源开发的新路径。在会上，饶曙光提出，中国电影进入新时代，产业升级及其整体性的升级换代与建构工业美学规范和体系是大势所趋。为了抗衡好莱坞，特别是能够与好莱坞正面抗衡，中国电影必须战略性地布局中国电影工业体系，推进工业体系的完善，并在此基础上有序发展中国电影的"重工业"。陈旭光则认为，第一要在文本层面讲好中国故事；第二是技术标准要提高，但是技术提高并不代表一切，并不一定意味着"重工业"；第三即最重要的是制作管理机制上的"工业化"和"工业美学"建构。工业美学不是抹杀导演的个性，而是要求服膺于"制片人中心制"，做好"体制内的作者"，导演必须适应产业化生存、网络化生存、技术化生存。②2018 年，饶曙光、李国聪发表了探讨重工业电影及其美学的论文，提出"以'高概念、高技术、高预算'为特征的重工业电影代表着一个国家电影工业的水平，也代表着一个国家经济硬实力和文化软实力，发展电影重工业有着产业、市场及观念层面的多重意义"③。在同年发表的另一篇文章中，饶曙光强调："我们一方面要坚定不移推进电影工业体系的完善，支持电影重工业，另一方面还要在中小成本电影上下更大的力气，提高中小成本电影的艺术质量和市场竞争力。我们必须通过重工业和轻工业配合、'游击战'和'阵地战'配合的方式赢得更多的市场和更多的话语权。"④2019 年，宋法刚谈道："电影工业美学并非是一个大而空的概念，它同样与转型阶段的中国电影关联紧密。可以说，当下大量的电影作品呈现出类型化创作的方式，落脚于轻工业美学的研究路径；部分作品则体现出了高度技术化的倾向，落脚于重工业美学的研究方

① 《电影市场新格局：重工业与回归故事是行业突破点》，2017 年 4 月 19 日，http://ent.163.com/17/0419/15/CID70BU4000380D0.html。
② 张立娜：《迎向中国电影新时代：产业升级和工业美学建构——北京大学第十五期人文论坛在京举办》，《北京电影学院学报》2017 年第 6 期，第 155—156 页。
③ 饶曙光、李国聪：《"重工业电影"及其美学：理论与实践》，《当代电影》2018 年第 4 期，第 104—108 页。
④ 饶曙光：《论新时代中国电影发展新思路》，《浙江传媒学院学报》2018 年第 4 期，第 115—146 页。

向。"①陈旭光指出："中国电影格局中有一个'大片'与'小片'的审美分化的态势。'大片'指高投入、大成本、大营销、追求大票房，进行大片运作的影片，包括华语电影大片、高概念电影、古装武侠大片、新主流大片、科幻大片、部分合家欢电影等，如新主流电影大片《湄公河行动》《红海行动》，科幻片《流浪地球》等；中小成本类型电影、艺术电影等则属于'小片'，如《疯狂的石头》《失恋 33 天》《无名之辈》《无问西东》等中小成本电影，以及低成本艺术电影《路边野餐》等。"从媒介背景和电影本体的角度看，"大片"和"小片"均是电影对全媒介时代的适应和反映，大片坚守经典电影、银幕、影院电影等原则，尽力排除其他媒介的影响，把大屏幕、影像奇观性做到极致；"小片"则是融入其他媒介的技术、手段、语言方式，走向一种全媒介时代的新电影，甚至是开放广义的网络电影、手机电影等新媒介电影形态，逼迫我们重新思考电影的定义。从产业或工业的角度看，"大"与"小"还引发了一个电影工业美学分层的问题。"电影工业美学"形态可以按投资规模、制作宣发成本、受众定位等的不同，区分为重工业美学、中度工业美学、轻度工业美学。②

总的来看，虽然各家说法略有不同，但所谓"重工业电影""重工业美学"都只是借用"重工业"这个概念，不是运用它原先"提供生产资料的部门"这一本义，而是强调高投入、大成本、高技术，坚守经典电影、银幕、影院电影等原则。与此对举的"轻工业电影""轻工业美学"也不是运用它提供生活资料和手工工具的部门这一本义，而是重在低投入、小成本、讲故事，融入其他媒介（特别是新媒介）。它们被用于描绘当下中国影坛的格局以及国际战略。在相关探讨中，科幻电影处于相当重要的地位。例如，惊奇映像节创始人兼总策划马贺亮说，在没有电脑特效之前，好莱坞的实体特效产业已经很发达。科幻电影是对电影工业要求最高的类型，因此科幻电影能够帮助本国电影梳理电影工业流程。如今，中国电影从轻工业向重工业转变，科幻电影是很好的途径。③吴言认为，"在《流浪地球》拍出以前，国人中不乏一种消极论调，认为拍科幻大片是好莱坞

---

① 宋法刚：《电影工业美学的三重建构路径》，《艺术评论》2019 年第 7 期，第 36—44 页。

② 陈旭光：《略谈中国电影的"大"与"小"、"重"或"轻"》，《现代视听》2019 年第 6 期，第 88 页。

③ 郑洁：《中国科幻电影的工业革命》，《中国文化报》2017 年 4 月 22 日第 3 版。惊奇·幻想实验室是国内科幻奇幻 IP 转化平台，汇聚了幻想类 IP、项目，以及新锐导演、编剧、概念设计等专业人才，还率先探索本土科幻电影的全新模式，为入围的创投项目提供从创意到视觉到影像的技术、资金和资源服务支持，并主办了惊奇电影创投会。

的专利，我们没有那样的能力。我们的电影业确实还处在轻工业阶段，没有建立起自己的重工业，技术实力还有很大差距。但我们不能丧失拍中国科幻电影的欲望，也不能无限期地将它推至各方条件具备以后。《流浪地球》的创作团队正是抱着这样的情怀，才在重重的困难中坚持下来"①。黄翼谈道："在类型片上，美国好莱坞科幻电影是典型的重工业类型片，具有高成本、专业化、流程化的特点，以大场面、大制作、大视效进行电影类型化创作，具有典型的主题、风格样式和视觉动机。《流浪地球》是中国科幻电影向重工业类型化迈进的标志，大力促进了中国科幻电影形成'重工业产品推进，轻工业产品跟进'的格局。该片在以重工业为核心基础，兼具轻工业，进行类型片创作上的创新，呈现了公式化的情节——影片最后航天员刘培强与空间站一起撞向木星成功解救地球，定型化的人物——沉稳内敛爱子的英雄刘培强、叛逆勇敢的刘启、忠于职守冷酷的王磊等，体现出较高的类型化创作水平，代表着中国科幻电影产业的成熟发展。"②

　　二是重在工业体制之"体"（经济实体），研究国有企业与民营企业、内资企业和外资企业对科幻电影发展的贡献，以及混合所有制企业的影响等。例如，谭博考察了 2011—2018 年我国电影项目网络的演化过程。区分出三个阶段：第一阶段是以中影和华夏为代表的国有电影企业对网络合作关系具有完全控制阶段，国有电影企业凭借规模和政策优势在电影项目的合作制片以及发行环节占有大量网络关系资源，参与了市场中大部分项目。第二阶段以万达电影、博纳影业、华谊兄弟逐渐崛起作为代表，民营电影公司凭借自身优势在电影产业链的不同环节发挥各自的能力和特色，在构建各自子网络的同时逐渐成长为中国电影产业中的重要组成部分。同时，民营企业通过建立战略联盟以提升其整体在产业中的竞争力，例如，以五洲电影发行有限公司为代表的民营企业联盟在发行环节的影响力提升，也是此阶段民营电影企业谋求发展和壮大的重要表现。第三阶段表现为互联网企业大量嵌入电影产业链，为电影产业发展带来新模式的同时，也扩展了传统的产业边界。优酷影业、猫眼电影、淘票票影视文化有限公司等互联网企业依靠其在用户数量、移动媒体以及大数据掌握和分析方面的优势取得了高速增长，凭借其市场渠道、用户资源迅速建立了

① 吴言：《我们需要什么样的科幻电影》，《山西日报》2019 年 3 月 6 日第 9 版。
② 黄翼：《中国科幻电影的发展路径探讨——以〈流浪地球〉为例》，《西部广播电视》2020 年第 12 期，第 92—93、180 页。

广泛的网络关系。根据谭博的看法，经过三个阶段的发展，中国电影的项目网络结构总体表现为四分布局的形式：国有企业位于网络关系的核心位置；民营企业在各自子网络中寻求联合以发展壮大；互联网企业凭借自身获得大量项目参与的机会迅速成长；地方制片厂、独立电影公司以及专业化服务企业位于网络结构的边缘位置。[①]

三是重在工业体制之"制"，以工业制度为切入点，研究电影企业和国家之间、电影企业不同角色之间的关系对科幻电影生产的影响。例如，陈犀禾、鲜佳分析了 20 世纪 80 年代以来中国民营电影工业的发展，指出："国家政策与中国民营电影业的发展是相辅相成、密不可分的。两者一为顶层设计，一为随着顶层设计而自身运作的资本和文化产业形态。"[②]前文说的是电影企业和国家之间的关系。有关导演中心制、编剧中心制或制片人中心制的讨论，则牵涉电影企业内部不同角色之间的关系。车海明指出，在美国这种完善的电影工业体系中，一般都遵循制片人中心制的原则。[③]相比之下，我国在由导演中心制向制片人中心制的转化过程中，创建了介于二者之间的电影监制制度。[④]

按照马克思主义关于生产力决定生产关系的观点，电影工业体制的形成与发展深受电影生产力的影响。尽管"电影生产力"是一个外延与内涵都不太确定的概念，但有一条应当是比较清楚的：电影科技是电影生产力的重要组成部分，甚至是电影的第一生产力。电影科技的革新有可能促进电影工业体制的变革。历史上最早的电影工业体制是在电光、电声、电子等技术的支持下建立的，可以说是以电磁波为标志的第四次信息革命的成果。20 世纪中叶，电视后来居上，成了大众传媒领域的霸主，电影不得不通过强化基于影院的高水平视听技术与之进行错位竞争，这是大片时代到来、"重工业美学"等范畴受到青睐的历史原因。其后以计算机为标志的第五次信息革命爆发，带动了电影科技的革命，引领了数字化、网络化潮流，传统电影制片厂风光不再，取而代之的是与数字媒体相适应的各种工作室。如今，虚拟化技术正在对电影制作与发行产生深刻影响，颠覆电影的线性制作流程。作为电影生产力的新代表，它有可能促进电影工业体

① 谭博：《企业社会网络对中国电影项目创意绩效的影响机制研究——基于动态联盟的合作关系视角》，北京交通大学博士学位论文，2020 年。
② 陈犀禾、鲜佳：《20 世纪 80 年代以来中国大陆民营电影工业发展研究》，《上海大学学报（社会科学版）》2014 年第 6 期，第 32—47 页。
③ 车海明：《中国电影工业制片人中心制研究》，《人文天下》2018 年第 23 期，第 26—30 页。
④ 孙博：《中美电影制片管理机制比较研究》，《艺术科技》2016 年第 7 期，第 350 页。

制的新变革，这一问题是值得深入研究的。虚拟化技术特别适用于制作包括科幻片在内的幻想类电影。因此，社会上对这类电影的需求越旺盛，驱动虚拟化技术发展的动力就越大，电影工业体制的变革就越迅速。从生产关系对生产力具有反作用的观点看，合理、有活力的电影工业体制可以保证电影生产力的迅速增长，僵化或过时的电影工业体制则可能阻碍电影生产力的健康发展。

（三）工业创新与科幻电影相关机遇

上文所说的工业区划决定了工业的基本布局，工业体制决定了工业的基本属性，下文所探讨的工业创新决定了工业的发展趋势。工业创新是产业创新最主要的类型，对于人类文明的进步贡献卓著。工业创新的途径主要有如下三条。

1. 工业转移

工业转移是产业转移的一种类型，与农业转移、服务业转移等相对而言。从工业的角度看，所谓"转移"包含如下三种取向：①向工业转移，如科研成果应用于工业生产等；②从工业转移，如工业技术应用于农业生产等；③工业内部转移，如军工技术向民用工业转移等。从转移的角度看，工业发生的变化主要有如下三种情况：①改变产业定位，如将机械工业转移到以农业为基础的轨道等；②改变区域定位，如工业由城市转移到农村，台湾动画工业转移到大陆，基于专业化分工的京津冀工业转移，长江中游城市群工业转移等；③改变国家定位，如日本电子工业转移到海外，美国电影工业转移到海外等。工业转移的表现形式主要有人员转移、设备转移、知识转移、业务转移、资金转移、产业链转移、成果统计转移等。其中，掌握高科技的产品研发人员的转移可能是最重要的。

工业转移主要因资源供给、产品需求或生产成本等条件的变化而产生，通常是从技术水平高的领域转移到技术水平低的领域，因此对后者的技术进步、经济发展具备推动作用，但可能会带来生态破坏的消极影响。如果承接方能够通过消化、吸引实现技术升级，可以成为新的转移方。原先的转移方在权衡承接方发生的各种变化后，可能会寻找其他承接方。上述过程不仅取决于经济因素，而且受到政治因素、文化因素的影响。工业转移可能会改变力量对比，导致生态变化，因此无论转移方还是承接方都会对它施加一定的限制。至于"空壳化"之类的现象，已经成为值得研究的课题。对于承接方来说，只要善于学习，就有机会实现"华丽转身"，深圳市方块动漫画文化发展有限公司即为一例。这家公司成立于 2005

年，从为欧美公司代工动画起步，由半原创走向原创，打造出自己的品牌。它与中国人民解放军八一电影制片厂联合出品的 52 集军事科幻题材电视动画剧《正义红师》已于 2014 年 10 月 4 日在上海炫动卡通频道首播，并于 10 月 5 日在爱奇艺、搜狐、优酷、土豆、乐视五大网络平台同步播出。

中国电影工业率先在上海发展起来，抗日战争期间发生过由上海到重庆的区域性转移。中华人民共和国成立后，电影业最初是相对独立发展的，上海电影制片厂成为中国电影最大的生产基地。改革开放以来，西方电影通过工业转移对我国产生了较大影响。好莱坞影视代工基地在华落户，特艺集团（Technicolor）等老牌特技制作公司在中国创建合资公司，都属于工业转移。通过这类途径，我国接触到西方的先进技术，提升了本土电影的制作水平，由代工走向原创，甚至让国外企业为自己代工，同时也使自己成为世界电影工业的有机组成部分。当然，好莱坞无论如何转移也不会将创意机构转移出去；对有意在好莱坞寻找制作方的中国电影人来说，文化核心无法海外"代工"。这是彼此相关的两个问题。①

2. 工业集群

"工业集群"是产业集群的一种，是指相关工业企业通过在地理位置上的聚拢促进分工协作，获得创新优势，与商业集群等相对而言。它的价值主要表现在：①通过密切互动激励技术升级，增强竞争力；②共享公共设施和市场环境，降低成本；③建立企业之间的信任关系，提高分工协作效率，发挥以老带新的作用；④产生资源集聚效应、生产规模效应，提高经济效益。正因为如此，我国布局了大量软件园、创业园、高新技术开发区之类的园区。为了将这类园区建设成为工业集群，必须注意理顺如下关系：①建立区域协调发展机制，处理好与周边环境的关系；②发挥关键项目的牵引作用，促进相关企业的分工合作；③增进市场意识，将高新技术开发、先进设备制造和周到的中介服务有机结合起来。

从工业角度研究科幻电影时，若引入产业集群理论，可以增进对相关基地或园区的认识。例如，王缉慈等通过研究当代电影创作、生产和营销的技术变化与组织变革、电影产业的离岸外包以及分析国外电影产业集群的实例，试图为我国发展电影产业集群提供思路。他们认为，"电影产业集群是培育优秀电影作品的环境；在电影制作全球外包的背景下，世界各

---

① 韩浩月：《国产动画电影〈摇滚藏獒〉文化核心无法海外"代工"》，《光明日报》2016 年 8 月 8 日第 14 版。

地电影产业集群处在全球电影价值链不同的价值环节。我国电影产业集群需要从低端向高端升级,成为我国发展电影产业的核心地区"[①]。哈佛大学商学院教授迈克尔·波特(M. Porter)提出了产业集群的"钻石模型"(图 2-1)。

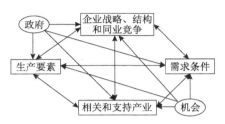

图 2-1　迈克尔·波特的"钻石模型"

陈平利用"钻石模型"分析了瑞典西约特兰省特罗尔海坦市的浩瀚电影制作中心(Film in Vast,FiV),探讨了影响 FiV 电影产业集群成长的体制性因素,提出了我国发展创意产业的具体政策建议。他认为,"发展创意产业虽然是以市场为基础作用的,但政府通过公共服务的完善和政策法规的制定可以为创意产业营造一个适宜发展的外部环境,对创意产业的发展将具有积极的推动作用"[②]。邵培仁、廖卫民通过研究发现,横店影视产业集聚生成并迅速发展的机制在于其共享性资源在有一定的异质性禀赋的基础上结合根植性特点,进行扩张式的积聚,并在更高层面形成了富有战略价值的异质性资源,从而使得产业集群向高层次、高水平的位序跃迁。横店模式的发展经验对于中国电影产业集群发展具有启示意义。[③]以"钻石模型"为依据,苏丽归纳出了电影产业集群的五种模式,除地域型之外,还有产品关联型、主导产业型(如汇聚了 600 多家影视公司的美国好莱坞产业集聚区)、离岸外包式、虚拟型("虚拟电影产业园区"或"电影创意信息数字交易港")。[④]此外,韩晓黎等从保障机制的角度研究了中国电影产业集群战略。内源保障机制包括建立分工协作的产业网络体系,提升创新能力,注重对文化内涵的挖掘,提升产品的文化内涵;外源保障机制

① 王缉慈、陈平、梅丽霞等:《电影产业集群的典型模式及全球离岸外包下的集群发展》,《电影艺术》2009 年第 5 期,第 15—20 页。
② 陈平:《瑞典 FiV 电影产业对创意产业集群成长的启示》,《科学学与科学技术管理》2007 年第 9 期,第 79—83 页。
③ 邵培仁、廖卫民:《中国电影产业集群的演化机制与发展模式——横店影视产业集群的历史考察(1996—2008)》,《电影艺术》2009 年第 5 期,第 21—28 页。
④ 苏丽:《基于"钻石模型"的电影产业集群模式构建及评价》,《技术与创新管理》2010 年第 6 期,第 721—724、743 页。

包括完善基础设施资源，建立健全电影人才引用机制，拓展多元化投融资体系，设立知识产权保护制度。①我国专门化的科幻影视基地以建设中的"科幻之城"首钢园为代表。我们期待它发展成为成功的产业集群。

3. 工业融合

从工业的角度看，"融合"主要有以下情况：①基础产业之间的融合，即工业与农业、服务业融合（农工贸一体化）；②工业分支与农业分支或服务业分支之间的融合，如电子业与种植业、旅游业的融合等；③不同工业分支之间的融合，如军事工业与民用工业的融合等。从融合的角度看，不同业态可能会通过交融产生如下变化：①基础产业层面的创新。例如，传统农业因与工业融合而成为现代农业等。②产业分支层面的创新。例如，文化产业和旅游产业融合，形成文化旅游业。③工业分支层面的创新。例如，制造业和信息业融合，孕育出智能制造。

对电影而言，工业融合主要有下述三种情况：①电影工业跨越基础产业界限的融合，如与服务业中的旅游、体育的融合等；②电影工业跨越产业分支界限的融合，主要是与出版业、广播业、电视业、电信业的融合等；③电影工业跨越工业分支界限的融合，主要是与游戏业的融合。工业融合的结果是形成了跨越基础产业界限的电影旅游业、电影体育业等，跨越产业分支界限的电影出版业、电影广播业、电影电视业、电影电信业（互联网电影企业）等，跨越工业分支界限的电影游戏业等。

主题公园建设是电影工业和旅游业融合的重要途径。西方已有成功先例，如迪士尼乐园、派拉蒙主题公园等。据尹贻梅、刘志高于 2009 年进行的考订，中国本土最早的电影主题公园是兴建于 1984 年的《红楼梦》拍摄基地——北京大观园。此后各地的电影主题公园不断涌现，其中投资上规模的大型电影主题公园达 90 家之多，很大一部分是昙花一现。长影世纪城借鉴了美国好莱坞环球影城和迪士尼模式，以高科技含量、高新颖程度、高制作水平和高民族特质被誉为中国第一家世界级电影主题娱乐园。②它拥有部分与科幻电影相关的内容，如中国第一个动感技术与球幕技术结合的星际探险节目等。方特游乐世界是华强方特集团首个拥有完全自有知识产权的主题乐园，以科幻和互动体验为特色，拥有部分和动画片相关的内容。西方主题公园也不乏落户中国之例，如迪士尼乐园于 2009

---

① 韩晓黎、陈飞、吴纯举等：《中国电影产业集群战略研究》，《现代电影技术》2013 年第 4 期，第 3—6 页。

② 尹贻梅、刘志高：《电影主题公园与产业集群发展的迷失与升级之路——兼评长影世纪城的发展模态》，《电影艺术》2009 年第 5 期，第 34—38 页。

年落户上海、环球影城于 2021 年落户北京等。

影游融合是电影工业和电子游戏融合的重要途径，包含两种基本取向：一是电子游戏融合于电影，由此产生了美国的《头号玩家》（*Ready Player One*，2018）之类的作品；二是电影融合于电子游戏，由此产生了《底特律：成为人类》（*Detroit: Become Human*，2018）之类的作品。范志忠、张李锐认为，"在中国电影工业化转型升级的历程中，影游融合从 1.0 版的改编与调和，拓展到 2.0 版的互动与渗透，并最终指向 3.0 版的重构与共生，既顺应了电影供给侧改革的潮流，又为电影工业的审美体验开拓了新的维度"[①]。这不是说我国已经在影游融合方面取得了重大进展，而是说它可以成为我国电影工业化转型升级的一个方向。

工业转移、工业集群和工业融合是工业的三种运动形态，也是工业创新的三种途径。大致而言，工业转移促进了原有工业在新的产业、新的区域和新的国家的扩散，工业集群促进了新的工业中心在不同产业、不同区域、不同国家的兴起，工业融合促进了新的产品在各个产业、各个区域、各个国家的出现。它们之间的差异类似于比较文学中传播研究、平行研究、类型研究的区别。从技术的角度看，工业转移意味着技术的传播，工业集群意味着不同技术中心的并存，工业融合意味着多种技术的综合运用催生了新类型。如果说上述客观进程有利于形成科幻电影制作基地，那么相关产业链就可能会水到渠成地出现。反过来，如果国家或地区有意建设包括科幻电影制作基地在内的某种工业中心，那么也可能会带动相应的工业转移、工业集群和工业融合。

上文依次对工业区划与科幻电影相关基地、工业体制与科幻电影相关范畴、工业创新与科幻电影相关机遇进行了分析，侧重于工业对于电影的影响。应当说明的是，电影对工业的影响同样存在。当人们将电影归入工业范围时，往往看好其远大前景和重要影响力，视电影工业为"朝阳工业"，因此为它寻找合适的区划，构建合适的体制，创造合适的条件，希望它能够引领基地周边产业的发展，带动相关理论的变革，创造革故鼎新的机遇。就此而言，是电影影响了工业。

二、工业技术与科幻电影的产品定位

所谓"技术"，是指运用对自然规律的认识满足人类需要的实用手

① 范志忠、张李锐：《影游融合：中国电影工业美学的新维度》，《艺术评论》2019 年第 7 期，第 25—35 页。

段，诞生在初民运用工具以制造工具的过程中。技术是具体实用的知识，有别于作为抽象理论的科学；可以通过文字记载传授，有别于只能通过实践掌握的技能、技巧。技术本身随着人类产业的分化而分化，其中旨在培育有生命的动植物的技术成为农业技术，对农副产品进行加工、制造劳动工具和日用器皿的技术成为手工业技术。当运用工具以制造工具发展到运用机器以制造机器时，出现了现代意义上的工业技术。所谓"工业技术"，是以运用对自然规律的认识为主，不同于以运用对社会规律的认识为主的管理技术、销售技术等，也不同于以运用心理规律的认识为主的催眠技术、记忆技术等。工业技术虽然主要产生并应用于工业领域，但也被用来对农业、服务业等领域进行改造。它与偏重抽象理论的自然科学有别，可视为自然科学在实用领域的延伸。从狭义上说，工业技术仅限于源于工业、用于工业的技术，从广义上也包括文化技术和计算技术，这是由于文化产业和文化工业同源、计算机和网络设备因为工业信息化而广泛使用的缘故。从上述认识出发，可以将与科幻电影相关的主要技术归纳为三类，即机械技术、文化技术和计算技术。《国民经济行业分类》由国家统计局于 1984 年起草，1994 年、2002 年、2011 年、2017 年修订了四次。现行标准是根据 GB/T 4754—2017 加以修订的，由国家标准化管理委员会于 2019 年 3 月 25 日批准，自 2019 年 3 月 29 日起实施。其中，有四处提到电影：C 门类"制造业"下属的第 34 大类"通用设备制造业"第 347 中类"文化、办公用机械制造"第 3471 小类"电影机械制造"；R 门类"文化、体育和娱乐业"下属的第 87 大类"广播、电视、电影和录音制作业"第 8730 小类"影视节目制作"，第 864 中类暨第 8640 小类"电影和影视节目发行"，第 865 中类暨第 8650 小类"电影放映"。①显然，上述"电影机械制造"小类对应于机械技术，其他三个小类对应于文化技术。此外，I 门类"信息传输、软件和信息技术服务业"所列的第 63 中类"电信、广播电视和卫星传输服务"、第 64 中类"互联网和相关服务"、第 65 中类"软件和信息技术服务业"则对应于信息技术。因此，我们可以从机械、软件和特效的角度考察科幻电影的工业技术基础、文化技术基础和信息技术基础。

（一）科幻电影的工业技术基础

电影使用的设备早期以摄、录、放一体化为主，称为"电影机"。后

---

① 国家统计局：《关于执行国民经济行业分类第 1 号修改单的通知》，2019 年 5 月 21 日，http://www.stats.gov.cn/tjsj/tjbz/201905/t20190521_1666107.html。

来，从前期拍摄及录音，到后期胶片洗印、配音转录、镜头剪辑等制作，直至影片放映，各个环节都出现了设备专门化的趋势。"电影机械"因此成为电影生产、流通和消费整个过程使用的各种设备和器具的总称，包括电影摄像机、电影洗印机、电影放映机等。它们虽然汇聚了电光、电化、电机、电工、电声、电子、自动化控制等多种技术，但在习惯上都归到"机械"名下。在这样的背景下，"电影机"一词被用以构造各种专称，如胶片电影机、数字电影机、互联网电影机（主要是指电影放映机）等。

在发生学的意义上，电影机是用于拍摄和投射影像的设备，其渊源可以追溯到照相机、幻灯机。1874 年，法国的让桑（J. Janson）发明了能够以每秒一张的速度连续拍摄的"摄影枪"。1882 年，法国的马雷（Etienne-Jules Marey）发明了可以用 1/100 秒的曝光速度以每秒 12 张的频率摄影的设备。经过改进，它能够在 9mm 宽的胶片上以每秒 60 张的频率拍摄。1889 年，美国的爱迪生发明了由电机驱动的活动图像摄影机，使用一个尖形齿牙轮来带动 19mm 宽的胶带，边放映边打孔。1891 年，爱迪生获得了使用带片孔 35mm 胶片的活动图像摄影机的专利。这就是电影摄影机的由来。电影放映机的历史可追溯到通过内置镜片观看由齿轮带动胶片放映的窥镜箱。爱迪生发明的活动图像摄影机也可以用来投影，原理是在光源前使用发动机旋转胶片条，将图像投射到小银幕上。有许多人试图对它加以改进，其中，法国卢米埃尔兄弟发明的设备 Kinora 是照相机、胶片处理室和电影机的综合体，可以手动操作，将图像投射到大银幕上，这为面向公众的商业放映创造了条件。由于观众对电影质量的要求越来越高，电影放映机和电影摄影机分离，以便采用更强大的光源（20 世纪相继引入碳弧灯、氙灯、激光等）放映更长的影片（若佐之以平盘式循环大片盘，可一次性放完长片）。在商业化的驱动、技术升级的带动下，20 世纪 20 年代出现了有声电影，30 年代出现了彩色电影，90 年代引入了数字音响。21 世纪初出现了激光 4DX 等技术。

从电影机械的角度看，技术发展的总趋势可以用多样化来概括：①银幕多样化。除宽银幕、遮幅之外，分化出立体、全景、环幕、穹幕、巨幕等类型。②分辨率多样化。胶片电影机按胶片宽度分为 8mm、8.75mm、16mm、35mm、50mm、70mm（IMAX），前两种已经淘汰。数字电影机按水平方向每行像素值分为 0.8K、1.3K、2K、4K 四个等级，相当于农村电影机、国内标准机、国际标准机和最高端的规格，对应参数为 768×1024（78.6 万像素）、1280×1024（131 万像素）、2048×1080（221 万像素）、4096×2016 （825 万像素）。只有在宽度超过 20 米的银幕上，才能看出 4K、2K 在效果上的差距。因此，分辨率再提高的意义不大。不过，电视界已经在研发 8K 设备，由日本放送协会等推动，其超高精细影像系统标准在 2012 年 8 月 23 日由国际电信联盟通过。③用途多样化。电影摄影机有特技摄影机、高速摄影机、字幕摄影机、延时摄影机、显微摄影机、水下摄影机和航空摄影机等类型。胶片电影机有提包机（流动机）、固定机、座机等类型，除普通商用型外，还有可停格、重复或变速的实验型。数字电影机有大型、中型、微型（迷你）之分，以满足客户的不同需要。④音效多样化。从单声道发展到多声道，出现了杜比立体声、数字环绕声、沉浸式数字多声道环绕声等技术。除机械技术之外，电影工业还和建筑技术有密切关系，因为电影院就是在它的支持下建成的。在我国现行国民经济分类标准中，建筑业立为 E 门类，电影院建造应当属于其中的第 47 大类"房屋建筑业"。若考虑到建筑材料生产和配套设施建设，那么涉及的工业技术就更复杂了。

从"重工业美学"的角度看，提高技术标准是有助于改进电影质量的。正因为如此，每秒帧数越多，每屏像素越高，影片的质量就越高。尽管如此，这种看法还是显得太"机械"了。李安导演的美国科幻电影《双子杀手》（*Gemini Man*，2019）达到了前所未有的画面质量标准——8K、120 帧，但从最终的票房及评分来看，未收到预期效果。诚如马广洲所言，虽然创作题材曾经是前沿的，但由于创作技法带有实验色彩且与观众的审美错位等原因，该片并没有引发观众的共鸣与好评，票房不甚理想。①

（二）科幻电影的文化技术基础

文化技术是在人类将思维用作工具以创造文明的过程中诞生和发展的。它的最初形态是以符号创造符号，这就是语言的由来。迄今为止，人类已经历了分别以语言、文字、印刷术、电磁波和计算机为代表的五次信息革命，创造了相应的文化技术，如音标字母、表意文字、印刷技术、电子影像、计算机/数字技术等。它们对于维系、延续人类文明发挥了重要作用。美国历史学家麦克高希（W. McGaaghey）的《世界文明史：观察世界的新视角》一书已经对此做了论述。②文化技术本是为创造精神产品

---

① 马广洲：《李安电影〈双子杀手〉观众审美期待失衡研究》，《电影文学》2020 年第 7 期，第 98—101 页。

② 〔美〕威廉·麦克高希：《世界文明史——观察世界的新视角》，董建中、王大庆译，新华出版社 2003 年版。

服务的。随着文化工业的兴起，文化技术和工业技术出现了融合的趋势，电影特技就是例证之一。它本身是文化技术的体现，但经常是作为电影工业的亮点起作用。根据郝冰的概括，电影特技大致包括如下类型：美术类，如景片绘画、玻璃绘画、手工分解画面技术等；模型与布景类，如前景模型、背景模型、可活动模型与布景等；摄影技巧类，如中途停拍技术、倒放技术、逐格拍摄技术、多次曝光合成技巧、镜头透视技术、摄影运动控制技术、背景色差拍摄技术、航拍与水下拍摄技术等；光学合成类，如各种遮片的制作与使用、前景与背景投影技术、照片合成技术等；影像记录与输出技术类，如电影胶片扫描仪与电影影像记录仪等；数字合成类，如背景色差抠像技术与多画面合成技术；三维动画类，如虚拟影像的生成与使用技术、三维扫描仪技术、动作采集仪与智能动画技术等。[1]上述技术中的后三类位于文化技术与信息技术的交集之处（相关软硬件的开发属于信息技术，软硬件的使用属于文化技术）。

电影特效对于创作者来说是各种技术手段异乎寻常的应用，对于欣赏者来说是人工制造出来的假象和幻觉。之所以需要特效，原因在于让演员避险、让观众动容、让影片省钱等。它大致可以按技术手段区分为物理特效和数字特效，按感觉通道区分为视觉特效（视效）和声音特效（音效）。这两种分类法完全可以综合运用。

物理特效可细分为两类：一是视觉特效，包括早期胶片特效（如停机再拍等），以及沿用至今的化妆、搭景、烟火等；二是声音特效，如爆炸声、脚步声、破碎声的模拟等，通常由拟音师、录音师、混音师协作完成。数字特效也可细分为两类：一是视觉特效，利用计算机图形图像技术实现，因此又称 CG（computer graphics）特效；二是声音特效，在配有声卡和声音输入输出设备的计算机的支持下实现。

直到如今，物理特效仍然被称为科幻电影的"硬核"。以《流浪地球》为例，就有专门的 MDI 团队负责此事，将工业设计系统化地接入到影片制作中。作为缩写，MDI 既意味着电影视觉化（魔术般的梦想与想象，magical dreams & imagine），又意味着实体机构（生产设计研究所，Manufacture Design Institute）。这实际上是对物理特效制作很好的诠释。据介绍，该团队为影片制作了数百件近景特殊道具及特殊服装，总共涉及30 个大类，如步枪、治疗针、无人机遥控器，大到火石、火石外壳、地

---

① 郝冰：《奇观影像的百年回顾——电影特技的发展及其对电影本体论的革命》，《当代电影》2004 年第 1 期，第 123—128 页。

下城轨道车、气囊球等，还有太空站的所有软包、座椅、宇航服、休眠舱以及刘培强破解舱门的电磁脉冲（electromagnetic pulse，EMP）装置。[①]不过，数字特效随着以计算机为龙头的信息革命深入发展而日益普及。对于现有国产电影的数字特效实践的评判，主要着眼于数字影像制作技艺、影片中数字影像的运用、观众对数字影像的接受效果。[②]从分类的角度看，上述数字影像的运用、效果属于文化技术，数字影像制作技艺则属于下文所说的信息技术。

（三）科幻电影的信息技术基础

信息技术（information technology，IT）是用于采集、管理、处理信息采用的各种技术的总称，从工业技术与文化技术中分化出来。在我国现行的国民经济分类系统中，与之对应的是名为"信息传输、软件和信息技术服务业"的 I 门类。如果用上述技术促进信息流通，那就成为信息传输服务业；如果致力于开发实现上述目的需要的各种专门工具，那就成为软件服务业。专门为电影的生产、流通、消费服务的软件习称"电影软件"，包括电影制作软件、电影剪辑软件、电影搜索软件、票务管理软件等。其中，电影制作软件是一个成员数量不菲的家族。用于制作特效的有5D Cyborg、Adobe After Effects、Alias/Wavefront、Combustion、Commotion、Digital Fusion/Maya Fusion、Edit/Effect/Paint、Houdini、Illusion、Inferno、NUKE、SoftImage 等。它们的工作原理大同小异，但界面形式和操作方式彼此有别，现在应用较广的是 Houdini、NUKE。[③]还有大量其他软件可被用于电影领域，如视频处理软件、音频处理软件等。它们都属于应用软件，相对于操作系统和网络协议而言。软件总是和硬件配套使用的，在我国现行的国民经济分类系统中，与硬件对应的是 C 门类"制造业"所属的第 39 大类"计算机、通信和其他电子设备制造业"。它们彼此配合，促进了电影工业的信息化。

从工业技术与信息技术相结合的角度来看，电影发展的总趋势可以概括如下：①数字化。1977 年，美国的霍恩巴克（L. Hornback）博士发明了用模拟技术控制微型机械的半导体光开关。1981 年，他改用数字技术

---

① 李杰、李叶：《物理特效：科幻电影的硬核——探访〈流浪地球〉幕后的工业设计小分队》，《设计》2019 年第 6 期，第 32—50 页。

② 卓雅：《技术之殇：对〈九层妖塔〉与〈寻龙诀〉数字特效的比较评判》，《电影新作》2017 年第 1 期，第 92—100 页。

③ 以上有关电影制作软件的信息由厦门大学电影学院佘莹莹副教授提供。

实现上述控制，将相应的芯片命名为"数字微镜元件"（digital micro-mirror device，DMD）。它是用于显示可视数字信息的数字光处理（digital light processing，DLP）技术的基础。这就是使用液晶显示器（而非胶片）产生图像的数字电影机的由来。这种电影机可以从芯片级别实施版权保护，实现胶片电影机较难做到的停格、重复、变速等操作，虽然存在维修麻烦（若 LCD 屏幕出现坏的像素，会影响放映的每部影片的视觉效果）等问题，但还是具有很大优势，包括画面无抖动、放映成本低、发行方式简便、可有效提供增值服务、不易出现胶片电影机那样的断片事故等。以此为基础，形成了新的商业模式，即虚拟拷贝费（virtual print fee，VPF）。①②家庭化。用户可以在家中通过不同设备欣赏数字化电影，如 PC 机、电视机等。厂商为此推出过 VCD、DVD 等不同格式的光盘、光驱和各种接口。不过，自 2009 年以来，新一代微型投影仪逐渐在我国家庭影院领域占了上风。因为它们具备中国移动多媒体广播（China mobile multimedia broadcasting，CMMB）功能，若接机顶盒既可以直接看电视，又可以下载网络最新电影。至于家用级数字摄像机和智能手机的普及，则为 DV、微电影、短视频的创作开辟了广阔天地。③网络化。2015年 7 月，海尔小帅影院团队作为新一代互联网智能科技型的创客公司组建。它推出了多个型号的小帅电影机，其中，海尔小帅 UFO 未来版互联网电影机可支持 H.265、H.264、MPEG、AVI、MP3 多种视频播放格式，能够投映出 300 寸、4K 高清巨幕，可多角度旋转画幅，还搭配了高保真（high-fidelity，HIFI）音质及同时支持蓝牙和近场通信（near field communication，NFC）的音箱，实现了"智能互联+微投硬件+影视内容"的智能一体化应用。

信息技术的突飞猛进大大提高了科幻电影的视听效果。这一点通过《阿凡达》（*Avatar*，2009）等大片的票房纪录显示出来。为了加速电影数字化，中国陆续引入西方的设备。例如，2002 年 6 月，中影集团华龙公司率先引入数字电影机，用于数字节目的后期制作。又如，2012 年 3月，中国电影资料馆率先从索尼公司引进 4K 数字电影摄影机 F65。

上文从机械、特效、软件的角度分析了科幻电影的工业技术基础、文化技术基础和信息技术基础。我国政府自 1950 年起就着手部署电影工业

---

① 第三方为影院提供设备，并提供技术服务。影院向第三方支付少量的租赁费用或技术服务费用，并从片商那里获得影片供应。片商向第三方支付虚拟拷贝费，以保证第三方回收设备投入，同时从影院获得票房收益。详见边静：《数字影院转换的主流商业模式分析——第三方与虚拟拷贝费》，《当代电影》2010 年第 4 期，第 68 页。

的发展，经过数十年的努力，建成了相对完整的电影机械制造工业体系，为国产电影的发展提供了必不可少的物质条件。然而，这期间世界上发生了以计算机为标志的第五次信息革命，电影工业因此从模拟时代进入数字时代，发达国家也因此在电影数字化进程方面与中国拉开了距离。这种差距主要有如下表现：①在数字电影技术标准制订方面，我国的话语权欠缺。②数字电影高端设备的专利多数掌握在发达国家或跨国集团手里。③我国自主研发的电影软件数量很少，质量还达不到国际先进水平。若要建设自主性电影工业体系的话，这就是问题之所在。若要发展高质量科幻电影的话，这也就是技术上"卡脖子"的地方。

三、工业组织与科幻电影的运营定位

所谓"工业组织"是指工业领域人们为实现一定的目标结合而成的共同体，包括以纵向结合为主的"条条"、以横向结合为主的"块块"和纵横结合的"条块"三种模式。在工业组织的视野中，企业既竞争又联合，在不断划定和拓展边界的过程中走向集团化、垄断化与全球化。这些趋势在一定程度上左右了科幻电影的发展。

（一）工业集团化与科幻电影相关动态联盟

工业集团化是现代企业发展的一种趋势，指某企业成为另一个企业的股东、结成资本关系，或相互派遣人员任职。它源于业务发展、市场扩张或行业竞争的需要，或由某个企业分拆，或由若干企业合并，或诉诸复杂的股权运作。将三个及以上独立企业法人联系在一起，就成为由母公司和子公司组成的集团。它的主要优势是：①通过统一研发、统一销售、统一采购、统一结算以共享资源，节省成本和费用；②通过取长补短提高运作和管理效率；③通过协同效应推动创新与发展。当然，大有大的难处，这主要表现在对管理决策层统筹协调能力的要求上。

集团化意味着工业进入社会化大生产的阶段。20世纪上半叶，这种趋势已经在能源、化工、汽车、造船、烟草等领域表现出来。受其发展观念和发展模式的影响，西方传媒领域也陆续出现了若干国际集团。它们或由老牌企业演变而来，如贝塔斯曼（1835年）、迪士尼（1923年）、维亚康姆（1948年），或者是20世纪下半叶新成立的，如美国新闻集团（成立于1979年，2013年分拆为新闻集团和二十一世纪福克斯公司）、时代华纳（1990年成立，现名为华纳媒体）等。20世纪80年代以来，并购成为世界范围内传媒产业规模化最令人瞩目的

趋势。这种现象的成因如下：一是新媒体技术的渗透；二是传媒市场的开放。以美国为例，以互联网为代表的新媒体技术带动了国家信息基础设施的建设，为打造统一平台提供了前所未有的可能性。报刊、广播、电视等媒体都处在数码化的进程之中。在信息化、市场化的大潮面前，出于全球战略考虑，美国联邦通信委员会（Federal Communications Commission，FCC）取消或放宽了限制媒介集中的措施，由此加速了兼并进程，导致全球性超级传媒帝国的出现。美国在线（American Online）和时代华纳（Time-Warner Inc）的合并是最为著名的并购个案。前者是美国最大的计算机网络公司，后者是美国第二大传媒集团，由此形成的美国在线时代华纳（AOL Time Warner）是全球最大的媒体公司。上述并购一度被认为是后电影时代（post-cinema era）到来的标志，但最终成为败笔，这和当时世界范围内网络泡沫的破灭等形势有关。尽管如此，只要不是胃口太大的话，集团化还是有其优势的。因此，进入 21 世纪以来，欧洲仍在经历传媒集团化的过程。[①]

集团化对电影生产有显著影响。好莱坞原有"八大影业公司"的阵容，它们是 1912—1935 年陆续成立的，拍过不少科幻片。环球影片公司于 1962 年被美国音乐公司并购，此后多次易主，终于落入通用电气公司手里。1981 年，联美电影公司并入米高梅电影公司。二十世纪福克斯电影公司于 1984 年被澳大利亚传媒巨头默多克的新闻集团收购，2018 年被迪士尼买下。1989 年，哥伦比亚影业公司被索尼影视娱乐公司收购。1990 年，华纳兄弟娱乐公司被传媒业巨头时代公司并购。时代公司后改名时代华纳，2018 年被美国电话电报公司（American Telephone and Telegraph Co.，AT&T）收购后称华纳传媒。1993 年，派拉蒙影业公司被靠经营连锁影院起家、逐渐发展成为娱乐集团的维亚康姆公司以 100 亿美元的价格收购。2005 年，米高梅电影公司（1924 年）被以索尼为首的米高梅控股公司收购。经过 1962—2005 年这些变动，好莱坞进入了娱乐和传媒集团"一统天下"的时代。根据前董事长兼首席执行官雷石东（S. M. Bedstone）的看法，跨国传媒集团维亚康姆公司的经营理念可以概括为 ABC 三部曲：A 即 acquire（购买），就是购买和开发最好的内容；B 即 brand（品牌），就是对内容进行品牌建设，并在经济可行的前提下将这些内容在尽可能多的平台和市场进行杠杆经营；C 即 copyright（版

---

① 罗静平：《数字环境下欧洲传媒集团化进程》，《中国记者》2009 年第 6 期，第 78—81 页。

权），就是对自己创建品牌的内容进行严格的版权保护。①派拉蒙根据维亚康姆公司的经营理念运作，2005 年合并了梦工厂，解决了公司影片开发疲软的问题。2007 年，它发行了《怪物史莱克 3》（*Shrek the Third*）和《变形金刚》（*Transformers*）等超级卖座片，一举成为当时好莱坞票房收入最高的大公司。与维亚康姆公司相类似，迪士尼公司"不追求主题公园在业界第一，也不追求电视节目在业界是第一，它所追求的是每个商业活动都有迪斯尼品牌，通过品牌把各种商业连接起来。这就是迪斯尼所谓品牌价值链的管理模式"②。可见，打造品牌是传媒产业发展的客观要求。

在我国，党的十五大报告提出了"力争到本世纪末大多数国有大中型骨干企业初步建立现代企业制度"的任务。③北京电影制片厂崔志侠在1998 年发表文章指出，在京的电影企业现有六家，这六家均属国有电影企业。要实行资产优化重组，以资本为纽带进行实质性的改制、改组、改造，使企业之间优势互补、互相融合，建立企业一体化的电影集团，使之成为真正意义上的大企业。母公司——电影企业集团公司的出资者对子公司实行资本管理，政府不能进行行政干预或下达指令性指标。母公司建立董事会、监事会，通过董事会来管理子公司，母公司有重大问题的决策权，有选择和聘请子公司的经营者的权力，有收取利润的权力，负责建立企业集团内、外的财务管理体制，明确子公司经营者的责任，制定对子公司的奖惩办法，审批子公司的预、决算，建立有效的激励机制和监督机制。子公司和母公司在法律上具有同等作用，子公司在董事会的领导下，自主经营、依法纳税、自负盈亏，子公司独立承担法律责任和民事责任。④1999 年，中国电影集团公司成立，它由原中国电影股份有限公司、北京电影制片厂、中国儿童电影制片厂、中国电影合作制片公司、中国电影器材公司、电影卫星频道节目制作中心、北京电影洗印录像技术厂、华韵影视光盘有限责任公司 8 家单位组成，是中国拥有影片进口权的公司，也是中国产量最大的电影公司。成立之后，它的规模不断扩大，实力不断增强，2008 年入选"首届全国文化企业 30 强"。由该公司出品或发行的

① 《雷石东 2004 年 7 月 29 日在"21 世纪传媒业的发展研讨会"上的讲话》，2004 年 7 月 29 日，http://www. culindustries.com/news/displaynews.asp?id=300。

② 唐润华：《解密国际传媒集团》，南方日报出版社 2003 年版，第 258 页。

③ 江泽民：《高举邓小平理论伟大旗帜，把建设有中国特色社会主义事业全面推向二十一世纪——江泽民在中国共产党第十五次全国代表大会上的报告》，1997 年 9 月 12 日，http://www.gov.cn/ test/2008-07/11/content_1042080_3.htm。

④ 崔志侠：《集团化——电影企业的根本出路》，《中国财政》1998 年第 2 期，第 46—47 页。

科幻电影有《不可思异》（2015）、《从天儿降》（2015）、《孤岛终结》（2017）、《上海堡垒》（2019）等。

总体而言，集团化体现出"块块"的特点，产业链则体现出"条条"的特点，动态联盟将二者结合起来，体现出"条块"的特点。谭博根据我国的实际情况指出，长期固定的合作伙伴及流水线式的生产方式仅可以保证影片的产出，但无法保证影片创意价值的实现。动态联盟的组织特征与电影项目对企业合作的要求相契合，联盟合作保证了电影项目在各环节所需的资源及能力，联盟的动态性使电影企业的合作跨越了地理与时间边界，可依据项目特征及产业链不同环节的能力资源变化对合作成员进行灵活调整。[①]他所说的动态联盟是战略联盟合作框架下的新型合作形式，跨越了集群组织的地理边界以及战略联盟的时间边界，具备资源和竞争力的互补、成员地位平等但经常变动等特点。

无论集团化、产业链还是动态联盟，都受到具体社会历史条件的影响。20 世纪 70 年代以来，随着工业社会向后工业社会的演变，信息化的重要性凸显出来。计算机与网络界的大亨成为集团化的领头人，信息收集、传递、加工、储存和销售成为最重要的产业链，相关企业日益频繁地为生产上述信息处理活动所需的各种载体和设备而结成动态联盟。处在这样的历史条件下，"电影"的概念因信息革命的深入而被改写，逐渐趋于视频化，因此和有 IT 背景的集团发生关联。在美国，微软（1975 年）主要从播放器、游戏机、即时通信等角度介入视频领域，苹果公司（1976年成立）提供了可用于制作手机电影的视频软件。亚马逊（1994 年）在 1998 年收购了互联网电影资料库公司（Internet Movie Database，IMDb），2014 年又收购了视频游戏流媒体平台 Twitch。谷歌公司（1998年成立）在 2005 年推出视频检索平台 Google Video，2006 年收购 YouTube 视频网站。美国奈飞（Netflix，又译网飞，1997 年成立）致力于销售 DVD、蓝光光碟和网上电影，2006 年起通过大奖赛进行匿名影片评级。在我国，以 BAT 著称的三大互联网公司都介入了电影或视频业务。

百度（Baidu），2000 年创建于北京，是全球最大的中文搜索引擎，中国最大的以信息和知识为核心的互联网综合服务公司。它主要提供网络信息服务，其中与电影或视频相关的举措不少，如 2004 年收购 Hao123

---

① 谭博：《企业社会网络对中国电影项目创意绩效的影响机制研究——基于动态联盟的合作关系视角》，北京交通大学博士学位论文，2020 年，第 99 页。

以提供网上导航服务，2011 年推出播放器百度影音，2012 年推出云存储工具百度云，2014 年收购生活服务平台糯米网并更名百度糯米后，提供包括电影映期等在内的信息，2020 年推出包含影视内容的好看视频，等等。爱奇艺是百度旗下的一家独立视频网站，2010 年 4 月 22 日正式上线。它推崇品质、青春、时尚的品牌内涵，在国内率先推出高端付费点播（premium video on demand，PVOD）。比照好莱坞 2017 年以来的做法，这种模式打破了传统 90 天发行窗口期。用户通过单片付费就能够以更短的时间窗口期甚至是第一窗口期在流媒体平台获取电影新片。[①]

阿里巴巴（Alibaba）全称为"阿里巴巴集团控股有限公司"，1999 年成立于杭州，主要经营电子商务、网上支付、B2B 网上交易市场及云计算业务。它于 2014 年收购电影及电视节目制作商文化中国传播（现称"阿里巴巴影业集团"，简称"阿里影业"）约 60%的股权。[②]2015 年，阿里影业从母公司阿里巴巴集团收购淘宝电影（由中国淘宝软件有限公司开发的一款生活类手机软件）业务，2016 年完成对合一集团（优酷土豆）的收购，使之成为"阿里巴巴大文娱板块"的一部分。2018 年，阿里巴巴成为万达电影第二大股东。就在这一年，阿里影业集团与美国 STX Entertainment 公司达成合作，将共同开发制作科幻动作片《钢铁战士》，计划 2027 年上映。

腾讯（Tencent）全称为"深圳市腾讯计算机系统有限公司"，成立于 1998 年，是中国最大的互联网综合服务提供商。它于 2011 年推出在线平台腾讯视频，2012 年推出在线平台腾讯动漫，2015 年推出全资子公司腾讯影业，与游戏、动漫、文学、音乐、电竞、体育、资讯等业务共同组成了腾讯"新文创"内容文化生态布局。近年来，腾讯影业参与了美国的《头号玩家》、《大黄蜂》（*Bumblebee*，2018）、《阿丽塔：战斗天使》（*Alita: Battle Angel*，2019）、《黑衣人：全球追缉》（*Men in Black International*，2019），中国的《流浪地球》，美、中合拍片《终结者：黑暗命运》等科幻电影的投资、制作或发行。

（二）工业垄断化与科幻电影相关研究视角

"垄断"意为独占，是古代就有的现象。从汉语词源看，"垄断"原

---

① 宋佳：《PVOD 模式不仅是在尝试一种新的发行模式，也是在解决供需矛盾》，2020 年 12 月 14 日，http://www.iqiyi.com/kszt/1swt7v45qsu.html。

② 中新网：《阿里入股文化中国传播 投资 62.44 亿港元》，2022 年 3 月 13 日，http://www.chinanews.com.cn/cj/2014/03-13/5947313.shtml。

作"龙断"，本指登上独立的高地。孟子说："古之为市也，以其所有，易其所无者，有司者治之耳。有贱丈夫焉，必求龙断而登之，以左右望而罔市利。人皆以为贱，故从而征之。征商自此贱丈夫始矣。"①这个贪心男子之所以站于高处，原来是为了操纵贸易，独占其利。因此，管理市场的人首先从他那里征税。显然，孟子认为"有司者"征此人的税有道理。这可以说是最早的"反垄断"。垄断可能发生在经济、政治或文化领域。盐铁专营是官方为增加财政收入而实行的经济垄断，春秋时期就有了；"上品无寒门，下品无势族"，是魏晋南北朝世族地主操纵政权而实行的政治垄断；"学在官府"，则是西周就有的文化垄断。从今天的角度看，垄断可以分为三大类：①合法性垄断，即政府（或法律）许可的独占其利；②合理性垄断，即政府（或法律）虽未明确许可，但客观上是有根据的，例如，关键技术是特定人物或企业率先开发的，"只此一家，别无分店"；③合谋性垄断，即虽然政府或法律没有许可，但有关各方串通起来，谋求利益最大化。通常所说的"反垄断"，指的是第三种情况。

在多数情况下，"垄断"是就经济意义而言的。工业垄断是经济垄断的特殊类型。在历史上，工场手工业向机器工业的转变始于 18 世纪的英国，然后向其他资本主义国家扩展。大约从 19 世纪后期开始，资本主义逐渐由自由竞争阶段向垄断阶段转变，主要原因是大企业在竞争中胜出，日益将生产资料、劳动力和劳动产品的生产集中在自己手中，与之相关联的是资本集中，即分散的中、小资本合并成少数大资本。20 世纪后，一方面，垄断从重工业部门扩展到轻工业部门，以至扩展到农业和服务业部门。资本主义国家通过法律手段和行政手段打击滥用垄断地位、进行不正当竞争的行为。那些意识到垄断造成的危害的个人与企业也参加了反垄断斗争。另一方面，私人垄断资本主义转变为国家垄断资本主义。后者通过对外扩张发展成为世界体系，自 20 世纪 80 年代以来进入超国家垄断资本主义阶段，表现为大型垄断资本超越国家与地域，在全球范围内攫取经济利益。

垄断与反垄断的斗争同样发生在电影工业领域。20 世纪初，美国发明家爱迪生想通过自己操纵的电影专利权公司（The Motion Picture Patents Company，1908）控制全球电影业，将电影制作、发行、放映等环节都垄断在自己手中，以牟取源源不断的巨额利润。为了摆脱他的控制，一些电影人来到加利福尼亚州的洛杉矶寻找适合发展的地方。这就是好莱坞兴起

---

① ［战国］孟轲：《孟子•公孙丑上》，四部丛刊景宋大字本，第 34 页。

的缘由。好莱坞虽然是反垄断的产物，但在其后的发展中又走向文化垄断，即由少数大制片厂通过协定、同盟、联合、参股等方法操纵与控制电影的生产和流通，以获取高额利润。它们打造了将制作、发行、放映集为完整产业链的商业模式，严重损害了小型影院和独立制片公司的利益。在这样的背景下，美国于 1948 年推行的《派拉蒙法案》（*Paramount Decree*）判定大制片厂垂直垄断为非法，好莱坞各大制片公司被迫将电影发行和电影院放映业务分离出来。此后，独立制片公司得以迅速扩张，演员和导演也纷纷自建制片公司。那些大制片公司则向多元业务的全球化娱乐集团转变，垄断与反垄断的斗争规模更大。好莱坞影片在世界市场上处于强势地位，是美国文化输出的强有力手段。那些感到民族文化受到威胁的国家因此致力于反对文化垄断的斗争。

在国际电影市场，为什么好莱坞能够赢得垄断地位呢？除了影片本身制作精良之外，还有一个重要原因，就是美国建立了庞大的传媒体系，也可以说好莱坞影片因为有国际传媒集团的助力而如虎添翼。因此，工业垄断、文化垄断和媒体垄断是三位一体的。媒体垄断是西方 20 世纪下半叶以来值得重视的趋势。1983 年，美国传媒批判学者巴格蒂肯（B. H. Bagdikian）出版了专著《媒体垄断》（*The Media Monopoly*）。他发现美国包括电视、广播、有线电视、电影、报刊和出版业等在内的全部传媒娱乐业实际上被控制在 50 家大公司手里。①这本书到 2000 年出了第六版。更新后的数据表明，到 1996 年，美国传媒娱乐业垄断加剧，控制权集中到 10 家公司；到 2000 年，美国的传媒娱乐业几乎被美国在线/时代华纳集团等 6 家大型跨国公司（其中有两家是外国公司）垄断。他在《新的媒体垄断》一书指出：媒体公司总是拥有影响政治的权力。这在历史上不是新鲜事。但是，5 家支配性公司（时代华纳、迪士尼、新闻集团、维康亚姆与贝塔斯曼）拥有以往媒体所没有的权力，即由新技术及其政治目标近乎一致产生的权力。②不过，微软、苹果等电脑公司进入媒体领域，亚马逊、谷歌等互联网公司迅速崛起，脸书、推特等社交媒体后来居上，既打破了原有的媒体垄断，又形成了新的垄断，其影响是世界性的。在美国以外的西方资本主义国家中，电影业、媒体业也存在垄断现象。

在我国电影史上，民国时期就有了民营企业或外资企业对特定区域影

---

① Bagdikian B H, *The Media Monopoly*. Boston: Beacon Press, 1983.

② Bagdikian B H, *The New Media Monopoly*. Boston: Beacon Press, 2004, p.11. 与早先出版的《媒体垄断》一书相比，该书未将通用电气公司列入。

片制作与发行的垄断。曾经有一段时间，一度只允许国有企业从事电影制作与发行。新时期以来，上述限制被取消，民营企业成为电影领域的主力军之一。尽管如此，影片进口权仍掌握在国有企业手中，这是出于国家文化安全的考虑。除了制片垄断、发行垄断之外，还存在票房垄断、院线垄断、技术垄断、著作权集体管理垄断等问题。近年来，互联网企业异军突起，同样是既打破了原有垄断，又形成了新的垄断。刘志杰、智慧认为，一些互联网平台企业通过技术滥用、数据壁垒、价格歧视等方式不断攫取垄断利润，产生了不良影响。规模化的用户和数据控制、技术的网络外部性以及用户技术崇拜是造成文化产业技术垄断的主要原因，可以采用标准规制、激励规制、数据规制等手段予以规制。[①]

从历史进程看，工业领域的垄断经历了以轻工业为主、以重工业为主向以信息工业为主的转变。无论在哪个阶段，工业垄断都可能涉及技术垄断、专利保护、贸易壁垒等问题。无论在哪个领域，垄断都是由于自由竞争过程中面临利益冲突而产生的现象，反垄断则是对利益关系的重新调整。垄断与反垄断的斗争应当服从于超越利益分歧的更大共同体的需要。譬如，与疫苗工业相关的垄断和反垄断的斗争应当服从人类命运共同体的需要。上述观点对于学术研究同样是适用的。垄断与反垄断已经成为研究科幻电影的重要视角。例如，吴福仲等提出，当前的科幻文化生产被西方世界垄断，创造力、传播力与影响力的失衡直接引致西方世界的"幻想垄断"。中国参与全球科幻文化生产将推动科技创新、重塑核心价值，并为人类共同面对的未来议题提供中国方案。因此，中国进一步激活科幻文化生产具有充分的重要性、紧迫性与必要性。[②]在科幻领域，围绕"未来定义权"的垄断与反垄断既体现了中西方的矛盾和冲突，也蕴含了通过对话和调适达成共识的必要性和可能性。毕竟，人类已经面临诸多全球性问题，离开协商和合作难以应对。

（三）工业全球化与科幻电影相关发展战略

全球化是指人类克服地理障碍形成整体的过程，始于 15 世纪欧洲为发展新生资本主义而寻找新的贸易路线和贸易伙伴的努力。经济全球化是指世界经济活动超越国界形成整体的过程，其途径有对外贸易、资本流

---

① 刘志杰、智慧：《技术赋能 or 技术附庸：智媒时代文化产业的技术垄断与规制》，《出版广角》2020 年第 6 期，第 34—37 页。

② 吴福仲、张铮、林天强：《谁在定义未来——被垄断的科幻文化与"未来定义权"的提出》，《南京社会科学》2020 年第 2 期，第 142—149 页。

动、技术转移、提供服务等。工业全球化特指在上述背景下出现的工业生产国际化，表现为跨国公司崛起、为国外市场生产、合作建设大型工程、形成劳动力国际市场、重视国际技术交流、建立区域一体化的经济联合体等。

电影工业全球化始于 20 世纪 90 年代好莱坞向加拿大、澳大利亚、日本等国进行产业转移。这些国家在经济制度和意识形态上和美国基本一致，因此对好莱坞基本不设防，将承接其产业转移当成将自己发展成为世界电影生产的专业中心的机遇。不过，由于电影本身是文化产品，上述产业转移是和世界上很多民族国家的文化保护政策相冲突的。以此为背景，防御或抗衡好莱坞文化入侵的问题变得更为尖锐。但是，也有学者认为，目前没有任何实证证据表明这种国家管制能真正产生"阈值效应"（threshold effect）。邱章红认为，"90 年代以来，世界电影工业进入以好莱坞为主导的全球化时代，中国电影工业要想融入这个圈子，就必须具备全球化思维，从市场和资源配置一体化的高度思量它的机会和选择，力求在世界电影工业的市场一体化与区域专业化过程中迎接好莱坞的电影产业转移，把握好莱坞创意动力机制全球布局的机会，为中国电影工业提供源源不断的创新和开发能力的体系"①。

从战略上看，好莱坞的全球化布局可以给我们以启示。过去，我们经常说"越是民族的就越是世界的"，这样的观念在面向国内电影市场时应当比较容易被接受，在面向国际电影市场时就并非如此。如果片面强调电影的民族特色，那么很难为不同民族理解，在跨文化传播中经常会碰到"文化折扣"问题。如果忽略电影的民族特色，又可能和国内观众的心理诉求脱节。就此而言，科幻电影作为电影类型是比较特殊的。原因很简单，它在西方本来就不乏表现超越国别的人类普遍危机的内容，像那些描写智猿崛起、机器人造反、外星人入侵之类冲突的作品就是如此。西方力求以这类影片传达所谓的"普世价值观"不假，但它们率先提出的这些议题客观上激发了其他国家电影人的想象。我们完全可以针对这些议题表达自己的意见，传达我国主流意识形态倡导、正在世界上产生越来越大影响的价值观念，如"人类共同价值观""人类命运共同体"等。倘若能够将上述价值观念和科幻意义上的新议题结合起来，那就更完美了。至于在人类命运共同体意义上有价值的科幻新议题究竟是什么，这有待我国电影人去探索。

---

① 邱章红：《也谈中国电影工业全球化》，《北京行政学院学报》2007 年第 1 期，第 110—112 页。

　　好莱坞之所以能够在世界电影工业领域起主导作用，前提是它已经率先进行集团化、国际化，具备了强大的实力。除它以外，印度宝莱坞（Bollywood）、尼日利亚瑙莱坞（Nollywood，又译"尼莱坞""奈莱坞"）、东方好莱坞（中国香港）也是世界范围内很有影响力的电影基地。虽然总体上而言我国的电影工业起步较晚、实力较弱，不过上述情况正在迅速改变，横店影视城已经成为世界知名的电影基地。不仅如此，中国企业的海外并购活动正在全球化的背景下改变世界电影业的格局。例如，万达集团 2012 年并购世界排名第二的院线集团美国 AMC 娱乐控股公司（AMC Entertainment Holdings，Inc），一举成为全球电影院线的老大，2016 年又并购美国传奇影业（Legendary Pictures）公司。后者陆续发行了《环太平洋 2：雷霆再起》（*Pacific Rim: Uprising*，2018）等科幻电影。2018 年，腾讯对为《谍影重重》（*The Bourne Identity*，2002）和《星际迷航》（*Star Trek*，2009，重启系列）等多部电影制作了续集的电影制片公司 Skydance 进行战略投资，购买了它近 10%的股份，从而能够参与 Skydance 电影的制作。[①]腾讯影业等公司也曾希望通过收购好莱坞公司以加快实现自制大片的计划。当然，这类做法风险颇大，近年来已经降温。古训说的"欲速而不达"，还是很有道理的。此外，国家主管部门已经对影视出口予以部署。例如，2012 年，国家新闻出版广电总局批准成立中国（浙江）影视产业国际合作实验区。它是国内唯一以影视出口服务为导向的国家级影视产业园区，2018 年被中宣部、文化和旅游部、商务部、国家广播电视总局四部委命名为首批"国家文化出口基地"。条件成熟的时候，我国也可以建设与影视相关的海外产业园区。

　　上文着眼于工业集团化、垄断化、全球化，探讨了与科幻电影相关的动态联盟、研究视角和发展战略等问题，着眼点是工业对科幻电影的影响。科幻电影对工业的影响也已经受到一定程度的关注。例如，苗永红认为，企业能够延续发展，基于所倡导和传递的价值观。"如果将《流浪地球》中的价值观全部体现在企业文化中，那么这个企业可以说无往而不胜。"其从这部科幻电影归纳出如下要旨：不离不弃的忠诚和担当，永不言败的信念和创新，与国家民族休戚与共的壮怀和集体奋斗。[②]科幻作家陈楸帆认为，科幻可以帮助企业解决问题，并总结出了 SECT 认知冲击模

---

① 搜狐网新闻：《腾讯入股好莱坞制作公司 Skydance Media，将在电影、VR 多方面展开合作！》，2018 年 1 月 27 日，http://www.sohu.com/a/219266145_99963243。
② 苗永红：《〈流浪地球〉中的企业文化内核》，《当代电力文化》2019 年第 4 期，第 10—11 页。

型："原有的认知边界受到科幻性的认知冲击（Shock），边界得到不断扩张（Expand），在扩张过程中，许多原本处于盲区的信息点进入认知领域，并形成有意义的连接（Connect），从连接中我们抽象出某种可以移植（Transfer）的模式，并可以应用到许多不同的领域。"这便是他所认为的创造力或者想象力的来源，而其中每一个环节都是可以通过有意识的训练或者实践得以复制加强的。[1]陈楸帆的上述观点主要着眼于科幻文学，但其原理对科幻电影也是适用的。

本节依次分析了工业部门、工业技术、工业组织与科幻电影的社会定位、产品定位和运营定位之间的关系。工业部门、工业技术、工业组织的总和构成了工业社会的基础，它们都是过程集合体。工业社会由手工业社会发展而来，经历了以轻工业为主的前期、以重工业为主的后期的演变，从 20 世纪 70 年代起演变为以信息工业为主的后工业社会。科幻电影是在工业社会前期诞生的，其定位同样经历了以轻工业、重工业和信息工业为主的变化。处在今天的社会历史条件下，科幻电影的工业研究应当更多地体现信息工业的特点。具体地说，就是在社会定位上关注与信息工业相关的产业转移、产业集群、产业融合的影响，在产品定位上关注与信息技术相关的智能机械、智能软件和智能特效的开发与应用，在运营定位上关注与信息联盟相关的集团化、垄断化和全球化。

第二节　科幻电影视野下的工业

如果将"科幻电影的工业研究"理解为一种学术互动的话，那么它不仅包括从工业视野研究科幻电影，而且包括从科幻电影视野研究工业。工业是社会分工的产物。人类社会有三大支柱，即物种生产、物质生产与精神生产。工业在狭义上隶属于物质生产部门，在广义上还包括介于物质生产与物种生产之间的生物工业、介于物质生产和精神生产之间的文化工业（如电影工业等）。在现实生活中，工业为满足人类需要做出了巨大贡献，同时也存在污染环境等副作用。科幻电影虽然离不开工业的支持，却将工业置于现象域，以艺术手法展示相关探索与反思。将工业置于科幻电影视野下加以研究，这种方法有什么特点呢？科幻电影视野与其说是平面镜，还不如说是曲面镜或哈哈镜，它映射的工业并非其全貌，甚至也不是其原貌，有关情节具备危机叙事的特点。对此，我们可以分别从着眼于人

---

[1] 陈楸帆：《科幻如何帮助企业解决问题》，《华东科技》2014 年第 10 期，第 37 页。

的社会层面、着眼于物的产品层面、着眼于事的运营层面加以考察。下文所举的例子主要出自我国科幻电影。

一、社会层面的工业危机

在现实语境中，就社会层面而言，工业是由动能、生产、服务等环节构成的过程集合体。工业动能由人类需要转化而来，工业生产以满足上述需要为目标，工业服务则是满足原有需要、形成新的需要的中间环节。它们之间的正常衔接是工业实现其价值的保障。在科幻语境中，工业动能的非人化、工业生产的祸人化、工业服务的矫情化是工业危机的重要表现。

（一）工业动能的非人化

所谓"动能"，在自然的意义上是指物体由于运动而具有的能量，在社会的意义上是指人类共同体运动变化的内驱力，在心理的意义上是指人的动机和能力，它们是彼此相关的。一方面，自然动能由于生命的起源转化为种群动能，由于生命的进化演变为心理动能。另一方面，心理动能由人的需要转化而来，因为人的交往汇集成社会动能，因为人改造世界的实践又转化为自然动能。工业动能是社会动能的特殊形态，它既是指驱动工业部门运作与发展的动力，又是指工业部门通过上述运作与发展创造的生产力，以及上述生产力引导整个社会发展的功能。我们将它们分别称为工业驱动力、工业生产力、工业引导力。在现实语境中，无论在哪种意义上，工业动能都离不开人的需要。人类通过运用工具以制造工具将自己和其他动物区别开来，通过运用机器以制造机器实现自身的现代化，在上述过程中产生了对于工业的需要，这就是工业驱动力的由来。工业部门一旦诞生，就为保障自我更新而行动起来，致力于提供生产资料的分支发展为重工业，致力于提供消费资料的分支发展为轻工业，这就是工业生产力的由来。工业部门不仅能够满足自身的需要，而且能够满足社会对于工业的需要。它为其他部门生产各种机器设备，通过技术的升级换代促进其他部门以至于整个社会的变革，这就是工业引导力的由来。

在现实语境中，工业动能是由人的需要予以定位的。在科幻语境中，另类智能体（如外星人、平行宇宙来客等）的需要成为工业动能定位新的参照系。例如，《天狼星的来客》描写的是天狼星特工798入侵并控制中国互联网企业企鹅公司天才程序员林一（01的谐音）的意识，以获得通关代码。又如，《拯救阿塔里亚外星球》（2018）描写了某统治者候选人为拯救生态危机来到地球，化名张英牧寻找可以对付其母星病毒的人类基因血。为掩护自己的身份，他开办了蓝火洗车行，并雇佣地球人于少白当洗车工。《小强大战外星人》（2019）描写的是外星智慧生命托体于食品公司无良老板作祟。再如，《平行宇宙之恋》描写的是平行宇宙来的机器人在地球上创办企业，实施"女娲计划"。表面上看来，这个计划是将人类意识转换为计算机程序，实现以机器替代人体，免去人类生老病死的伟大壮举。实际上，它包藏祸心，准备将地球人转变成为机器人，然后注入病毒加以控制，再将这些受控地球人送回平行宇宙当炮灰，改变那里的力量。显然，上述计划对地球人构成了严重的威胁。工业动能的非人化是人类想象出来的一股汹涌的暗流，破坏性不可谓不大。

（二）工业生产的祸人化

工业既作为主体创造出生产力，又作为对象受制于生产关系；既作为经济基础为上层建筑提供物质保障，又受到来自上层建筑的调控。如果说工业动能是工业具备的能动性的表现的话，那么工业规制就是工业具备的受动性的表现，体现了生产力和生产关系、上层建筑与经济基础相统一的要求。尽管如此，现实生活仍存在非法经营、经济犯罪等与工业规制相冲突的现象，这为科幻电影中的相关描写提供了构思的契机。

所谓"祸人化"，是指工业生产对人类的生存与发展构成危害。我国科幻电影有不少相关描写，例如，根据我国的《坏小子特攻》的构思，日本野心家在中国香港开办基因工厂，秘密生产克隆人。在《超能机器女友》（2015）中，未来世界的 MG 公司生产为男性服务的"恋人"机器人，数量达到 1.4 亿台，它们都归该公司调度。如果公司下达攻击命令，它们顷刻间就会变成杀人机器。在《二重身之双重恋人》（2016）中，平行世界未来城的科学家 Lion 经营了一家高精尖医药企业，制造出可以随意控制他人的行动和思想的新型成瘾性药物，因此被当地警察追捕。《交换记忆》（2018）中的科学家兼企业家白堂武拥有完整的实验室，成功掌握了克隆人技术。他的目标是实现克隆人量产，给他们植入定制的记忆，以此控制世界。

上述行为的共同特点是违反人道、危害人类，对人性尊严构成了极其严重的侵犯。表面上看来，这是工业生产的祸人化，实际上是作为生产力的科技的消极面的体现。科技无疑大大增强了人类的能动性，给人类带来福祉，但也存在失控、失范的风险。英国历史学家汤因比（A. J. Toynbee）等指出："我们通常称之为文明的'进步'始终不过是技术和科学的提高，还有使用非人格的力量的提高。这跟道德上（即伦理上）的提高，不能相提并论。技术每提高一步，力量就增大一分。这种力量可以用于善恶两个方面。技术产生这种力量，以空前之势，增大到空前阶段。这已成为现代社会的特征，是最值得警惕的。在这种情况下，人们使用这种飞速增大起来的力量，他们的道德行为——实际上是非道德行为——的水平，不仅依然如故，实际上或许还在降低。"[①]汤因比担心的这种倾向，在科幻电影中就以工业生产的祸人化表现出来。

（三）工业服务的矫情化

工业服务又称"生产性服务业"，分为内部服务与外部服务。前者满足工业部门或企业自身的需要，包括员工培训、设备维修、废物处理等；后者面向其他部门或具体客户的需要，是为销售工业产品而提供的服务。以上是作为主体的工业提供的服务。在广义上，工业服务还包括社会其他部门或相关人员为工业提供的服务，即面向作为对象的工业的服务。所谓"矫情化"，是指工业服务违反常情或别有用心，这是工业危机的表现之一。

科幻电影有不少关于工业服务的描写。以我国香港地区出品的影片为例，《特异功能猩球人》片末出现了电业工人到主角 Yoki 家修电路的镜头。Yoki 发现此人的相貌和神态与自己正思念的芝达（由猩猩突变形成的类智人）无二，大喜，说自己有今晚两张票，请他去看电影，他答应了。《幻影特攻》（1998）描写的是美国中央情报局 VR 项目组致力于培养超级战士，国际恐怖组织想通过绑架项目组成员获得其机密。该组的三位科学家童年时本是好友。听说司徒慧南被绑架，温得高、松鼠将卫星照片和实际地形相对照，确定司徒慧南被关在异形组织的会议室。他们伪装成前来修理电路的工人前往营救。这两部影片的描写表明：上门提供售后服务的人员有条件深入客户的内部空间，如果这种便利被另有所图的人利用，就构成了矫情化。例如，在《黑客风云》中，灰帽黑客四人组在季云的带领下侵入某公司。其中的张薇装作是总裁的新秘书，一边找他签字，另一边又和公司员工套近乎。季云和高远装作是修理顶层电路的工人，进入办公室。林话在外面的车上遥控蜥蜴机器人。他们正根据神秘人物的要求进行秘密调查，不料真正的两名修理工出现，黑客们被吓了一跳，好不容易才通过制造假火警的方法脱身。美、中合拍片《终结者：黑暗命运》

① 〔英〕汤因比、〔日〕池田大作：《展望二十一世纪——汤因比与池田大作对话录》，荀春生、朱继征、陈国梁译，国际文化出版公司 1985 年版，第 388 页。

有这样的描写：未来人工智能叛变，派遣液态机器人 Rev-9 回杀人类反抗军领袖丹妮的当下之身，到她家找不到她，便通过接触变形杀了其父亲，变形为他，借口送午饭进入丹妮所在的工厂。以上两部影片的描写表明：矫情化可以被用以掩饰当事人的真实意图。这类现象相对于正常的工业服务来说是异常或反常，在科幻电影中往往被用于增强情节的曲折性。

在现代社会，存在相互区分的三大产业，即农业（广义）、工业和服务业。工业既为农业提供技术改造方面的支持，又为服务业提供大量消费品。所谓"服务机器人"，就是在工业与服务业相互渗透的过程中产生的，目前正步入千家万户。科幻电影对它们进行了更为超前的描写，将无情、无义、无我的机器人描写成有情、有义、有我。与此同时，科幻电影也揭示了未来机器人矫情化的可能性。例如，《复制情人之意识转移》（2018）描写明眸公司利用其开发的意识转移技术指使机器人潜入对手家中，想谋财害命。为此，这家公司先让技术员彭贞贞远距离摧毁华城公司总裁李响家中原有的服务机器人，再派受自己支配的伴侣机器人以家政服务名义进入其家中，准备下杀手。科幻电影也揭示了矫情机器人反客为主的可能性。例如，在《黄金十二宫》（2016）中，科学家周亚雄因思念妻子造出与其相似的智能机器人艾娃，后者成为其情人，机器人此后迅速增值，并吸引人类中唯利是图的 K 组织为之服务。

现实语境中的工业过程与科幻语境中的工业异化通而不同。从社会层面看，工业在现实生活中是国民经济举足轻重的部门，在科幻语境中则是智慧生命各有所图的集群，这是它们相异的表现。前者遇到的企业易主、非法生产、服务失范等现象可能会成为后者构思的契机，这是它们相通的表现。科幻电影有意与现实拉开距离，目的一方面是借此赢得发挥想象的自由，另一方面是希望在未来视野中考察工业发展的趋势。它们描绘的工业动能的非人化、工业生产的祸人化、工业服务的矫情化主要是虚构的，但不乏警世的意味。

二、产品层面的工业危机

在产品层面，工业系统是由工业设施、工业理念与工业制品构成的。工业设施是工业生产需要的硬件，工业理念是工业生产需要的软件，工业制品是工业生产需要的成果。就现实语境而言，工业生产是依托工业设施、贯彻工业理念、打造工业制品的过程，是现代社会不可或缺的。与此相映成趣的是，在科幻语境中，工业设施的废弃化、工业理念的冲突化、工业制品的灾星化成为工业危机的重要表现。在这方面，我国有不少影片可以为例。

（一）工业设施的废弃化

所谓"工业设施"，是工业园区、工业建筑、工业装备等的统称。工业设施的有效利用是工业生产正常进行的标志，工业设施的大量遗弃则是工业危机难以摆脱的表现。美、英、中合拍片《超验骇客》（2014）以生动的想象展示了工业设施由兴而衰的过程。该片中的布莱特伍德厂区是由人工智能科学家威尔转化为虚拟人之后在其亲友帮助下创办的，曾经繁荣一时。威尔以该厂区为依托扩张其势力，为美国联邦调查局所不容。在他被从赛伯空间消灭之后，布莱特伍德园区失去领导人而无法经营下去，成为工业废墟。

为了表现工业废墟造成危害的可能性，某些科幻影片设计了相关的情节。例如，《生化英雄之夺魂》中的疯狂科学家陆冰将非法基因实验室设于废弃厂房。《变种人星球战役》（2017）中的外星人在地球上将废弃工厂改造成秘密基地。《疯狂外星人》（2017）中的外星人在地球废弃工厂从事生化实验，将地球人绑架到那里当"小白鼠"。《致命拯救》描写的是生命终结交易平台运营商星火集团为获得可以加速人的衰老的 HC-01 药物的相关数据，将人质绑架到废弃厂房。《第六超能力》（2018）描写的是非法组织利用核电站旁边的废弃房屋实施绑架。中、美合拍的影片《决战异世界》中的外星人与所胁迫或收买的地球人内应在工厂废墟接头。

从电影拍摄的角度看，废弃厂房不仅适宜表现地下交易、秘密接头等场景，而且在进行打斗、枪战或制造大规模爆炸镜头时成本较低，这算是"变废为宝"吧。在不少电影中有相关的镜头，如《劫杀雅典娜》（1992）描写了香港黑社会头子王强生与受害者之子袁龙在一个废弃厂房中激战。《铠甲勇士之帝皇侠》（2010）描写了青年勇士黎子阳在废弃厂房大战甲虫怪兽。《变脸英雄》（2017）描写了主角及其朋友冒险深入到郊外的一处废弃厂房，拯救被人贩子绑架的外星人朋友目目。《佣兵特战队》（2018）描写了梦公司派遣的小分队及其后援进入游戏中的废弃厂房，大战因电脑数据人格化而形成的人工智能。

（二）工业理念的冲突化

在现实生活中，"工业理念"指的是在高度市场化、经济全球化条件下，发达工业化国家在发展商品生产、市场营销、经营组织方面的一些成功做法和经验。①其内容包括标准化、产业化、工厂化、机械化、市场化、加工精深化、管理现代化、服务社会化等，涉及经营思想、管理方法、产品质量、生产安全、资本运营、成本核算、效益分析等方方面面。在科幻语境中，"工业理念"是指工业题材的影片用以构设与科技相关的幻想性矛盾冲突的理念。它通过叙事化转变成为具体的情节，预期效果不是帮助观众解决实际问题，而是引导观众进行想象推理。

在构思有关工业理念的情节时，科幻电影经常通过对比显示冲突的成因。例如，我国影片《想飞》（2002）中的游戏公司存在观念不同的两派人：一派主张开发完美的虚拟偶像 Jumi；另一派主张以真人为原型，不求完美，但求养成。卓克是后一派的代表。老板持折中态度，说要将卓克的理念和 Jumi 结合起来。卓克不快，就自立门户，在家里的小房间开了工作坊。《赤火追缉：iBot》（2018）中的机器人生产公司因为经营方针发生纷争，主张转产高利润军用机器人的投资者杀害创办人、科学家李博士，并将责任推给他开发的智能机器人维姬，说是一起机械事故。在李博士之子李凌的追查之下，真相大白。再如，《天才J之谜题里的倒计时》（2018）描写的是天才少年阿 J 和"撒旦"顾先生之间的对抗。顾先生发明了"偶然公式"，可以据此将有目的的行为（包括杀人）伪装成是偶然原因在起作用。阿 J 则针锋相对地提出"天眼系统"的理念，并通过家族企业蚂蚁金服公司将它工业化，利用无所不在的监控寻找可以作为破案依据的蛛丝马迹。《未来机器城》中的战王机器人是由企业家庞贾廷开发出来的，反过来杀死其创造者，将庞贾廷的身体当成自己在人类社会中活动的人肉皮囊。当年，庞贾廷与科学家米大力联手创业，开办机器人公司，庞贾廷追求机器人的完美，米大力追求机器人的正义。取代了庞贾廷的战王机器人自认完美，宣称"我的世界容不下不完美的东西"，人类因为不完美而成为它清除的对象。为了打败战王机器人，米大力在地下实验室开发出并不完美（甚至只是残次品）的 7723，在它身上寄以拯救人类的希望。在决斗中，7723 和战王机器人打了平手，双双坠落。此时，7723 的伙伴苏小麦给了战王机器人关键一击，使之无法东山再起。

从以上四部影片的内容来看，工业理念的分歧表现在开发取向、经营方针、社会责任、产品理想等方面。在正常情况下，这类分歧可以通过友好协商来解决，实在无法弥合，还可以诉诸投票表决等路径。不过，在利益无法协调、目标彼此对立的情况下，工业理念的分歧可能会导致当事人

---

① 古继轩：《用工业理念发展农业》，《安徽农业》2003 年第 8 期，第 6 页。

之间的剧烈冲突，酿成相关企业的重大危机，甚至破坏社会秩序、影响人类命运。科幻电影内容以危机叙事为特色。从叙事角度看，工业理念的冲突为情节增添了戏剧性，也使人物性格的差异表现得更鲜明。

（三）工业制品的灾星化

无论作为生产资料还是消费资料，工业制品本来都是用于满足人类需要的。只有那些具备较高科技含量、较高性价比、较成功地满足人类需要的工业制品才称得上"工业成果"。但问题在于，人类的需要是多方面的，工业制品的价值也是多方面的，由此形成的好恶相克的现象并不鲜见。例如，人们一度将六六六视为相当有效的广谱杀虫剂，后来才发现它同时也是致癌物。

所谓"灾星"，本是古人以天象附会人事的说法，指引发人类社会灾变的星体，在引申的意义上指造成巨大灾难的人或事物。在科幻语境中，它褪去了迷信的色彩，但仍保留了引发灾变的含义。相关概念运用主要有如下取向：①指给人类带来灾难的天体。例如，动画片《拂晓传奇》（2018）描写的是新元 2702 年，灾星突入日地轨道，人类大难临头。②指给人类带来不幸的工业制品。例如，在微电影《侵入脑神经》中，NHC公司发明可通过眼部注射实现神经系统电子化药物的 DB。它的使用有风险，公司总裁尹智的女儿就因注射 DB 而导致脑死亡。又如，根据《美少女危机》（2017）的构思，科学家研制出了能让女性变美的特效药。它可通过重组大脑神经从基因上改变颜值，副作用是美少女病毒流行，性别关系紊乱，人类因此濒临灭亡。③指异化为智慧生命、成为人类对头的工业制品。例如，《机械娇娃》描写的是手办人在未来作为弃妇造反。"手办"是"首办"同音衍生出来的译名。早先玩具厂生产玩具要先让师傅用手工造出初型，觉得合适之后再开模，这就是"首办"的由来。现在人们以"手办人"泛指收藏性人物模型，包括除了原型以外的各种翻制品。该片设想手办人之所以被开发出来，是由于青年科学家阿坤想通过她来摆脱自己作为单身狗的境地。手办人被大量生产之后，阿坤成为"改变历史的伟大发明家"。但人类男性改不了喜新厌旧的毛病，导致手办人在 2057 年起来反抗。

在科幻语境中，还存在"去灾星化"的可能性。例如，《外星人》（2017）描写的是克拉星球人生产出弱智炸弹，想要对地球人进行精神奴役，结果是反噬其身，主持其事的野心家自己被炸成了弱智。又如，动画片《丑小鸭历险记》（2016）的主角机器鸭因为本质上是智能炸弹而被地球上的乌鸦长老预言为灾星。但是，它在形成意识之后，虽然不得不服从设计者从月球发来的指令，但将自己引导到地球大气层之外爆炸，其智能控制部分作为小飞鸭重返地面，加入南飞鸭群。早在手工业时代，人们就有"铸剑为犁"的愿望，该片将这类愿望科幻化了。

上述分析表明，在产品层面，科幻电影从工业设施的废弃化、工业理念的冲突化、工业制品的灾星化的角度展开危机叙事。就矛盾冲突而言，产品层面和社会层面是彼此相关的，其纽带之一是知识产权。与之相关的角逐可以成为危机叙事的题材。例如，《觉醒：仿生浩劫》描写的正是老东家和前员工之间围绕量子芯片知识产权展开的火拼。

三、运营层面的工业危机

在运营层面，工业既通过有效管理建成自组织系统，又通过发挥功能而实现自身的价值，并通过竞争激发开拓进取的积极性。尽管如此，工业管理的失范化、工业功能的负面化、工业竞争的严酷化这类危机仍然存在于现实语境之中。科幻电影进而发挥想象，编织出生动的故事。

（一）工业管理的失范化

所谓"工业管理"，是指对工业系统进行调控，使之能够正常运作。管理的范围从具体企业到特定行业以至于整个工业部门，其方式包括决策、计划、组织、指挥、调节、监督等。作为经济实体，工业系统有逐利的内在冲动；作为社会部门，工业系统又必须遵循基本的社会规范。所谓"失范化"，经常表现为特定企业见利忘义，为使其利益最大化而背仁弃义。例如，在香港的影片《最后一战》（1987）中，第四宇宙发展矿场是一个规模为 2640 人的企业，因虐待工人而引发国际劳工组织的关注。特派员沈英武奉命潜入调查，尽管查明了真相，他却无法安全脱身。"失范化"也可能是由于外部攻击所致。在香港短片《小说家族之李大婶的袋表》（1987）中，虫类潜入袋表，控制了公司高管李大婶的时间观念。整个企业员工因此每天推迟作息时间 5 分钟，累积之后，和社会上的标准时间产生了巨大误差。在《战斗天使》中，热巴工厂的负责人热巴丽姬追求斋藤集团的老板石杰伦而不得，怪罪其女儿石安娜，为此在石安娜接掌父亲的企业之后寻仇报复，利用黑客攻击这个世界最大的 VR 企业，致使其 27 亿用户的灵明被斋藤系统锁定无法退出，有脑瘫之虞。

工业管理失范化经常以发生事故的方式表现出来。例如，我国香港影片《两傻大闹太空》（1959）描写的是某爆竹厂因为工人私制雷神火箭而发生爆炸。《孤岛终结》描写的是人工智能程序 TESS 初试时出了重大事故，导致钻井平台和油轮上 500 人死亡，因此被停用彻查。它的问题可能不是算法和理论架构，而是深度学习使用的数据。《大狂蜂：起源》（2020）描写的是 IF 公司位于矿区的研发基地进行的生物实验失控，造成多只巨型改造蜂逃逸并袭击人类。以上事故是管理者工作不到位所致。《伊阿索密码》描写的是拉法尔药业制造假事故以掩盖将一批技术人员送往北极从事秘密研发的真相。这类"事故"则是管理者蓄意为之。

科幻电影也针对工业管理失范化设想了解决方案。例如，在《丛林少女之重启》中，顾晓琴总经理为逐利赶货，持侥幸心理，以为消防隐患整改迟一天没事，不料当日爆炸，车间死 99 人。她到丛林中找疯狂科学家要时间重启器，被杀 99 次，实际上是经历 99 次救赎。最后，她回到 2047 年 8 月 5 日，提前让员工带薪休假，避免了爆炸。

（二）工业功能的负面化

作为物质生产部门，工业的主要功能是对自然资源进行开采，对各种原材料进行加工，从而为社会提供燃料、设备等必需品。所谓"负面化"，是指工业生产迫使劳动者接触不利于健康的环境，工业运营生成的废气、废水、废品、废渣、废墟、噪声等破坏生态，工业事故造成有毒物质泄漏，等等。它在现实生活中已经成为必须正视的严重问题，即工业污染。

某些科幻电影正面描绘了工业污染的危害。例如，《毒吻》揭示了化工污染造成了三重意义上的悲剧：一是护士林囡一家不仅收养了毒婴三三，而且对其倍加关爱，但这种努力无法阻止他因为身体具有毒性而危及公共安全；二是三三本人虽然追求亲情与爱情，但这种追求无法避免他给所爱的人带来痛苦与灾难；三是政府和企业虽然努力发展生产、为人民群众创造幸福生活，但这种努力是以牺牲生态环境为代价的，难以为继。又如，《铠甲勇士之帝皇侠》写了古老的暗影五行护法利用现代工业污染造成的恶虫进攻人类。

另一些科幻电影揭示了黑恶势力与工业污染的关系。例如，《大气层消失》描写的是列车遭歹徒劫持，造成三节黄色罐车的剧毒品泄漏。《现代豪侠传》描写了核爆之后环境被污染，黑武士因拥有净化水源系统而控制城市的经济命脉，甚至谋求颠覆政权。《动物出击》描写了 20 万吨货轮特洛伊号载有大量剧毒物质，遭到海盗的袭击后毒气弥漫。它以自动驾驶状态前往预定海港，对附近民众的安全构成了严重威胁。

还有些科幻电影着重在化"危"为"机"上做文章。例如，我国动画片《超蛙战士之初露锋芒》描写了地球人为适应工业革命造成的环境恶化而对自身进行基因改造，并通过宇航找到新的宜居星球。《美少女危机》描写了后末日时代人类幸存者在工业废墟建立隔离区，以寻找对付传染性极强的病毒的方法。《黑洞来的那一夜》描写的是主角松松凭借自己画出的黑洞，给废弃工厂的大水罐放水，救出其女友的父亲、失足落于罐中的杨博士。

由于可持续发展等观念已经深入人心，科幻电影有关污染和反污染的描写比较容易收到善恶立判的效果，这是契合类型片要求的。例如，我国动画电影《长江7号爱地球》描写了狄爸在垃圾箱里捡到外星生物7仔，它不但可以帮小狄解决生活中遇到的各种麻烦和问题，还是能源。它为了挽救大自然，吸收了化学污染物的毒气，耗尽能量，小狄利用紫外线为其排毒。通过上述描写，该片成功塑造了7仔作为对地球人友好、品格高尚的外星生物的形象。

（三）工业竞争的严酷化

竞争是生物进化的机制。对人类而言，它指的是个人或群体力图胜过或压倒对方的倾向，见于社会生活的各个领域。狭义的"工业竞争"通常是指同一个国家不同工业部门之间的竞争，以及不同国家的同一工业部门之间的竞争。广义的"工业竞争"还包括工业组织之间、从业者之间的竞争，工业部门和国民经济其他部门之间的竞争，不同国家或国家共同体以工业实力为依托的竞争，等等。

在以工业竞争为题材的科幻片中，有关游戏公司的描写占有相当重要的地位。《电子格斗战士》（1998）描写了虚拟世界内部地球精英分子与外星黑武士之间的对抗。《数码英雄》（1999）描写了现实世界中香蕉电脑公司和芒果电影公司之间的竞争。《想飞》描写了现实世界中同一公司不同开发团队之间的竞争。《天狼特遣队》（2016）描写了外星侵略者撤离地球之后留下的科技遗存成为不同游戏公司竞相争夺的对象。《1号玩家》（2018）、《皇牌机师：重装甲高校》（2019）都展示了不同游戏公司通过资助高校代表队进行的斗争。从总体上说，上述竞争属于文化工业领域，相关叙事各有主旨，如弘扬正义、珍惜友谊、反对欺诈等。

科幻电影描绘的工业竞争既是对历史进程的回顾、现实生活的缩影，又是对未来社会的想象。在《功夫机器侠之南拳真豪杰》描写的清末抗法战争中，投靠洋人的南拳门派大师兄穿着法军制服指挥对清军开炮，吆喝说："你们挡不住工业文明的脚步。"这是以历史进程为参照系,描写西方列强在当时通过工业竞争壮大了自己的实力和自信,大肆进行对外扩张。《超级神仙石》(2016)描写的是青年华仔进城打工,几经辗转,效力于企业家郭振等开办的推销"超级神仙石"的公司,一上班就面临着职场竞争,这是现实生活的缩影。《超级 APP》(2018)描写的是自如公司合伙人利用超级人工智能 APP-Rita 实现自己的野心,包括杀死一个竞争对手、控制所有客户的手环、让人们害怕他,等等。他还准备实行万法合一,实现 APP 大一统,让汽车灯、建筑灯景等都按同一节奏起舞。他以为自己有了 APP-Rita 就有了一切,解雇了公司的所有员工。这类构思包含了对未来的想象。在科幻语境中,过去、现在和未来可以通过穿越予以贯通,从而使竞争变得更为复杂。例如,根据《黄金十二宫》的构思,机器人艾娃发现创造者周亚雄博士有了情人莫尼卡,莫尼卡是周亚雄的竞争对手派来窃取情报的。艾娃为保护周博士,杀了莫尼卡,自己取代她的地位。此后,机器人不断进化,后来居上,统治人类。又如,根据《天降机器女仆》的描写,程序员沈大宝在从 2046 年穿越而来的机器人伊娃的帮助和激励下实现逆袭。他开发的情感植入程序在未来价值连城,其竞争对手派机器人夏娃回来盗取它,为此绑架了沈大宝。伊娃为救他而与夏娃同归于尽。沈大宝自此发奋,不仅成为博士,而且将情感植入程序改进成极品。在这类影片中,竞争已经残酷到付出生命(包括生物人的生命或智能机器人的生命)的地步。

在更广阔的范围内,科幻电影中某些与竞争相关的情节虽然并非直接发生于工业领域,却仍和工业竞争存在某种联系。例如,《探魔导师》(2016)的背景是人类核竞争愈演愈烈,导弹危机横扫各个大陆。我国短片《程序恋人》(2018)的题旨是世界著名设计师明有心和他所认定的智能机器人(帅哥安杰罗)斗气,不料真正的机器人却是他所看好的女设计师德米。又如,《仿生迷局》描写了仿生人卷入明斯基公司董事会主席兼 CEO 严柯的情场竞争,被侦探詹明瑞和严柯原先的助手关闭。上述两部影片中的机器人或仿生人都是工业产品,其能动性是由生产者的技术水平决定的。生产者的技术水平越高,被生产者的能动性就越强,这意味着可以在激烈的社会竞争中胜出。如果说人类是在"物竞天择"的过程中脱颖而出,文明史是由人类通过内部竞争书写的话,那么未来社会的前景很可能由人类与智能产品之间的竞争决定,至少可以说人类与智能产品的矛盾将是未来社会的矛盾之一。

必须说明的是:①科幻电影并非只是从竞争的角度考察工业,有关协作的描写仍占有一定分量。例如，《二重身之双重恋人》写了平行世界来客帮助医药公司总经理陆崇生签订与同行合作的协定。《外星人事件》描写了投资经理赵致富奉厂长之命到龙潭村扶贫。由此可见，协作与竞争是辩证统一的，取决于编导设定的具体条件。②科幻电影虽然致力于批判工业的消极影响，但仍不乏有关工业价值的正面描写。例如，"赛尔号大电影"系列中的飞船，就是依靠工业造出来的。因此，只有将积极面与消极面结合起来，才能比较完整地把握"科幻电影视野下的工业"这一命题。③工业不可能因为科幻电影对其产生的消极影响进行的批判就停止自己前进的步伐，其从业者却可能由于科幻电影发出的警示而有所反思和节制。

第三节　科幻电影工业属性研究

科幻电影为什么具备工业属性？原因如下：电影机械本身是技术发明的产物，用以制作科幻片的软硬件都无法离开工业而存在；自科幻电影由发明家的工作室走向市场之后，电影制片的工业化就显示出某种必然趋势，因为它意味着更低的成本、更高的效率、更强的竞争力；在科幻电影价值由票房向衍生品拓展的过程中，工业化可以为版权方带来巨大效益。不过，并非所有科幻电影都以工业属性见长，更准确地说，某些科幻电影有意识地摆脱工业属性的印记，追求在独立电影、艺术电影或作为用户生成内容的短视频格局下发展。因此，从总体上说，科幻电影兼有工业属性和美学属性，二者的矛盾是其发展的动力之一。科幻电影具备哪些工业属性呢？对科幻电影工业属性进行的研究着眼于它作为工业品的特征，可将考察范围扩大到工业思维、工业市场、工业投资、工业平台、工业叙事、工业品牌、工业研发、工业控制、工业评估等方面。相关内容构成了科幻电影工业属性的系统观，是本节的议题。对科幻电影美学属性进行的研究着眼于它作为艺术品的特征，将考察范围扩大到艺术思维、艺术市场、艺术投资、艺术平台、艺术叙事、艺术品牌、艺术研发、艺术控制、艺术评估等方面，相关内容构成了科幻电影美学属性的系统观，是第二章第三节的议题。

一、工业社会与科幻电影属性

在社会层面，工业是人类因为分工而形成的特定活动领域。工业经济从一开始就是自然经济的对立面，因为它否定自给自足，要求分工协作。这种倾向在手工业阶段就显示出来了，到大工业阶段获得强化，其影响遍及整个社会。就此而言，工业属性并不是指工人或工厂主的阶级属性，而是指生产者自觉实行分工协作的一种心理定式，即工业思维。分工协作不仅改变了社会成员扮演的角色，而且使得交换产品具有了必要性，从而催生了最早的市场。在其后的发展中，出现了生产资料市场和生活资料市场的分化。如果说手工业起源于用工具制造工具，那么大工业则起源于用机器制造机器。被用于制造机器的机器主要进入生产资料市场，这是有别于生活资料市场的工业市场的由来。就此而言，工业属性并不是指生产者和消费者互为角色伴侣的属性，而是指生产者瞄准工业市场的一种心理倾向。市场诞生意味着商品交换的发展，后者导致作为一般等价物的货币的出现。货币本是为商品交换服务的手段，其后演变成左右市场的力量，出现了为实现自身增值而流动的倾向，这就是投资的由来。就此而言，工业属性并不是指发行货币或使用货币的行为，而是指投资者希望通过工业生产来牟取利润的意图。

（一）工业思维与科幻电影属性

与手工业相比，工业具备分工化、专门化和规模化的特点。因此，我们可以将工业思维的特点概括为从大规模专业化分工协作的角度看问题。分工包括人际分工、人机分工和机机分工三种基本类型。如果说人际分工在国民经济各个产业部门普遍存在的话，那么人机分工是机器工业所特有的，机机分工则是机器大工业所特有的。对于科幻电影而言，工业思维首先表现为将整部影片生产当成系统工程，对所需要使用的人员和机器进行全面规划。

电影工业由电影机械工业、电影制片工业、电影衍生工业等组成。与此相适应，对于电影而言，工业思维至少包含如下三重含义：①如何运用电影机械工业提供的软硬件创造出希望的视听效果。科幻电影能创造的特效，就技术而言受上述软硬件的制约。导演必须了解它们的性能，以此为基础创造性地予以应用。②如何贯彻分工协作的原则，发挥参与者各自的专长，群策群力，以奏其功。③如何发挥电影工业作为产业链的作用，开发出丰富多彩的衍生产品。

科幻电影最初是发明家主导的手工作坊的产物，随后走上了机器工业设定的道路，并以大片的形态践行工业思维。在上述过程中，电影团队分化出编剧、导演、舞美、灯光师、摄影师等不同工种，"制片人中心制"取代原有的"导演中心制"，团队规模也因摄制任务复杂化而扩大，像美国的《复仇者联盟》（2012）的制作团队就有 324 人之多。《流浪地球》

的摄制是一项涉及约 7000 名参与者、2003 个特效镜头的大工程，若不诉诸工业思维，根本无法组织与实施。根据齐伟、张红斐的概括，工业思维在《流浪地球》生产过程中主要有如下表现：①工种门类的细密化，包括传统工种整合化和特殊工种细分化；②工业流程的标准化，包括剧本规划的"工业逻辑"（由八人编剧团队将剧本转化为数据库，对所有文字数据进行量化整理）、概念设计的"流程规划"（侧重关键艺术概念设定、重点概念设计项与次要设计项确定，以及重点设计项拆分），还有物理特效的"标准战略"。①

在强调科幻大片体现的工业思维的同时，也不能忽视艺术思维所起的作用。与工业思维相比，艺术思维倾向于个性化表达，不仅适用于科幻实验片的创作，而且对科幻商业片的推陈出新也是有其价值的，否则的话，科幻商业片就只能陈陈相因，丧失活力。除此之外，贸易思维的价值同样应当予以肯定，这是后文要探讨的内容。

（二）工业市场与科幻电影属性

所谓"工业市场"，既可以理解为以工业为市场（例如，农民将农产品卖给工厂），也可以理解为工业在其他产业开辟的市场（例如，工厂将工业品卖给农民），或者工业不同分支之间进行商品交换的市场。下文所说的工业市场主要是工业不同分支之间进行商品交换的市场。在历史上，市场是伴随分工而发展起来的，最初是以物易物，其后出现了以一般等价物（货币）为中介的交换。与手工业市场相比，工业市场不仅有轻工业、重工业、信息工业之间的交换，而且从整体上呈现出大批量、适销性、可定制等特点。

"工业市场"亦称"生产者市场"，是相对于消费者市场而言的。它由那些购买货物和劳务，并用来生产其他货物和劳务，以出售、出租给其他人的个人或组织构成。就起源而论，生产者市场是从消费者市场分化出来的，具备购买者数量较少但规模较大等特点。对于电影而言，那些在生产者市场上购买电影器材、电影软件、电影商品的个人或组织并不是将它们用于自己的消费，而是准备出售、出租给客户，或者用它们生产新的电影器材、电影软件、电影商品。

基于上述认识，所谓"电影市场"实际上是由电影领域的生产者市场

---

① 齐伟、张红斐：《〈流浪地球〉：中国科幻电影创制中的工业思维与价值表达》，《电影评介》2019 年第 9 期，第 24—28 页。

和消费者市场构成的。当人们提到《流浪地球》成为海内外市场"爆款"、中国电影市场由于它的上演而迎来供需双向爆发、票房上升时，所涉及的主要是消费者市场。当人们说佳能公司以高清数字摄影机进军以好莱坞为代表的影视制作市场、我国电影院引进高端数码电影放映设备给观众全新的感觉、我国电影器材公司在市场经济中改革创新时，所涉及的主要是生产者市场。

从生产者市场的角度看，科幻电影的工业属性至少有如下三方面的表现：①科幻电影对奇观叙事的追求提高了对于电影设备升级的要求，使那些高端电影设备供应商得以在面向电影机械工业的市场标领风骚；②科幻电影在技术和艺术上的成功使业界有勇气和决心建设更高级的电影院、设置更亮丽的电影屏幕、购买更高级的电影设备，从而带动了面向电影制片工业的市场的发展；③科幻电影的吸粉效应有助于形成规模庞大的影迷群体，使业界因此有可能建造以之为基础的游乐场或主题公园，从而带动了面向电影衍生的工业市场的发展。

就命名而言，"工业市场"是工业和市场的统一。在心理上，它包含了工业思维和贸易思维的矛盾。如果说工业思维以技术研发为龙头的话，那么贸易思维则以商业模式为焦点。兰建平指出："在我国制造业创新发展的路径探索上，格力和小米是两个发展模式的典型代表。格力代表着以工业思维为主导，强调制造能力和强大的技术支撑；而小米代表着贸易思维为主导，突出互联网思维，强调商业模式创新。"[①]从整个制造业发展的角度看，两种模式相辅相成，但格力模式是更根本的。我国要从电影大国转变为电影强国，同样存在类似的两种可能性。从建设自主性电影工业体系的角度看，工业思维比贸易思维更为根本，虽然二者也可以交相为用。

（三）工业投资与科幻电影属性

所谓"投资"，是指将资金或实物投入特定领域以求回报的活动。"工业投资"至少包含三种不同含义：①以工业为主体，指源于工业的投资（如流入房地产业的工业资金等）；②以工业为对象，指自然人或法人对工业的投资；③以工业为中介，指流经工业的投资。下文主要探讨第二种含义的工业投资。

---

① 兰建平：《制造业强国：工业思维 PK 贸易思维？——从杨林之争、雷董之赌看制造业创新的路径选择》，《浙江经济》2014 年第 24 期，第 10—11 页。

对于电影工业而言，投资大致有三种取向：①投向电影机械工业。我国电影机械工业最初以私人投资为主。根据曲金魁的考订，"从 1928 年起，一些爱国有识之士先后在上海、北平、哈尔滨和天津等大城，创办了以维修、仿制为主的电影机械私营小厂，开始了自己研制电影设备的尝试，中国电影机械工业的胚胎开始孕育"。中华人民共和国成立之后，我国的电影机械工业以国家投资为主。"1966 年为改善电影机械工业的布局，一机部决定在甘肃省临夏市筹建甘肃光学仪器总厂（简称甘光厂），由国家定点投资，从哈尔滨、南京、上海三个电影机械厂抽调部分职工内迁甘肃进行组建。"①顾岳迁、尹凤珍在谈到 1965 年的情况时说："在机械部仪表局的统一管理下，整个电影机械行业的投资、设备、人员都得到充实，电影机械厂的扩点、布局有了较大的发展。"②②投向电影制片工业。我国电影制片工业在 20 世纪中叶经历了以私人投资为主向以国家投资为主的转变，背景是中华人民共和国成立之后进行的生产资料所有制的社会主义改造。改革开放之后，随着民营电影企业的兴起，越来越多的私人资本注入电影制片工业。此外，2003 年 9 月，文化部下发《关于支持和促进文化产业发展的若干意见》，全国各地相继成立了具有政府背景的各类文投基金，这对于电影制片工业起到了扶植作用。③投向电影衍生工业。李虹俐认为，中国的电影后产品具有非常大的市场，然而缺乏具有行业市场绝对影响力的品牌企业或产品，因此整个市场还处于较为零散的状态，无法形成固定的发展模式。原因如下：①缺乏品牌意识；②缺乏版权的严格监管；③从业人员缺乏相应的创作构思；④缺乏科学的营销策略。③其实还有其他两个原因：①缺乏既有名气又能持续上映的系列影片；②缺乏有战略眼光的长期风险投资。不过，《流浪地球》的火爆已经促使某些投资流向科幻电影衍生品。且不论它在电影上映前一年就已经敲定了衍生品开发计划，单就上映之后在各大电商平台发起众筹的衍生项目而言，规模就很可观。

从理论上来说，科幻电影的工业属性可以通过三种投资途径表现出来：①定位于电影机械工业，投资开发用于科幻电影制作和放映的专门设备；②定位于电影制片工业，投资拍摄各种科幻影片；③定位于电影衍生工业，投资开发科幻电影的各种衍生产品。相比之下，第二种途径比较受研究者的重视。下面试以顶级科幻大片为例予以说明。

---

① 曲金魁：《中国电影机械工业百年发展回眸（上）》，《现代电影技术》2006 年第 8 期，第 31—51 页。

② 顾岳迁、尹凤珍：《我国电影机械工业的发展》，《影视技术》1994 年第 12 期，第 2—6 页。

③ 李虹俐：《中国电影后产品开发探究》，《法制与社会》2015 年第 34 期，第 182—183 页。

顶级科幻大片是高投入、高回报的。美国的《侏罗纪公园》（*Jurassic Park*，1993）以 6300 万美元的投资，创造了 102 900 万美元的票房。顶级科幻片也是艺术和票房双丰收的，以土星奖最佳科幻电影为例，美国的《机械战警》（*Robocop*，1987）投资 1300 万美元，票房 5340 万美元，《终结者》（*The Terminator*，1984）投资 640 万美元，票房 7830 万美元，美国商务《异形 2》（*Aliens*，1986）投资 1700 万—1800 万美元，票房 18 330 万美元，英、美合拍片《异形》（*Alien*，1979）投资 900 万—1100 万美元，票房 10 490 万—20 360 万美元，美国的《全面回忆》（*Total Recall*，1990）投资 5000 万—6000 万美元，票房 26 130 万美元，美国的《X 战警》（*X-Men*，2000）投资 7500 万美元，票房 29 630 万美元，美国的《少数派报告》（*Minority Report*，2002）投资 10 200 万美元，票房 35 840 万美元，美国的《X 战警 2》（*X2*，2003）投资 11 000 万美元，票房 40 770 万美元，美国的《黑客帝国》（*The Matrix*，1999）投资 6300 万美元，票房 46 350 万美元，美国的《猩球崛起》（*Rise of the Planet of the Apes*，2011）投资 9300 万美元，票房 48 100 万美元，美国的《终结者 2：审判日》（*Terminator 2: Judgment Day*，1991）投资 10 200 万美元，票房 51 980 万美元，美国的《星球大战：帝国反击战》（*Star Wars: The Empire Strikes Back*，1980）投资 1800 万—3300 万美元，票房 53 410 万—53 840 万美元。①

但是，科幻大片同时意味着高风险，亏本的也不少，像美国的《末世纪暴潮》（*Strange Days*，1995）投资 4200 万美元，票房只有 800 万美元，美国的《宇航员的妻子》（*The Astronaut's Wife*，1999）投资 6000 万美元，票房只有 1400 万美元，美国的喜剧片《星际冒险王》（*The Adventures of Pluto Nash*，2002）投资 10 000 万美元，票房只有 710 万美元。②它们在市场上折戟沉沙，更没有获得土星奖的荣耀。如何降低风险、提高收益，始终是业界无法回避的问题。

上文依次从工业思维、工业市场和工业投资的角度阐述了科幻电影的工业属性。大致而言，作为工业的科幻电影（主要指大片）必须从主体的角度运用基于大规模分工协作的工业思维，从对象的角度思考生产者市场与消费者市场的区分和联系，从中介的角度预测工业投资的风险与收益。

---

① 上述顺序是根据票房收入从低到高排列的。投资和票房系根据英文维基百科提供的数字整理的，有些只能列出大致区间。

② 以上数据根据英文维基百科整理。

在从工业社会向后工业社会转变的过程中，上述情况有所改变，其特点是基于小规模分工协作的可定制生产的兴起，基于用户生成内容的生产者市场和消费者市场的打通，基于互联网电影公司的传媒资本的介入等。这些新现象都是值得研究的，因为它标志着电影工业向后电影工业的转变，对科幻电影的工业属性有所影响。

二、工业产品与科幻电影属性

如果说运用工具以制造工具是人类区别于动物的标志的话，那么从事物质生产则是人类社会区别于动物种群的标志。物质生产始于食品的生产，与之对应的广义农业包括种植业、林业、畜牧业、水产养殖业等直接以自然物为生产对象的产业，以及以工具（包括武器、农具等）为生产对象的产业，即手工业。现代意义上的工业正是由手工业发展而来的。在产品层面，对于科幻电影的工业属性，可以从工业平台、工业叙事和工业品牌等角度加以考察。

（一）工业平台与科幻电影属性

"平台"原意是地理上通常高于附近区域的平面，后来被引申为人们发挥才能的舞台、出于操作方便考虑而设置的工作台、进行某项工作需要的环境或条件等。在手工业时代，已经有了用来加工各种材料的工作台，如钟表铺等。最初的电影机估计也是在平台上做出来的。

机器工业兴起之后，出现了与大规模分工协作相适应的新平台，即流水线（亦称装配线）。其特点是加工中的产品被牵引或驱动，陆续经过不同操作工的面前，每个人都只专注于处理某道工序，这样有助于提高工作效率和产量。因此，它也被理解为一种体现分工协作、批量制造、流程生产的方式。流水线由"英国陶瓷之父"韦奇伍德（J. Wedgwood）始创，成为机器工业萌芽的重要标志。在电影领域，流水线作业是 20 世纪第二个十年随着大制片厂制度在好莱坞的兴起而出现的。它通常不是指某种实体性的传送带，而是指环环相扣、各司其职的一种流程。

如周倩所言，"流水线"最初是一种生产方式，产品制造由此有了显著的"规模效率"。流水线和规模化生产大大推进了现代工业文明，百年来不断进化与迭代。流水线也是启动"规模经济"的一种思维方式，当今时代，工业流水线的进化已转向"合作自动化"。[①]对于电影而言，高金

---

① 周倩：《百年流水线的前世今生》，《中国工业和信息化》2018 年第 12 期，第 76—85 页。

国指出："流水线、可量化的内容生产模式下，发自内心的自我抒发成为迎合公众口味的捉刀代笔，个体性的写作成了群体性的生产。"①武岳既看到了流水线作业的优点，又看到了它的弱点，他指出："制片厂内部分工精细，提高生产力，但个人的作用被消解在集体的合作之中。"②流水线式的固定生产方式使影片越来越缺乏创意，促使明星制诞生，但弥补了制片厂制度的先天弱点。

进入数字化之后，"平台"具有了新的含义，即计算机硬件或软件的操作环境。汪晓、贺文进在分析好莱坞编剧流水线时指出："分管搭框架的编剧首先把故事情节编好；再由分管'抖包袱'的编剧加入笑料；随后，专门负责写对白的编剧再根据故事框架和人物线填充对白。好莱坞梦工厂拥有一个庞大的剧本流水线生产程序，其中有一个包罗万象的情节模板数据库。设计者可根据需要设定程序，从中调用相应的情节片断，然后电脑自动演绎组合这些环节，就形成了一个故事。"③上文所言的"情节模板数据库"就属于数字化意义上的"平台"（更准确地说是电影数字化平台的组成要素之一）。

科幻电影至少在三种不同的意义上依赖于平台：①在电影机械工业的意义上，作为其摄制和放映必要条件的电影设备是在工作台或流水线上做出来的；②在电影制片工业的意义上，作为其创意形态的剧本是以流水线的方式生产出来的，有时还获得了计算机及相关设备的支持；③在电影衍生工业的意义上，作为知识产权转化形态的数字产品是通过网络平台扩散的。如今，网络平台正对整个电影工业产生越来越大的影响。

（二）工业叙事与科幻电影属性

所谓"叙事"，作为动词是指讲故事的活动，作为名词是指被叙述的故事。工业叙事作为动词词组是指用工业的方式叙事，作为名词词组是指关于工业的叙事。下文主要是就用工业的方式叙事而言的，其特点主要是模式化、可复制。

工业方式的特点是为满足市场需要组织可重复的大规模生产。将上述方式引入叙事领域，形成的特点便是迎合大众需要进行类型化创作，如追求视觉奇观、以善恶冲突组织情节、逗人开心等。从形式上看，工业叙事

① 高金国：《内容生产"流水线作业"，前途几何？》，《青年记者》2017年第30期，第108页。
② 武岳：《简析好莱坞的流水线变革》，《视听》2017年第2期，第55—56页。
③ 汪晓、贺文进：《新好莱坞时期的剧本流水线生产》，《中国电影市场》2013年第12期，第22—23页。

也有自己的规范。正如闫怀康所说："统一的格式，规范大小的字体，台词和动作描写分开，使用几倍行距等都有相应的规范。这样的剧本，一页纸剧本，相当于银幕上 1 分钟，便于各部门工作开展，成片的质量可以预期控制。"①这被称为电影工业的第一步——"图纸阶段"。好莱坞通过组织工作坊引导学员掌握类型化的关键，一方面是了解写作的标准格式、学会运用编剧软件；另一方面是学会如何讲故事。何炜、黎生根据亲历介绍，"经过工作坊的长时间讨论，有助于逐渐认清和解决大量问题，包括主题重新提炼，厘清故事线索并集中在核心事件上，厘清时间地点上的混乱，反复推敲情节发展的逻辑、人物性格铺垫和故事发展的节奏、人物个性和情感动机的强弱、高潮部分的处理、对白的精炼和潜台词等。如果不通过这样的多方面分析和讨论，一般人还真无法认清这些问题"②。

作为类型片的科幻电影同样具备工业叙事的特点。杨成对好莱坞科幻动画电影类型特征做了如下概括：以冲突律建构情节，充满了诙谐幽默的台词和桥段，常用夸张变形的漫画化手法加以呈现。③当然，科幻类型片仍然与其他类型片有区别。就此而言，杨飞认为好莱坞科幻片在叙事策略上既有对现有知识体系的继承，亦有对现有知识框架的突破，形成了自己特有的文化符码，如"救世"概念、"穿越"主题、反乌托邦的警戒色彩等。④

根据一般理解，类型片是面向大众的商业片，反类型片则是面向小众的艺术片。更准确地说，类型化是迎合大众心理定式的叙事策略，反类型则是挑战大众心理定式的叙事策略。例如，好莱坞科幻片《降临》（Arrival，2016）不像类型片那样追求视觉奇观，而是采用平淡优雅的叙事风格；不像类型片那样按时序分阶段设置冲突的发展过程，而是将预叙伪装成闪回（"所谓回忆却是未来"的环状叙事）。⑤某些导演试图将类型与反类型结合起来，像好莱坞电影大师斯皮尔伯格（S. A. Spielberg）

---

① 闫怀康：《〈动物世界〉与〈流浪地球〉："剧本工业"拓新"电影工业"之维》，《电影评介》2019 年第 15 期，第 74—76 页。

② 何炜、黎生：《探秘好莱坞：电影工业生态与训练模式》，《教育传媒研究》2017 年第 3 期，第 91—93 页。

③ 杨成：《近年来好莱坞科幻动画电影类型特征及审美风格浅析》，《当代电影》2016 年第 6 期，第 165—168 页。

④ 杨飞：《好莱坞科幻影片的叙事策略与文化符码》，《电影文学》2015 年第 23 期，第 22—23 页。

⑤ 孙小媛：《从〈降临〉看好莱坞科幻片的反类型策略》，《四川文理学院学报》2017 年第 4 期，第 76—84 页。

就是如此。陈勇曦将斯皮尔伯格的电影叙事特点归纳为三方面：单一化的叙述主体，即采用非人称叙事，以无处不在、无所不知的摄影机带领观众在一个个视觉奇观中获得审美体验；戏剧式的叙事结构，即鲜明主题佐以悬念、误会与巧合，设置两种力量的对抗，清晰体现冲突的演变阶段；大团圆的故事结局。①这是可资借鉴的。

（三）工业品牌与科幻电影属性

所谓"品牌"，在广义上是指可以给拥有者带来溢价、产生增值的无形资产，在狭义上是指被作为企业、产品或服务之标识的标准化、规则化系统。所谓"工业品牌"，可以在三种不同的参考系中定位：①就生产者与产品的关系而言，包括工业企业品牌、工业品品牌两大类；②从生产部门的差异性定位，体现出与农业品牌、服务业品牌的不同；③从产品本身的功能定位，体现出与消费品牌的区别。其基本要求是产权自主、质量可靠、标识清晰。

正如杨冰、彭祥敏所说，"工业品牌是工业的标志，是工业发展的领头羊，甚至成为工业发展的主线。工业品牌非常多，几乎可以说每个分行业中都有顶尖级品牌，它们历史悠久，在长期的磨炼中打造成经典的品牌"②。电影工业包括电影机械工业、电影衍生工业、电影制片工业三大类。电影机械工业以制造摄影机、放映机等为己任，其品牌可以大致归入机械工业品牌（属于工业品品牌）。电影衍生工业以生产服装、纪念品等为己任，其品牌可以大致归入消费品品牌。需要讨论的是，以生产影片为己任的电影制片工业品牌。"工业品"是相对于消费品而言的。根据陈锡富所下的定义，"工业品，也称企业—企业（B2B）产品或者组织购买产品，是以购买群体作为特征的，而非依据产品。这些产品和服务用于生产其他产品或服务，以供销售、出租或供应给他人的组织。这些企业或机构并不是产品或服务的最终消费者"③。从上述认识出发，如果电影产品被直接卖给消费者，是消费品；如果卖给电影院或视频网站，则是工业品。多数观众是到电影院去看电影、在网站上点播电影，而不是直接向出品方购买文件回家看，因此电影产品首先是工业品，电影品牌也首先是工业品

① 陈勇曦：《浅析斯皮尔伯格电影叙事中的好莱坞元素》，《大众文艺（理论）》2009 年第 14 期，第 66—67 页。
② 杨冰、彭祥敏：《世界工业品牌发展研究》，《中南民族大学学报（人文社会科学版）》2004 年第 S1 期，第 74—76 页。
③ 陈锡富：《工业品牌的特点和战略》，《现代管理科学》2007 年第 10 期，第 36—38 页。

牌。不过，电影产品是否能够实现其价值，还是由观众（即消费者）的精神消费决定的。因此，电影品牌和一般意义上的工业品牌仍然有所不同。正因为如此，李峤雪说："观众偏好是电影品牌构建的根基。品牌建设的根基在消费者，品牌发展的动力源于消费者的支持。电影的消费者就是观众，满足观众喜好，迎合观众口味，才能创造出具有生命力和竞争力的电影品牌。"①在电影制片工业领域，工业品品牌和消费品品牌的整合，在某些情况下是以明星品牌、导演品牌为中介而实现的，因为观众可能是因为喜爱特定的明星或导演才去看他们的电影。

　　并非什么电影都有条件打造成品牌。就此而言，那些场面大、节奏快、人物形象鲜明、视觉造型突出、叙事自成系列的影片占有优势。在将科幻电影当成工业品牌来打造方面，漫威影业积累了丰富的经验。漫威品牌的核心是漫威电影宇宙（Marvel cinematic universe），其特点是保持不同的影片之间剧情和人物的交错，形成叙事和品牌的联动。为此，漫威影业注重项目整体筹划，使所有演员、导演、编剧完完全全为它服务，都成了庞大机器的螺丝和齿轮；注重叙事连贯，力图创造完整的理念世界和全面的宇宙观；注重保持"原汁原味"，在自制电影中对原作的忠诚得到了广大粉丝的一致推崇。②

　　电影品牌构建主要包括核心设计、要素打造和品牌营销三方面内容。③从总体上看，好莱坞各大公司都注意创造差异点与活力点，打造核心竞争力。④以科幻电影而论，二十一世纪福克斯公司的"星球大战"系列，派拉蒙影业公司的"星际迷航"系列、"变形金刚"系列，华纳兄弟娱乐公司的"黑客帝国"系列、"超人"系列，都各具特色，拥有很高的知名度。中国科幻电影要打造自己的品牌，同样要着眼于长远战略，注意叙事联动。

　　上文分别从工业平台、工业叙事、工业品牌考察了科幻电影作为产品的工业属性。大致而言，作为工业产品（而非实验品、自娱品或校园品）的科幻电影是通过流水线生产的，在叙事上具有鲜明的模式性，通过打造品牌来保证长期稳定收益。在工业时代向后工业时代转变的过程中，有许多新现象值得注意，如智能助手介入电影工业的流水线，叙事形成基因型和现象型、稳定性模式和多样化呈现的统一，以奈飞为代表的互联网电影

---

① 李峤雪：《我国电影品牌构建的根基与路径》，《青年记者》2014 年第 21 期，第 39—40 页。
② 韩潇：《漫威电影品牌研究》，《新闻研究导刊》2017 年第 19 期，第 4—5 页。
③ 杨晓茹：《电影品牌核心价值研究》，《电影文学》2017 年第 10 期，第 4—6 页。
④ 汪献平：《从好莱坞经验看中国电影品牌的创建》，《当代电影》2011 年第 6 期，第 118—121 页。

企业打造出新的品牌，等等。

三、工业运营与科幻电影属性

从运营层面看，工业是一个具备强大适应性的自主系统。它拥有自己的研发部门，以保证技术不断升级、产品不断更新；拥有自己的控制中枢，以保证及时纠错并使利益最大化；拥有自己的评估机制，以保证实现发展目标。正因为如此，工业研发、工业控制、工业评估成为研究科幻电影工业属性的三个切入点。

（一）工业研发与科幻电影属性

所谓"工业研发"，是指相关企业为实现自身的目标、消除发展瓶颈而进行的研究和开发活动，其基本特点是提前布局、精心设计、创新功能。在发生学的意义上，工业研发是由于将科学研究的方法引入工业领域而产生的。在实际运营中，工业研发长期致力于吸引相关院校和科研部门的专业人员参与。反过来，相关院校和科研部门通过吸收工业研发的成果以更新其知识和设备。在国民经济体系中，农业、服务业也存在研发活动，但其规模和技术水平通常不如工业研发。工业研发对农业研发、服务业研发具有溢出效应。

顾名思义，"电影工业研发"是与电影相关的工业研发，可细分为电影机械工业的研发、电影制片工业的研发、电影衍生工业的研发等。与此相适应，科幻电影的工业属性主要有如下表现。

第一，科幻电影的视听效果取决于电影机械工业的研发。就此而言，特种电影比科幻电影更胜一筹，备受关注。它综合利用计算机 3D 图形学、计算机视觉、虚拟现实、数字立体高清拍摄、数字后期合成等成果，集成视觉、听觉、触觉、嗅觉等体验，使观众宛如身临其境。根据孙延禄的回顾，我国在研发 3×5mm 全景电影和 9×5mm 环幕电影等项目时，均能在较短时间内取得技术突破，实现国产化，从而有效地阻止了国外经营者对我国市场的垄断。但在 70mm 胶片巨幕电影的研发上，却偏偏屡遭坎坷，连少量引进后迅速消化吸收并实现国产化也未做到。IMAX 便长驱直入地打入中国电影市场，有人甚至因此认为"IMAX 已成为'终极电影体验'的代名词"。我们应当以史为鉴，总结教训，研发巨幕全息电影。[①]

---

① 孙延禄：《我国巨幕电影研发历程回顾及漫话未来的终极电影体验——读有关 IMAX 的两篇文章后的联想》，《现代电影技术》2012 年第 7 期，第 12—17 页。

第二，科幻电影的创意效能仰仗于电影制片工业的研发。根据刘藩的看法，电影的前期工作包含了题材选择、故事策划、艺术规划、概念设计、编剧创作、衍生产品开发考量等众多内容，可以将其统称为项目创意研发。在这些工作中，最关键的是故事，重点是故事的视觉化表现，核心是围绕故事进行产业化开发研究。创意研发的素材来源于畅销小说、文学名著、经典故事、网络小说、游戏、漫画动画、电视剧、舞台剧和真人真事等，可以从作品（类型变奏出新、明星定做、视觉造型、角色设计）、观众（吻合观众年龄、阶层和性别定位）、社会潮流（契合社会心理、时代趋势）、创作主体（需求、经历、无意识）、后产品（放映条件、授权产品）等维度开展故事的建构。①此外，科幻电影大量运用特效。就此而言，研发与创新既是科幻电影工业化的现实要求，又代表了科幻电影工业化的未来。

第三，科幻电影的社会效能有赖于电影衍生工业的研发。欧阳君锜认为，"推进《流浪地球》的全产业链开发，需要从拍摄续集、形成'小说-电影-影视剧-动漫-游戏-授权'产业链和建立完善的版权代理制度和版权保护制度等方面多管齐下"②。这是从科幻电影自身的发展着眼的。从社会的角度来看，相关机构可以结合自己的需求研发各种衍生产品，如基于科幻电影的课程等。值得一提的是，科幻电影有关想象可能会给现实生活中的工业研发以启迪。例如，美军将好莱坞科幻电影当成武器研发的风向标。③

全球化为各国电影工业共享先进技术、拓展发展空间创造了条件，同时也使竞争国际化。为了增强竞争力，我国电影工业有必要努力研发自己的核心技术。中国电影科学技术研究所是电影科研与质检工作的全国唯一公益性科研机构。所长张伟对我国电影工业研发提出了如下设想："依托重点科研项目，联合高校、科研院所、电影信息化企业，以市场为导向，推动全产业产学研一体化的电影科技研发新理念。通过全面推进电影高新技术研究，以国家电影云服务制作平台建设、新型 LED 电影显示系统研制、电影大数据可视化系统研发、国产数字水印研发应用及建设高校思政传播平台为基础，紧抓自主创新核心，形成电影高新技术与 5G、

---

① 刘藩：《电影产业的创意研发短板》，《中国文化报》2013 年 2 月 2 日第 1 版。

② 欧阳君锜：《从全产业链视角分析我国科幻 IP 的开发——以〈流浪地球〉为例》，《今传媒》2020 年第 7 期，第 113—115 页。

③ 魏岳江、孙龙海：《美军武器研发的风向标：好莱坞科幻电影》，《农村青少年科学探究》2019 年第 Z1 期，第 26—27 页。

4K/8K、人工智能、虚拟现实等技术融合应用场景、互为能力补充，不断催生新型科技发展新理念，以满足人民群众不断增长的高品质视听文化需求。同时，建立科技融通创新机制，致力打造多元化电影技术标准体系。"①既然是研发，肯定存在诸多不确定性，因此有必要科学制定研发规划，实行风险管理。研发要成功，人才是关键，"干中学"是途径。

（二）工业控制与科幻电影属性

所谓"工业控制"，有三层含义：从社会系统的角度看是对工业的控制，从工业系统的角度看是为保证自身正常运营而实行的控制，从其他系统的角度看是来自工业系统的控制。在第一层意义上，工业虽然为人类创造了巨大物质财富、带来了许多便利，但也带来了不少相当严重的问题，如环境污染等。有鉴于此，人类必须对工业加以控制，防止它在利益集团的驱使下盲目扩张。在第二层意义上，工业自身是一个复杂系统，在宏观上必须协调轻工业、重工业和信息工业的关系，在中观上必须协调不同企业之间的关系，在微观上必须协调企业内部的关系。只有实施有效控制，才能正常运营。在第三层意义上，工业不过是整个社会系统的一个子系统，与之并行的还有农业系统、服务业系统等。在现代社会中，其他子系统几乎都被纳入了工业系统发展的轨道，依靠工业系统提供技术和设备的支持。农业希望回归自然，服务业从文化的角度抨击工业对人性的扭曲和威胁，其实都是不甘受工业系统控制的表现。电影表现出来的对上述三种工业控制的态度因主创人员立场的不同而不同，或者提示人们对工业加以控制的必要性，或者描写工业企业卷入的矛盾冲突，或者揭露工业渗透到文化领域之后造成的危害，等等。

"电影控制"至少包含如下三种可能的解释：①若将电影作为主体，那么电影控制体现的就是电影对人的影响，包括对观众的认知控制、情感控制、意向控制等。②若将电影当成对象，那么电影控制体现的就是政府、家庭、学校、媒体（含传统媒体与新媒体、大众媒体与自媒体）等外部因素对电影的影响，涉及资金控制、文化控制、人事控制、行政审批、影片审查等。③若将电影当成中介，那么电影控制指的就是通过电影所进行的控制，如特定社会集团借助电影扩大自己的影响等。黄贤春从题材的角度定义了"通信与控制型电影"。它包含四个亚类，即把生物机体本身

---

① 张伟：《坚持科技创新驱动发展战略，全面开启中国特色电影科技研发新道路》，《现代电影技术》2020年第12期，第4—5页。

作为媒介来运用的通信与控制型电影，以自动化机器为媒介进行通信与控制活动的电影，通过电视这种大众传播媒介并以特定节目形式来实施控制的电影，把人工智能引入通信与控制故事之中的电影。其举证的有不少是科幻片。[①]相关论文有负二的《人的意识控制一切——疯狂的科幻电影〈黑暗城市〉》（《世界科幻博览》2006 年第 8 期）、黄贤春的《"通信与控制"：电影〈盗梦空间〉结构复杂性的逻辑引擎》（《文艺争鸣》2011 年第 2 期）等。

从构成看，"电影工业控制"可以分为三大类：①电影机械工业意义上的控制，所涉及的课题包括立体电影、水幕电影、环幕电影、4D 动感电影之类特种电影的控制系统的开发，电影摄影、电影放映、电影洗印、字幕翻译、电影照明之类电影活动的自动控制系统的开发，等等；②电影制片工业意义上的控制，包括电影摄影、电影放映、电影洗印、字幕翻译等实践过程中的设备控制、质量控制、效果控制、财务控制、风险控制等；③电影衍生工业意义上的控制，如电影城多厅影院建设的质量控制、电影乐园乘骑系统交通控制、网络大电影的传播控制，等等。

从工业控制的角度看，科幻电影的工业属性主要表现在：①它依托工业控制原理、技术和设备为自己营造音像环境。例如，它依托电影机械工业提供的设备对其生产、流通和消费予以控制，依托电影制片工业提供的模式对其制作、传播和鉴赏予以控制，依托电影衍生工业提供的舆情对其拓展、流动、增值予以控制。②它本身的运营受社会环境对工业施加控制的影响。制作、发行科幻电影的企业必须遵守伦理、礼仪、法律等社会规范，必须服从国家政策和规划，必须遵守行业组织制定的公约和技术标准，必须承担应有的社会责任，加强自律。③它作为文化工业的一部分参与对社会的控制，对社会风俗、社会心理等产生影响。

（三）工业评估与科幻电影属性

所谓"工业评估"，至少包括三种不同的取向：①将工业当成主体，指它对环境的评估，其结果是相关企业定点、投资、转移等的根据；②将工业当成对象，指环境对工业的评估，其结果是相关企业准入、制裁、注销等的根据；③将工业当成中介，指它出于自律的要求进行的内部评估，其结果是进行人事调整、业绩奖惩、规划完善等的根据。

对于电影评估，可以进行和上述工业评估类似的区分。不过，在多数

---

① 黄贤春：《通信与控制型电影的历史与逻辑》，《电影文学》2017 年第 1 期，第 4—8、12 页。

情况下，它是指对电影的评估，而非电影界对社会的评估或者以电影为中介进行的社会评估。就此而言，电影评估可以细化为对具体国家电影、具体电影技术、具体电影项目等的评估。

电影工业评估是由工业评估和电影评估相互渗透而形成的，包括三种不同的类型，即电影机械工业的评估、电影制片工业的评估、电影衍生工业的评估。这三类工业都可能被当成主体、对象和中介，由此形成多种取向。例如，若将电影工业当作对象的话，可以区分出三种不同取向，即对电影机械工业的评估、对电影制片工业的评估、对电影衍生工业的评估。它们都可以进一步细化，着眼于具体的电影企业、粉丝、行会、机器、价值、标准、分工、布局、升级等。

评估是按照一定的标准（包括技术标准、行业守则、社会规范等）进行的。科幻电影在社会层面可以作为工业团队来评估，着眼于专业化、标准化、规模化，在产品层面可以作为工业成果来评估，着眼于技术性、信息性、鲁棒性，在运营层面可以作为工业项目来评估，着眼于经济性、社会性、环境性。

以本节所述为参照系，电影思维、电影市场、电影投资、电影平台、电影叙事、电影品牌、电影研发、电影控制也可以成为评估对象。试举与投资有关的例证予以说明，赵宇运用分类评定模型（又作 logistic regression，逻辑回归）进行了电影投资价值评估研究，得出了如下结论：名导演、名演员在一定程度上可以提高电影的投资价值，但其影响力存在边际递减的情况。电影类型对投资价值评估的影响较大，其中喜剧、动作、科幻题材的电影更有可能获得高票房。此外，续集影片以及在黄金档期上映的影片有着良好的宣发条件，对电影的投资价值有积极影响。投资者的主要收益来自于票房分账，但电影上映时间极短，这种销售模式使得大众取舍和短期市场效应成为决定电影投资成功与否的因素，为了减少资金浪费，优化电影投资市场，投资者在进行电影投资时，应科学运用分析方法，选择优质项目，合理防范投资风险。[1]各种与电影相关的评估标准、评估体系、评估软件也可以成为评估的对象，由此形成了相对于电影的"元评估"。

前文从工业研发、工业控制和工业评估方面对科幻电影的工业属性进行了分析。概言之，科幻电影的高质量发展既仰仗工业研发提供的精尖技术，又取决于工业控制贯彻的精细管理，同时还有赖于工业评估提供的精

---

① 赵宇：《基于有序 Logit 模型的电影投资价值评估研究》，天津财经大学硕士学位论文，2018年，第 1 页。

准参考。在工业社会向后工业社会转变的过程中，通用视频软件、网站算法推荐、网民在线打分等新要素占有越来越重要的位置，这是和网络电影的崛起同步的。

　　本节着眼于社会层面、产品层面与运营层面，对科幻电影的工业属性加以分析。从总体上而言，科幻电影分布在图 2-2 所示的三维坐标系中。X 轴以工业性和美学性为两端，Y 轴以重量级和小制作为两端，Z 轴以商业性和实验性为两端。那些集中体现工业性、重量级和商业性的科幻大片如今被我国学者称为"重工业产品"。与之相比，那些集中体现美学性、小制作、实验性的科幻短视频在网络上以信息化的形态飞翔。以小制作和工业性为特色的是科幻网络片，以重量级和美学性为特色的是科幻艺术片，它们之间的互动与协作将决定中国科幻电影的未来。

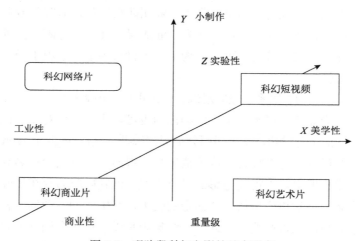

图 2-2　现阶段科幻电影的基本形态

　　本章依次分析了工业视野下的科幻电影、科幻电影视野下的工业、科幻电影的工业属性等问题。我国已经发展成为电影大国，但科幻电影仍是弱项，这和电影工业不够发达有密切关系，因此工业视野下的科幻电影研究显得格外重要。我国工业现代化已经取得了令全世界瞩目的成就，在某些领域走在世界的前列，对于满足社会需要、增强国家实力发挥了决定性作用。我国科幻电影对此有所反映，但是因为受到西方范式的影响等，工业危机仍是我国科幻电影最主要的题材之一。如何更好地发挥激浊扬清的作用，是我国科幻电影研究的题中应有之义。目前，我国科幻电影多数是小制作或"轻工业"，真正的大制作或"重工业"数量很少。如何顺应电影工业向后电影工业转变的潮流、繁荣我国的科幻电影，是有待书写的大文章。

第三章　科幻电影的美学研究

科幻电影既是美学的产物，又是美学的表现；既体现了既有美学观念的影响，又包含了对传统美学理论的挑战。因此，"科幻电影的美学研究"实际上是科幻电影和美学理论之间的对话。它在主客观相结合的意义上探索运用美学理论鉴赏、诠释、评价科幻电影的发展途径，分析科幻电影用以印证、挑战或丰富既有美学理论的可能性，进而建构作为新兴交叉学科的科幻电影美学。如何从事"中国科幻电影的美学研究"？至少有三种可能的做法：①从美学的角度研究科幻电影，关注科幻电影的美学渊源，可称为"美学视野下的科幻电影"；②从科幻电影的角度研究美学，关注科幻电影有关美学的描写，可称为"科幻电影视野下的美学"；③研究作为范畴的"中国科幻电影"，关注中国科幻电影的美学属性，可称为"中国科幻电影美学属性研究"。以下分别予以论述。

第一节　美学视野下的科幻电影

什么是"美学视野"？它至少包含如下含义：①将美学理论作为观察事物的出发点、分析问题的思维框架；②关注生活中存在的"美"或"艺术"，或者格外留意事物与"美"或"艺术"相关的侧面、要素、属性；③运用美学范畴或美学术语表达对事物的认识与评价。若置于美学视野下加以研究，科幻电影具备哪些特点？大致而言，在美学视野下，科幻电影是凝聚了某种美学观念的客观存在，作为整体（类型电影或电影类型）、要素（如具体影片）或系统（特殊电影共同体）表现出一定的美学特性。作为系统的美学和科幻电影各自都包含定位于人的社会层面、定位于物的产品层面、定位于事的运营层面，每个层面又包含三种要素（分别是主体、对象、中介，手段、内容、本体，方式、环境、机制）。因此，科幻电影的美学研究就具体化为九类基本议题，其切入点显示出从交往美学到共同体美学、从工具美学到信息美学、从劳动美学到超越美学的发展轨迹。

一、社会层面：从交往美学到共同体美学

从社会层面看，科幻电影和其他艺术作品都是为了适应交往的需要诞生的。当交往参与者在心理上处于主动位置（如发布信息、表达情感、贯彻意志等）时，我们称之为"主体"；当他们在心理上处于被动位置（如被他人想象，或者接收他人信息、濡染他人情感、服从他人意志等）时，我们称之为"对象"；当交往参与者在心理上成为上述主体和对象相互联系和转化的纽带时，我们称之为"中介"。在对科幻电影社会层面进行美学研究时，我们将交往美学作为出发点。社会意义上的审美起源于物种生产的过程中。"美"的本意可能是指生命力旺盛或强大，"审美"的本意则可能是从观察身体的角度判定生物体的生命力水准。原始人不仅审视羊羔之类的动物，也审视自己的同类，甚至审视自身。随着意识的发展，以"我""你""他"这样的人称代词（兼及其复数形式）出现为标志，人类在观念上形成了主体、对象和中介的区分，懂得自己、别人和从别人中分化出来的第三者都有与审美相关的心理或行为，并试图就此进行交流，这就是交往美学的起源。交往美学关注的是主体、对象和中介之间的审美关系，它为科研电影研究提供了以现实美、自然美和人类美为基点的参照系。反过来，科幻电影以穿越美、科幻美和类人美拓展了交往美学的研究视野。

（一）主体：从现实美到穿越美

"美学"作为概念是由德国哲学家鲍姆加登（A. G. Baumgarten）在1750年首次提出的，当时指的是感性学，以感性事物、具体形象和人的情感等为研究对象。在此之前，东西方思想史早就有大量相关论述（至少可以追溯到文明初期）。至于审美观念的形成及其在生产和生活中的应用，在原始社会中就有了。人类社会由动物种群发展而来，因此若再往前溯源，还要考虑审美现象在进化史上的演变，这或许是生命美学、生物美学、进化美学等观念的由来。

就社会层面而言，所谓"主体"指的是自觉从事活动的人，包括个人、群体和族类。在主体的意义上，美学有许多范畴可用于分析电影，如根据人物命名的柏拉图美学/亚里士多德美学、孔子美学/老子美学等，根据学派命名的儒家美学/道家美学/释家美学、精神分析美学/行为主义美学/人本主义美学等，根据人类聚居区命名的亚洲美学/欧洲美学、西方美学/东方美学等，根据角色命名的男性（主义）美学/女性（主义）美学、哲人美

学/工匠美学、武侠美学/英雄美学、编剧美学/导演美学、胜利者美学/失败者美学等，根据人的心理活动命名的认知美学/思辨美学、体验美学/诚意美学、解放美学/间离美学等，根据情感性质命名的怀旧美学/展望美学、孤独美学、惊诧美学、冷漠美学、沉思美学、情绪团美学、自由情感美学等，根据人的存在形态命名的生命美学/死亡美学、感性美学/理性美学、形体美学/观念美学、和谐美学/冲突美学、慢美学/加速主义美学、超稳定美学/游牧美学等。美学渗透到电影之后，形成了根据业态定位的电影商业美学、独立电影美学、新生代电影美学等，根据国别定位的中国电影美学、日本电影美学、韩国电影美学，等等。

科幻电影的主体是人，既包括使科幻电影得以问世的制作者（个人或团队），又包括呈现为科幻电影形象的表演者，同时还包括阐发科幻电影意义的阐释者。因此，科幻电影可以成为制作美学、表演美学、阐释美学等学科的研究对象。上述学科之间有一个重要的结合点，即身体美学。它对制作美学可能意味着来自自然界、社会生活和个人经历的刺激诉诸身体而转化为艺术冲动，对表演美学可能意味着演员（职业的或业余的）以其身体塑造作品中的人物形象，对阐释美学可能意味着身体进入美学研究的视野中心，并为意义的把握提供参考信息。

科幻电影虽然不乏历史意识和现实意识，但总体上以面向未来为特色，塑造了不同于现实美的穿越美，即穿越时空边界、穿越学科界限、穿越虚实分野的美。例如，赵阳从技术探索与美学追求相结合的角度指出："詹姆斯·卡梅隆的科幻电影始终引领着科技风尚，他尝试运用最新的技术手段来展现自己的想象世界，突破传统表现方式的限制，增强画面的表现空间，赋予科幻电影最大的可能性。同时，他也凭借超凡的想象力和思考内涵为电影带来了哲学深度，通过对未来世界的描绘来反思现实生活，追问生命的意义和终极价值。詹姆斯·卡梅隆的科幻电影兼备科学性与艺术性，两者的融合使得他的电影既有令人震撼的观影体验，又有深刻的思想内涵，成为科幻类型片的标杆。"[①]

（二）对象：从自然美到科幻美

美学意义上的"对象"有多种含义，其中最主要的是自然美、社会美和心灵美。科技意义上的"对象"也有多种含义，其中最具特色的有实验

---

① 赵阳：《技术探索与美学追求：卡梅隆的科幻电影》，《电影文学》2018 年第 22 期，第 88—89 页。

对象、生成对象、改造对象等。电影意义上的"对象"同样具备多种含义，其中最富有代表性的是拍摄对象、虚拟对象、合成对象等。正因为如此，电影可以成为多种美学的研究对象，如自然美学、社会美学、心灵美学、实验美学、生成美学、改造美学、摄影美学、虚拟美学、合成美学等。美学为对象意义上的电影研究提供了许多值得参考的范畴，如接受美学、消费美学等。

艺术交往意义上的"对象"有多种含义，其中最重要的是描写对象、奉献对象和师法对象。描写对象为艺术取材，是艺术的原型；奉献对象为艺术服务，体现艺术的旨归；师法对象为艺术继承，体现艺术的渊源。与此相对应，在描写对象的意义上，科幻电影那些看来天马行空的想象其实离不开生活的启发；在奉献对象的意义上，科幻电影将观众的认同、神入和共鸣当成对自己的激励；在师承对象的意义上，科幻电影将经典的学习、传承和创造当成自己的文化进阶。正因为如此，科幻电影成为生活美学、观众美学、教育美学的研究对象。

从生活美学角度研究科幻电影，值得关注的议题有许多，包括主创人员的生活经历对影片的情节和基调产生了什么影响，科技发明怎样改变主人公的物质生活、精神生活和媒介生活，科技工作者在影片描写的社会生活中扮演什么角色、怎样扮演角色，等等。与生活美学相辅相成的原型美学将灵感来源追溯到集体无意识，赋予相关心理研究深度，也为科幻电影研究提出了特殊的议题。

从观众美学角度研究科幻电影，值得关注的议题也有许多，包括观众积累的知识经验如何影响其对影片相关情节的理解，所处的功利关系如何影响其对影片相关主题的评价，所形成的需要系统如何影响其对影片相关意图的认同，等等。相关研究可以深化为不同类型观众的比较、不同环境观影的比较、治愈系电影与致郁系电影的比较等。在当代中国，正如陈旭光指出的，《流浪地球》等作品的成功，开启了一个"想象力消费"时代的新篇章。这类电影具有故事的假定性、虚构性和超验性等特点，契合互联网时代年轻一代观众的想象特点与美学趣味。①

从教育美学角度研究科幻电影，值得关注的议题同样也有许多，包括科幻电影在儿童审美教育、成人审美教育中发挥的作用，审美教育对培养科幻电影所需人才的作用，科幻电影描绘的审美教育的价值，科幻电影深

---

① 陈旭光：《2019：电影蓝皮书视野下的"想象力消费"电影》，《齐鲁艺苑》2020 年第 5 期，第 70—75 页。

入到家庭教育、学校教育、在职教育的途径，科幻电影与自我教育审美化的关系，等等。

从总体上说，科幻电影美学在对象意义上格外关注的是与自身艺术定位相适应的美，即科幻美。这种美是艺术美的特殊类型，源于美学意义上的自然幻想、社会幻想和心灵幻想，聚焦于通过科技实验、生成和改造的对象的美学特性，经由拍摄、虚拟与合成而呈现。科幻电影美学研究的使命之一是在模拟和仿真的意义上分析科幻美的认知属性，在和观众心理互动的意义上分析科幻美的情感属性，在文化继承和发展的意义上分析科幻美的意志属性。

（三）中介：从人类美到类人美

"中介"是涵盖范围相当广的一个概念，论者各有所指。例如，在美学领域，李丕显关注的是在美向美感转化、理性和感性相统一过程中起作用的居间因素。他认为，"主体的审美经验图式就在从美转化为美感的过程中起着中介性的作用，而同化和顺应则是之所以能够发生转化的条件"，"美感何以具有悟性性质和功能？理性与感性如何统一于审美悟性？一条极其重要的中介性环节，就是理性意识在头脑中的积淀和凝聚"①。劳承万致力于建立审美中介论，他说："从主体环节中提炼出'形式感'，从客体环节中提炼出'形式结构'，并使二者互逆沟通起来，这便是中介理论的全过程和循环图式。"②

笔者所说的"中介"是从交往理论出发的，是指在交往主体和交往对象之间起纽带作用的角色，如媒人、经纪人、介绍人等。就叙事而言，如果我们将叙述者作为主体，将接受者当成对象，那么复述者、改编者、翻译者、评论者、研究者等便是他们之间的中介。群体可视为其成员通过交往而建立的相对稳定的中介，包括家庭、组织、国家、民族等。在中介的意义上，美学有许多范畴可用于研究电影，如改编美学、翻译美学、家庭美学、组织美学、国家美学、民族美学等。这些范畴同样适用于分析科幻电影中的相关描写。

传统美学是以人类美为核心的。自然美是人类欣赏的自然的美，也可以说是人类美的映射形态。虽然存在强调自然的内在审美价值的审美理论（如肯定美学），但它们并非主流。社会美是人类美的组织形态，心灵美

---

① 李丕显：《论美学中介》，《西北师大学报（社会科学版）》1985 年第 3 期，第 36—39 页。
② 转引自：陶原珂：《从中介论到以人为本的形式美学——访劳承万教授》，《学术研究》1996 年第 1 期，第 85—86 页。

则是人类美的内省形态。相比之下，科幻电影以塑造非人智能体为重要特色。如果将美的创造理解为人的本质力量的对象化，那么非人智能体既因为他们被人类创造出来而成为人类美的例证，又因为自己具备类似于人类的某种（或某些）肯定性品质而拥有类人美。这类中介包括机器人、生化人、类智人等。科幻电影因此可以成为机器人美学、生化人美学、类智人美学等分支学科的研究对象。

穿越美、科幻美和类人美有异曲同工之处，都属于后人类美学的研究对象，代表了后人类时代身体的新形态。笔者在一篇论文中指出：身体美学正在随着后人类时代的到来而拓展自己的视野，这种转变从作为流行文化的科幻电影中获得了有力支持。后人类视野中的身体美学正视科技化对身体形态的巨大影响、多元化对身体观念的巨大拓展、黑镜化对身体界定的巨大价值，主张将头脑与作为躯干的身体、意识与作为躯壳的身体、心灵与作为躯体的身体的统一当作自己的研究对象，将物种生产意义上的本真和克隆的关系、物质生产意义上的劳动者和机器人的关系、精神生产意义上的人类智能与人工智能的关系当作自己的研究重点。相关研究成果可以和科幻电影创意相互激励。①李冰雁认为，作为视觉艺术，电影将日常生活中不可能实现的经验变成真实的视觉经验，与此同时，银幕上的身体将不可能的现实转换成能够被摄像机捕捉的现实。科幻电影的后人类叙事呈现出身体的空间性、身体的跨界存在、信息论的身体等身体美学问题。电影汇集身体运动的轨迹，呈现出身体在现实与虚拟空间的多元可能性，从而建构起身体-世界的紧密联系。②

人类美学以人类身体、需要、利益等为尺度，以人类中心主义为指南。相比之下，后人类美学将非人智能体的身体、需要和利益当成标准，以求摆脱人类中心主义的局限。张进、姚富瑞指出，后人类语境中文艺美学研究有如下动向：①美学议题的转移，指向物的伦理性关注；②审美方式的转移，指向物的伦理主体间性关联；③美感经验的转移，指向人-技意向性的伦理体验。③刘永亮指出："电影媒介的物质显现、电影的拟像表达等构成了科幻电影的审美系统；后人类时代科幻电影试图在人、自然和虚拟建构之间建立新的关系和社会秩序，进而确立和改变人的主体

---

① 黄鸣奋：《科幻电影创意：后人类视野中的身体美学》，《东南学术》2019 年第 1 期，第 170—185、247 页。

② 李冰雁：《科幻电影中的身体美学》，《美与时代（下）》2019 年第 4 期，第 22—24 页。

③ 张进、姚富瑞：《物的伦理性：后人类语境中文艺美学研究的新动向》，《南京社会科学》 2018 年第 7 期，第 119—126 页。

性。"①这类见解是值得重视的。

在社会层面，存在将上述主体、对象和中介整合起来的美学范畴，如市民美学、平民美学、人民美学、大众美学等。这些范畴通常都包含将民众当成创作主体、奉献对象、传承中介等多种含义。作为它们在电影领域的延伸，有大众电影美学等范畴。近年来，电影界尤其重视建设共同体美学。根据饶曙光的阐释，"共同体美学是立足于'我者思维'基础上的'他者思维'，即思考任何问题都考虑到所有'利益攸关方'的感受和诉求，力求通过合作达到和谐，实现共同诉求与利益的最大化。合作、和谐包含了四个层面：第一，要建立有效的沟通渠道和机制；第二，要在有效沟通渠道和机制的基础上进行有效对话，一方面充分表达自己的立场、观点、诉求，另一方面也倾听、了解对方的立场、观点和诉求；第三，在充分对话的基础上以文明互鉴的包容性思维求同存异，尽可能地扩大共同性，降低差异性，以及由于差异性而潜藏的敌对、敌意；第四，以有效的合作尽可能地实现双赢、共赢、多赢"②。从共同体美学的角度研究科幻电影，思路之一是将相关影片的创作者、传播者、鉴赏者都作为共同体成员，探讨他们之间的交往与认同。反过来，在幻想的意义上，科幻电影展示了不同物类之间各美其美、美美与共的可能性和相应的条件，从而丰富了既有共同体美学理论。

二、产品层面：从工具美学到信息美学

在对科幻电影产品层面进行美学研究时，我们将工具美学作为出发点。产品意义上的审美起源于物质生产过程。人类通过运用工具以制造工具将自己从动物界提升出来，并以此确认自己的技能与力量，这就是工具意义上美感的起源。如果将运用的工具视为劳动手段，那么制造新的工具这件事及其意义便构成了劳动的内容，被制造出来的工具则是劳动产品意义上的本体。工具美学就是在对上述过程进行反思的过程中诞生的。当人们将目光由物质产品转向精神产品时，语言就成了最重要的工具。人类正是通过语言以描述语言（"我是这么说的""你是这么说的""他是这么说的"）确立了自我意识。语言作为能指是手段，作为所指是内容，作为符号是本体。在产品的意义上，科幻电影是技术手段、科学内容和类型本

---

① 刘永亮：《后人类语境下科幻电影美学的三个批判维度》，《北京电影学院学报》2019 年第 1 期，第 28—35 页。
② 饶曙光：《新电影市场与共同体美学》，《中国电影市场》2020 年第 11 期，第 4—6 页。

体的统一。这里所说的技术手段既包括使具体影片被制造出来的各种工具，又包括使电影得以呈现为形象的广义语言；科学内容既包括使具体影片得以具备科学性的参照系，又包括这些影片描写的与科学活动有关、被加以审视（甚至批判）的各种现象；类型本体既包括科幻电影作为类型片具备的各种特征（包括取材重点、叙事风格等），又包括具体影片作为胶片、光盘或数据集的实际存在。因此，对科幻电影产品的美学研究可以从多种角度进行。

（一）手段：从置背景到置前景

在手段的意义上，符号、形式等不仅是人类出于特定目的而创造的工具，而且具备自身的存在价值。某些美学家强调美的形式因素（如线条、形体、色彩、声音、文字等要素及其组合），由此形成了形式主义美学。另一些美学家用"情感符号"定义艺术的本质，由此形成了符号论美学。

在手段的意义上，美学有许多范畴可以用来研究电影。例如，与听觉艺术相关的声效美学（声音美学）、静默美学、音乐美学（含钢琴美学）等，与视觉艺术相关的视觉美学、图像美学、色彩美学、线条美学、画面美学、影子美学、意象美学、物象美学、影像美学、构图美学、用光美学、奇观美学、动作美学、镜语美学、立体美学、二次元美学等，与语言艺术相关的语言美学、形式美学、结构美学等，与综合艺术相关的视听美学、媒介美学、影视媒体美学、新媒体（新媒介）美学、数字媒介（数字媒体）美学、数字技术美学、网络美学、互联网美学等。在美学和电影相互渗透的过程中，形成了镜游美学、字幕美学、蒙太奇美学、长镜头美学、3D 电影美学、VR 电影美学、华语电影美学等概念。

在手段的意义上，科幻电影的美至少包含如下不同含义：①源于形象的美。它具体化为影片中的人物、景观等的美，因为寄寓了主创人员的思绪，所以成为传情达意的手段。②源于媒介（指视听信号等）的美。它显示出影片拍摄、虚拟、合成的高超技巧，因为将形象的美载体化，所以成为复制和传播的手段。③源于平台的美。它显示出播放设备（硬件、软件或网站）提供的倍速、回放、全屏、静音、弹幕等功能，成为与观众互动的手段。正如网络文学区别于纸质文学的特性是由网络媒体赋予的那样，科幻电影的上传、下载、互动等功能往往是由平台赋予的。正因为如此，科幻电影可以成为形象美学、媒介美学、平台美学的研究对象。

形象美学关注的是能够引起观者情思变化的客体形态、姿态或相关描写。从形象美学的角度研究科幻电影的成果已有不少，涉及国家形象、性别形象、动物形象、怪物形象、科技形象、机器人形象、外星人形象、义体人形象、人工智能形象等。例如，田茵子、曾一果从技术美学与身体景观的角度分析了科幻电影中的"义体人"形象。他们指出，科幻电影中的"义体人"形象建构了一个神话系统——"义体人"（能指）与"永恒美丽、金刚不坏的理想之躯"（所指）合成了一个新的能指，其所指为"当下身体与物品高度同质化的意识形态"。"义体人"以精美绝伦的机械之躯，将有关"青春崇拜"与"线条控制"的身体美学律令推向极致；其自毁式的暴力展演又书写了一种虚幻的身体解放。机器体系的审美原则与功能主义取向，最终通过这一"身体神话"而深度侵入日常生活。①

媒介美学关注的主要是各类媒介的特性及其对人类审美感知的影响。从媒介美学角度研究科幻电影的成果也已有不少，涉及媒介融合视域下科幻电影的沉浸传播、符号重构与媒介批判，技术媒介的"两副面孔"、科幻片叙事性的跨媒介研究、媒介化时代中国科幻电影的内容生产和传播、当代科幻电影的媒介想象等议题。

平台美学关注的主要是信息服务赖以实现的各种平台的美学价值。从平台美学研究科幻电影的成果多数与网络相关，如电影中的网络科幻、怎样利用网络资源进行创作、从好莱坞科幻电影谈网络时代人与技术的关系、短视频平台中科幻电影的文化参与机制等。

形象美学、媒介美学、平台美学可以在技术美学的意义上统一起来。与其他电影一样，科幻电影是运用一定的技术手段制作的。我们可以只注意它所呈现的形象，不关心这些形象是如何被加工出来的。在这一意义上，技术被置于背景之下。倘若我们改变焦点，关注这些形象赖以制造并呈现的媒介，那么技术就被置于前景之中。

从技术美学的角度研究科幻电影，重点在于影片制作中应用的技术等。正如陈健所说，技术美学是现代美学的组成部分。人们必须考虑如何使技术性和艺术性相结合才能创造出既有使用价值又有审美价值的产品以适应社会生活的需要的新要求，即要求把技术与艺术这两种因素尽可能地结合在一起，并将其完美体现在同一个具体的物上面，使美学与技术达到和谐统一，使物质文明和精神文明密切相关。②姜珊、陈乐指出，从电影诞生至今，每个阶段都伴随着技术美学变革，数字化技术给电影艺术带来

---

① 田茵子、曾一果：《技术美学与身体景观：科幻电影中的"义体人"形象》，《北京电影学院学报》2020年第2期，第58—64页。
② 陈健：《美学与计算机（上）——论计算机技术中的技术美学原则》，《上海微型计算机》1999年第38期，第30页。

了无穷的想象空间和新颖的创作手法。科幻电影在剧情发展的过程中将不同的数字技术融入其中，潜移默化地影响着观众对科幻电影的审美认知、审美心理等美学方面的感受与体验。[①]我们可以从后者把握数字美学的意义。论者多从视觉叙事的角度运用数字美学分析科幻电影。例如，张珂以数字时代的主流美学为评价标准，从视觉建构与叙事内容相结合的角度分析了美国科幻电影《湮灭》（*Annihilation*，2018），指出它以镜头代替对白讲故事、营造氛围，建立角色代入感，描绘最具奇幻之美的 X 空间。[②]鲍远福认为，3D 科幻电影《阿凡达》利用计算机生成图像（computer generated imagery，CGI）技术设计出逼真的虚拟角色和美轮美奂的艺术场景，带给观众全新的视听体验。他从技术与艺术辩证关系的角度系统揭示了它作为视觉艺术的主要特征及自己在数字美学上的探索，认为它不知不觉地开启了一个专属于 CGI 视觉特效的时代。[③]丁勇认为，科幻电影史可以看作是数字技术发展的一面镜子，数字技术能够达到的技术高度决定了科幻电影的美学高度。数字技术是科幻电影创作的有力推手，也是不可或缺的创作工具。"猩球崛起"系列电影是数字技术的产物，在数字技术的强大创造力的推动下塑造了形象逼真的基因改造大猩猩凯撒的形象，以及颇具真实感的电影场景。从前片面追求视觉的奇观性已经成为过去，沉浸式的真实性视觉体验是当下的主流，也是一部电影能够讲好故事、传递情感的重要途径。[④]除了视觉叙事之外，数字美学的核心范畴还有虚拟化、智能化、网络化、定制化等，它们都可以成为分析科幻影片技术性的切入点。

（二）内容：从真理性到谬误性

在基于物质产品的工具美学之中，包含了重视工具外观还是重视工具用途的区分。在基于精神产品的符号美学之中，上述区分演变成形式和内容的差异。

在内容的意义上，美学有许多范畴可以用于研究电影，例如，源于哲学的马克思主义美学、存在主义美学、现象学美学等；源于文艺的自然主

① 姜珊、陈乐：《基于当代科幻电影内涵谈新时代中国化马克思主义科技美学》，《中国电影市场》2020 年第 11 期，第 52—55 页。

② 张珂：《数字时代下〈湮灭〉的美学探源》，《电影文学》2019 年第 6 期，第 142—146 页。

③ 鲍远福：《〈阿凡达〉：3D 影像时代的视觉艺术》，《现代视听》2010 年第 2 期，第 40—43 页。

④ 丁勇：《〈猩球崛起 3：终极之战〉的数字美学》，《电影文学》2018 年第 18 期，第 141—143 页。

义美学、现实主义美学、新现实主义美学、虚构现实主义美学、超现实主义美学、玩世现实主义美学、超级真实主义美学，浪漫主义美学、印象主义美学、极简主义美学等；源于真实性思辨的真实（性）美学、再现美学、表现美学、虚实美学，虚拟美学、幻想美学、假定性美学、后假定性美学，实证美学、纪实（主义）美学、写实（主义）美学等；源于道德性思辨的伦理美学、和谐美学、暴力美学等；源于艺术性思辨的意境美学；等等。在美学和电影研究相互渗透的过程中，产生了乡土电影美学、无情节电影美学等范畴。

就内容而言，科幻电影将科技作为关注的重点。对于它来说，"科技"具备如下不同层次的含义：①作为影片观念参照的科学，一般是暗含的，以探索真理为使命。②影片中人物发明或应用的科技，或者影片表现、议论或反思的科技，都是外显的。③通过影片制作让其内容得以呈现给观众的技术（在媒介即信息的意义上成为内容），这是联系上述二者的纽带，即将暗含与外显联系起来。正因为如此，科幻电影可以成为科学美学、科技美学和技术美学的研究对象。

科学美学是将美学应用于自然科学领域而形成的学科，既研究自然规律体现的自然界的内在美，又研究科学理论体现的理性美。从科学美学的角度研究科幻电影，主要关注作为影片观念参照系的科技，特别是自然规律与科学理论二者在审美感知过程中的统一，以及这种统一蕴含的探索真理、实事求是的精神。从广义上说，相关议题还包括科幻电影可能揭示的自然界的和谐与秩序、科学审美能力的培养等。

科技美学是科学美学和技术美学的合称，理所应当地将科学和技术在审美意义上联系作为议题。科学的使命是认识自然规律、追求自然真理，技术的使命是改造自然以满足人类的需要，它们和自然的关系分别侧重于认识和实践。当科学研究和技术实践活动进入自由创造这一高级层次时，人与自然的主客体关系就有可能进入审美境界。对科学家而言，这意味着真与善达到和谐统一；对工程师而言，这意味着产品的功能性与审美性最大限度地实现了有机统一。①从科技美学的角度研究科幻电影，可以将作为影片观念参照的科学、作为影片制作依托的技术统一起来，进而关注影片描写的科技，在审美的意义上对它们进行分析、评价。

技术美学以研究物质生产和器物文化中有关美学的问题为己任，其目

---

① 潘立勇：《人与自然的主客体关系及其历史发展——科技美学哲学前提的历史考察》，《中共福建省委党校学报》1991 年第 11 期，第 13—16 页。

的之一是将产品设计得既美观又实用。从技术美学的角度研究科幻电影，在狭义上主要关注通过影片制作让其内容得以呈现给观众的技术，在广义上涵盖电影整个生产过程乃至相关产业链涉及的各种技术问题，如电影镜头设计、影视美术设计等，前提是它们对影片的审美特性有影响。

科学以探索真理为目标，但本身并不等于真理。相对而言，科学原理是获得公认的理论，比较接近真理，因此比较有资格充当科普的根据；科学假说则是尚未获得充分验证的设想，在诱导与促进想象方面具备价值。科学领域还有猜想生物（speculative biology）这样的研究对象，假定型生物化学（hypothetical types of biochemistry）这样的分支，难道有人会说"科学也疯狂"。当然，更疯狂的也许是科幻，因为科幻文学、科幻影视、科幻游戏中的想象经常比科学假说更无拘束。值得注意的是，根据两极相通的原理，表面上最疯狂的人也许心底里最理智。某些科幻作品是通过推谬或归谬揭示科学走火入魔的危险，从而唤起人们的警觉的。

（三）本体：从板块化到意脉化

在本体的意义上，美学有如下不同取向：①以美为本。美学源于人们对于自然现象、社会现象和心理现象的审美属性的思考，符合一定审美观念的对象被概括为自然美、社会美、心灵美等范畴。自然美就"自然"而言是指自然界原先就有、非人为或人造、其起源与人无关的，就"美"而言是指人类的审美对象。社会美就"社会"而言是指人类诞生之后才有，属于人为、人造或人之群体的，如社会实践、社会行为等，就"美"而言是指符合人类的审美观念或审美理想。心灵美就"心灵"而言是指存在于人的精神世界，如思想意识、道德情操、智慧才能等，就"美"而言是指集中体现了人的本质力量。以自然美、社会美和心灵美为对象的美学，分别称为"自然美学""社会美学""心灵美学"。这些学科思路通常是以理性主义为主的，更多受到了哲学的影响。②以美感为本，主要研究审美经验、审美情感、审美意志等审美心理过程，审美需要、审美动机、审美目标等审美心理倾向，以及审美能力、审美气质、审美性格等审美心理特征。③以艺术为本。艺术是外延和内涵都相对不确定的范畴，可能是指人类从事的以憧憬、虚构或创造为特征的活动及相应的精神产品，或者是指人类超乎平均水平的精湛技术或技能及相应的物质产品，或者是指上述二者的某种结合以及将它们当成交往手段的相互作用范式。艺术之所以是美的，是因为它们体现了人类的本质力量。在本体的意义上，美学将艺术类别当成细化的依据，由此形成了文学美学（含小说美学、诗歌美学、散文美学等）、艺术美学（含音乐美学、绘画美学、舞蹈美学、雕塑美学、建筑美学、工艺美学、曲艺美学、戏剧美学、摄影美学、电影美学、电视美学、游戏美学等），它们又统称"文艺美学"。对科幻电影进行美学研究，总体上属于第三种取向，当然也可以兼及前两种取向。

在本体的意义上，美学有许多范畴可用于分析电影，如涉及风格的阳刚美学、阴柔美学、荒诞美学、幽默美学、（小）清新美学等，涉及意蕴的悲剧美学、喜剧美学等，涉及样态的美术美学、戏剧美学（含剧作美学）、类型美学、越界美学、动画美学、卡通化美学等。在电影与美学相互渗透的过程中，产生了类型电影美学，相关范畴有爱情电影美学、恐怖电影美学、黑色电影美学、幽玄电影美学、直接电影美学、纪录电影美学、广告（电影）美学、科教电影美学、游戏电影美学、贺岁电影美学、探索电影美学、电影品牌美学、二次元电影美学、口述电影美学、微电影美学等，它们同样可以在科幻电影研究中找到用武之地。

在本体的意义上，科幻电影是以"科幻"为特色、标签或品牌的影片集合体。板块化是上述集合体被纳入学科分类体系的过程，表现为科幻电影在艺术、哲学、文学等门类中找到自己的定位。意脉化是上述集合体和相关作品建立观念联系的过程，表现为科幻电影和科幻美术、科幻音乐、科幻戏剧、科幻游戏等整合成科幻艺术或科幻产业。

在学位授予和人才培养的意义上，目前我国的学科划分为哲学、经济学、法学、教育学、文学、历史学、理学、工学、农学、医学、军事学、管理学、艺术学、交叉学科等门类。科幻电影可以作为故事片在其中找到不同定位。下文以哲学、文学、艺术学、交叉学科为例予以说明，其所对应的是艺术美学、文艺美学、电影美学、科幻美学。

作为故事片，科幻电影是一种艺术作品，因此可以成为哲学门类的艺术美学或文学门类的文艺美学的研究对象。哲学关注世界观和方法论，艺术美学关注美的本质、审美经验和审美心理。因此，从艺术美学的角度研究科幻电影，不仅要重视科幻电影的本体论、认识论与价值论等问题，而且要关注科幻电影呈现的美的特殊性（如各种非人智能体的美等）及与之相联系的特殊审美经验和审美心理。

文学门类关注语言文字的应用，文艺美学关注文艺作品及其创造和接受的审美特性、审美规律。因此，从文艺美学的角度研究科幻电影，不仅要重视科幻电影的语言、形式等问题，而且要关注科幻电影作为类型片的特点，以及它的创作、传播和鉴赏过程中涉及的审美活动。

在我国现行的学科分类体系中，科幻电影美学的上位范畴首先应当是电影美学，往上为电影学，再往上为艺术门类。作为门类的艺术学通常是指研究艺术整体的科学，重点在于艺术的性质、目的、功能和方法等。目前，电影学和戏剧学、电视艺术学合称为"戏剧与影视学"，是研究作为整体的电影的科学，重点在于研究电影的发展过程、审美特性、创作规律、作品分类、社会作用与美学效应等。因此，从电影美学的角度研究科幻电影，不仅应重视科幻电影作为艺术的基本属性（如憧憬性、虚构性和创造性等），而且应重视科幻电影作为电影类型或类型电影的由来、特征、功能等。

顾名思义，作为类型化故事片，科幻电影的特点主要是"科幻"，即与科技有关的想象。作为研究对象的"科幻"并不限于电影学之下的科幻电影，还包括同属艺术门类但属于戏剧学之下的科幻戏剧，属于电视艺术学之下的科幻电视（剧），属于美术学之下的科幻美术（如科幻漫画等），属于音乐学之下的科幻音乐，属于设计学之下的科幻景观设计；包括属于文学门类的科幻小说、科幻散文、科幻诗歌等，属于交叉学科门类的科幻游戏；等等。它们从纵向穿越根据横向知识模块划分的学科体系，形成了可以称为"科幻艺术"的家族。将科幻艺术作为研究对象的美学，称为科幻美学。

科幻美学最初是从科幻文学领域产生的。根据吴岩的研究，科幻文学产生至今已经有近 200 年的历史。科幻理论的发展经历了读者中心、作者中心和学者中心三个发展时期。在西方，比较有影响的科幻理论由美国学者詹姆逊（F. F. Jameson）和出生于克罗地亚的加拿大学者苏恩文提出。他们都强调科幻的内容与形式相互统一，以创意为目的。[①]根据笔者在中国知网的检索，"科幻美学"作为术语在我国出现于 1983 年子维所写的一篇介绍匈牙利科幻小说的文章。[②]我国学者在科幻文学研究中提出或应用了距离美学、自恋美学、规则美学、悖论美学、英雄美学、平面美学[③]、冷酷美学[④]、惊奇感美学[⑤]等概念。科幻美学已经作为研究视角被应

① 吴岩：《科幻理论与创意空间》，《装饰》2012 年第 3 期，第 35—39 页。

② 子维：《匈牙利科幻小说近况》，《外国文学研究》1983 年第 3 期，第 146 页。

③ 林滨：《科幻小说的几种美学形态》，《莆田高等专科学校学报》2001 年第 3 期，第 65—67 页。

④ 王宏：《"刘氏科幻"冷酷美学的节点》，《哈尔滨师范大学社会科学学报》2017 年第 5 期，第 119—121 页。

⑤ 王瑶：《铁笼、破壁与希望的维度——试论刘慈欣科幻创作中的"惊奇感美学"》，《现代中文学刊》2016 年第 5 期，第 95—101 页。

用于美术领域，如胡宁非利用科幻美学分析了科幻漫画等。[①]科幻美学也作为研究视角被应用于电影领域，如丁楠以"疏离"阐述了美国科幻电影《掠食城市》（*Mortal Engines*，2018）等。[②]王思懿以上述范畴分析了美国吉列姆（T. Gilliam）导演的科幻电影的美学风格。[③]反过来，其他领域的科幻研究也为科幻文学研究输送了营养。例如，唐苗以兰顿（B. Landon）在论述科幻电影时提出的矛盾美学分析了科幻文学，重点在于真实与虚构的对立、科技与艺术的对立。[④]

我们必须看到，科幻电影在渊源上有可能从各种学科门类引入相应的知识或技术，在内容上有可能涉及不同学科门类（将这些门类中的矛盾冲突当成题材），在功能上有可能服务于所有学科门类（为它们做宣传）。因此，板块化和意脉化交错发展的结果是科幻电影的普及化。

在产品层面，当下要论能将上述手段、内容和本体整合起来的美学范畴，首先要推信息美学。就手段而言，它运用计算机等设备对人的审美心理进行量化研究，从而继承了实验美学、符号美学的传统。就内容而言，它认为美和艺术都是可以由计算机系统予以辨识和处理的信息集，由此为大数据等技术的应用开拓了空间。就本体而言，它将美学观念运用于计算机系统的设计，由此发展出硬件美学、软件美学、界面美学等分支。从信息美学的角度研究科幻电影，可以沿着上述三种取向运用计算机分析观众对具体影片的心理反应、影片作为文本包含的数据，评价各种播映设备的美学性能。

三、运营层面：从劳动美学到超越美学

从系统观考察美学和科幻理论时，前述社会层面定位于人，产品层面定位于物，下文所说的运营层面将二者结合起来，定位于事。它包含三个要素，即主要体现特定系统之能动性的方式，主要体现特定系统之受动性的环境，以及体现受动性和能动性之统一的机制。在对科幻电影的运营层面进行美学研究时，我们将劳动美学作为出发点。运营意义上的审美起源于精神生产的过程中。精神生产本身是从物质生产中分化出来的，与脑力劳动和体力劳动的分工有关。正如刘月梅所说，"精神生产起源于人所具有的语言、意识以及思维活动。人类大脑的活动是精神生产的雏形，精神

---

① 胡宁非：《真与幻——试论科幻漫画的美学范畴》，《黑河学刊》2009 年第 5 期，第 48—49 页。
② 丁楠：《科幻电影〈掠食城市〉的美学解析》，《电影文学》2019 年第 12 期，第 129—131 页。
③ 王思懿：《特里·吉列姆科幻电影的美学风格》，《电影文学》2017 年第 22 期，第 71—73 页。
④ 唐苗：《现代科幻的矛盾美学》，《安徽文学（下半月）》2008 年第 6 期，第 144—145 页。

生产的相对独立化是脑力劳动和体力劳动分工的继续和深入"。精神生产是全部精神文明建设的基础。没有精神生产，便没有精神文明的存在和发展。[①]人类不仅从事精神生产，而且对精神生产的缘由、过程和效果加以反思，逐渐将作为思维的幻想、作为环境的现实、作为机制的艺术区分开来。艺术源于幻想，但又不仅仅是幻想；艺术源于现实，但又不等于现实；艺术并非人类那样的身体与意识的统一体，却可以创造出宛如人类的形象。因此，它是"不似之似""不实之实""非人之人"。艺术美学就是这样诞生的。

（一）方式：从审美化到工业化

美学理论中存在不少和方式相关的范畴，例如，美的构成方式、生成方式、构建方式、建构方式、建造方式、践行方式、感知方式、观察方式、观看方式、观照方式；美感的表达方式、表述方式、表现方式、阐说方式、陈述方式、呈现方式等；审美的行为方式、话语方式、看人生的方式等；艺术的创新方式、创造方式（创作方式）、存在方式、传播方式、定义方式、发生方式、发展方式、反省方式、书写方式、抒情方式、想象方式、写作方式、欣赏方式、修复方式、叙事方式、叙述方式、制播方式、终结方式、自选方式、组合方式等；美学的教育方式、改革方式、教学方式、沉潜方式、接受方式、结构方式、解读方式、进思方式、考核方式、理解方式、理性方式、培养方式、评估方式、取材方式、诠释方式、入思方式、比较方式、变位方式、提问方式、体道方式、体现方式、显示方式、言道方式、言说方式、研究方式、应用方式、运思方式、运用方式、掌握方式、思维方式、思想（历险）方式、思想方式、实践方式、实现方式等；美学史的书写方式、开启元年的方式；等等。

在方式的意义上，美学有许多范畴可用于分析电影，如源于思维方式的演绎美学、归纳美学等，源于活动方式的实践美学（重客观规律）、后实践美学（重主观精神）、新实践美学（重主客观结合）等，源于交流方式的独白美学、对话美学、抒情美学、叙事美学等，源于创作方式的写意美学、工笔美学、象征美学、隐喻美学等，源于传播方式的表述美学、演讲美学、戏仿美学、改编美学、植入美学等，源于鉴赏方式的静观美学、交互美学等。

---

① 刘月梅：《精神生产：一个相对独立的生产领域》，《河南师范大学学报（哲学社会科学版）》1991年第4期，第21—24页。

　　如前所述，就社会层面而言，科幻电影是由具体影片的创作者、传播者和鉴赏者组成的共同体；就产品层面而言，科幻电影是以科幻创意为龙头的作品集合体，兼有精神产品和物质产品的属性；就运营层面看，审美化主要体现科幻电影作为精神产品的追求，工业化主要体现科幻电影作为物质产品的发展。

　　从美学角度看，科幻电影是由创作、传播和鉴赏等环节构成的过程集合体，每个环节都有与之对应的方式和技巧。科幻电影的创作方式主要有如下来源：①与科幻艺术大背景相适应的各种创作观念，如现实主义、浪漫主义等；②与科幻文学相通的叙事技巧，如对比、夸张等；③与其他类型电影相通的特殊手法，如长镜头、蒙太奇等。科幻电影的传播方式大致可以依行为者区分为人际传播、组织传播、大众传播三类，依媒介性质区分为口头传播、文字传播、印刷传播、电子传播、数字传播五类，依信息运动区分为单向传播、双向传播、多向传播三类。科幻电影的鉴赏方式可以依参与性区分为旁观型、互动型、取代型等，依意向性区分为自居型（以虚为实）、还原型（以实为虚）、超脱型（以虚为虚）等，依反馈性区分为欣赏型、评论型、考据型等。

　　从工业的角度看，科幻电影是由生产、营销和消费等环节构成的过程集合体，每个环节都有与之对应的方式和技巧。科幻电影的生产方式可以依据所有制区分为资本主义生产方式、社会主义生产方式等，根据工业化进展区分为前工业方式、工业方式和后工业方式等，根据主导角色区分为编剧中心制、导演中心制、演员中心制、制片人中心制、投资人中心制等。通常所说的营销方式包括直销、服务营销、体验营销、知识营销、情感营销、教育营销、网络营销、差异化营销等，它们几乎都可以为科幻电影营销利用。科幻电影可以通过嵌入广告等方式为其他产品或商家做营销；反过来，也可以通过发布海报、预告片等方式为自己做营销。科幻电影消费可以依观景者区分为个人消费、群体消费等，依消费地点区分为分散性消费、集中性消费、分布式消费等，依消费效果区分为生产性消费（为制作影片而观影）、娱乐性消费（为消遣而观影）、学习性消费（为求知而观影）等。

　　从工业和美学相结合的角度看，科幻电影立足于面向未来。它以"科幻"当头，将反思科技当成自己的出发点；以"电影"定位，致力于用镜头叙事，并以此作为自己称雄于艺术之林的特色；以"创意"为本，打通过去、当下与未来的界限，使时空真正成为既无边无垠又具备逻辑联系的连续体。①这是科幻电影的特有方式。在数字化条件下，科幻电影和交互美学结下了不解之缘。张文君指出，"人机交互是当代科幻电影中必不可少的一类情节表现形式，集中体现了人类与机器代表的科技的互动关系。科幻电影中的人机交互形式多样化，起到了多样化的功能作用，也在潜移默化中补充了科幻电影的美学内容"②。

（二）环境：从人类世到生态性

美学是在与环境的互动中发展的。与强调观念思辨的理论美学相区别，形成了以研究人类日常生活和物质生产的审美活动为己任的应用美学。后者又产生分化，由此而形成的生活美学将"美"理解为一种生活方式，主张回归生活世界以重构美学；技术美学主要研究物质生产和器物文化中有关美学的问题。技术美学将美学理解为一种生产指南，关注它在各行各业的应用，由此形成了农业美学、工业美学、服务业美学等分支。

在环境的意义上，美学有许多范畴可用于分析电影。除笼统的环境美学之外，还有着眼于人与环境之关系的生态美学、高碳美学、低碳美学等，着眼于环境形态的场景美学、风景美学、园林美学、山水美学等，着眼于环境方位的西部美学等，着眼于时间环境的传统美学、古代美学、近代美学、现代美学、当代美学等，着眼于空间环境的空间美学、流动美学、本土化美学、全球化美学等，着眼于时空环境的时空体美学、叙事时空美学等，着眼于产业环境的商业美学、资本美学等。

通常所说的环境包括自然环境、社会环境和心理环境。其中，社会环境又可以细分为经济环境、政治环境、法律环境等。科幻电影可以对环境加以描写，因而成为环境的映像；可以通过发展产业链构建相应的生态，因而使自己成为环境的一部分；可以向所处的环境寻求支持和保护，同时又受到环境的制约。正因为如此，科幻电影既可以成为环境美学的研究对象，又可纳入与环境相关的各类美学的研究范围，如主要关注自然环境的自然美学，主要关注社会环境的经济美学、政治美学、文化美学，主要关注心理环境的心理美学（即审美心理学）等。

自然美学以自然美为研究对象，关注自然美的存在形态及其向艺术美的转化。从自然美学的角度研究科幻电影，所涉猎的议题有科幻语境中人类对自然审美意识的变化、自然进化和人为进化在审美意义上的区

① 黄鸣奋：《危机叙事》（"科幻电影创意研究系列"之一），中国电影出版社 2019 年版，第1—2页。
② 张文君：《数字时代好莱坞科幻电影的交互美学》，《电影文学》2018 年第 6 期，第22—24页。

别、异星、异世、异时、异类的自然美，人类与自然生命自由发展的关系，等等。

经济美学阐述了生产、流通、消费领域中美的发生、发展的一般规律，可以细分为生产美学、流通美学（商业美学）、消费美学等。从经济美学的角度研究科幻电影，所关注的并不限于投资、营销、收益等纯粹经济的问题，主要着眼点还是耿霞指出的如何不断满足观众的审美趣味，不断与各种文化相融合和碰撞，从而创造属于商业电影自身的美学体系。①

政治美学既关注美学理论的政治意蕴，又关注政治生活的美学奥秘。从政治美学的角度研究科幻电影，经常着眼于与阶级、政权、国家、国际组织以及各种众人之事相关的议题。例如，张兴宇、潘广宇以《流浪地球》为例，将中国科幻电影的美学特质归纳为科学觉醒与思想启蒙、向往归途的家国情怀、命运共同的责任意识。②

文化美学从历史的角度分析东西方审美文化的演变，从逻辑的角度探讨文化与美学的关系，并从历史与逻辑相结合的角度研究跨文化传播中的美学问题。从文化美学角度研究科幻电影，值得关注的议题同样有许多，包括相关影片的基调如何为文化心理所规定，成功的影片又如何影响了文化心理；大师、经典和惯例的地位如何在一定的文化氛围中形成，这些大师、经典和惯例如何引导文化风尚的变革；在科幻语境下呈现的各种文化景观是如何构思出来的，它们又是如何成为跨文化传播的对象的；等等。例如，许林谈道："气势磅礴的卫斯理科幻电影《蓝血人》采取了大众文化语境中的电影叙事策略，从归乡、探险主题到爱情主题，从多元叙事到二元叙事，从悲剧到喜剧，是在人类与星际异类生物相接触的新瓶中，装满了大众文化的老酒，在美学特征上处处呈现出对大众文化的妥协与顺应。"③

心理美学亦称"美的心理学""艺术心理学""实验美学"，其特点是运用现代心理学研究艺术美的创作者与欣赏者的心理过程和心理特征。从心理美学的角度研究科幻电影，可以应用实验方法对科幻电影的编导、观众进行心理研究，也可以采用心理美学的范畴作为文本解析的切入点。

---

① 耿霞：《解构科幻片〈黑豹〉的商业电影美学》，《电影文学》2018 年第 20 期，第 144—146 页。
② 张兴宇、潘广宇：《从〈流浪地球〉看中国科幻电影的美学特质》，《北方传媒研究》2019年第 3 期，第 81—82 页。
③ 许林：《对大众文化的妥协与顺应——卫斯理科幻电影〈蓝血人〉的美学特征》，《电影文学》2008 年第 23 期，第 111—112 页。

上述自然美学、经济美学、政治美学、文化美学、心理美学都可以在生态美学的意义上统一起来。生态美学在本义上是指研究人与自然之间的审美关系的学科，在引申意义上涉及特定对象与所在环境的审美关系，发展出媒介生态美学等分支。从生态美学的角度研究科幻电影，所关注的议题有生态美学观念在科幻电影创作实践中的应用、科幻电影编导的生态关怀、科幻影片中的生态美学思想、生态美学视域下的科幻电影叙事、跨媒介叙事视角下科幻电影的生态美学研究、科幻电影研究的生态美学转型，等等。

（三）机制：从近现代到后末日

所谓"机制"，本来是指机器的构造和工作原理，后被引申到多个领域，泛指各种系统的构成要素之间的联系和作用。笔者将它理解为各种系统与所在环境互动中进行调整的原理和过程。美学领域中有关机制的议题有很多，如美的混沌机制、科学机制、张力机制、冲突机制、融合机制、变形机制、实践机制、超越机制等；美感的原发机制、发生机制、发动机制、成因机制、策动机制、创生机制、创新机制、创造机制、构成机制、结构机制、建构机制、内化机制、移情机制、召唤机制等；审美的物理机制（含时间机制、空间机制、场域机制、映射机制等）、生理机制（含生命机制、生态机制，感官机制、感性机制，神经机制、心脑机制等）、心理机制（含认识机制、认同机制、识解机制、认知的中介机制，感知机制、注意力机制、注意驱动机制，记忆机制、忘却机制，表达机制、语言机制，情感机制、价值机制、崇拜机制、情趣提升机制，意志机制、追求机制、理想的调节机制等）、社会机制（含经济性的生产机制、再生产机制、产业化机制、工业机制、市场机制、定价机制，政治性的参与机制、权力机制，文化性的神话机制、学理机制、教育机制、培养机制、培育机制、育人机制等）；艺术的心理机制（含表达机制、表现机制、传达机制、创作机制，创造机制、抒情机制、思维机制、造美机制、悬念机制、形象化机制，阅读机制、欣赏机制、阐释机制等）、信息机制（含传播机制、接受机制、反馈机制、符号机制、隐喻机制、翻译机制等）、社会机制（含展览机制、制片机制等）、组织机制（含先在机制、源发机制、形成机制、生成机制、生发机制、衍生机制、转换机制、转化机制、演变机制、动力机制、运行机制、引导机制、作用机制、长效机制、调节机制、选择机制、防御机制等）。

美学有其发展机制，例如，将自身纳入涵盖范围更大的新系统，以形成原有美学的新定位；提升先前某个范畴、某种对象的地位，以形成新的美学分支；促进与其他学科之间的相互渗透，实现美学观念的创新；等等。正因为上述机制起作用的缘故，如今美学已经是一个相当复杂的体系，不仅名目繁多，而且在不断更新。

在机制的意义上，美学有许多范畴可用于分析电影，如着眼于学科交叉的哲学美学、伦理美学、法律美学等，着眼于范式嬗变的前现代美学、现代美学、后现代美学等，着眼于美学地位的主流美学、新主流美学、主旋律美学，着眼于美学自身的美学背弃、美学消亡、美学困境、美学缺失，美学开拓、美学畸变、美学流变、美学转向，美学形态、美学标准、美学法则、美学效应，着眼于辩证关系的兼容美学、张力美学、多样（多元）美学、二元对立美学，着眼于电影的基础电影美学、电影美学史，等等。科幻电影研究既是人类经验的升华，又是对各种理论的贯彻，因而可以成为经验美学、理论美学的例证；既包含对宏观世界的想象，又包含对微观世界的猜测，因而可以为宏观美学、微观美学提供个案。

就发展而言，科幻电影已经拥有 100 多年的历史，经历过人类社会从近现代向后现代的转变，因而可以成为现代美学或后现代美学的研究对象。据万象客的看法，作为后现代主义的一个有机组成部分，作为当代西方具有广泛影响力的一股重要美学思潮，后现代美学是以西方传统美学的否定者的身份出场的，也正是这一否定构成了后现代美学的主要理论内容。它的要点有五个：①对美学权威的挑战；②对艺术与非艺术对立的消解；③对再现论的否定；④折中主义的美学原则；⑤对不确定性的追求。[①]从后现代美学的角度研究科幻电影，可能要关注它在电影史上具有的解放意义，包括使非人智能体以科技进步的名义从人类中心主义的压制下解放出来，使非西方的审美文化以另类生命（如外星人等）的相貌从西方中心论的压迫下解放出来，使传统电影的现实关怀以穿越时空的运动从社会约束中解放出来，等等。在对未来的思考中，科幻电影将目光投向后现代，勾勒了各种乌托邦或恶托邦的远景，其中不乏后末日或后天启（the post-apocalyptic）想象，这为未来美学创新准备了条件。

在对科幻电影运营层面进行美学研究时，我们将劳动美学作为出发点，将超越美学作为旨归。要论能够在运营层面将上述方式、环境、机制三要素整合起来的美学范畴，不能不想到"超越"。根据杨春时的分析，

---

① 万象客：《后现代美学》，《国外社会科学》1994 年第 2 期，第 31—36 页。

审美的超越性体现为对现实、现实意义和理性的超越。他因此主张超越实践美学，建立超越美学。①代迅则指出，作为马克思所说的"自由的精神生产"的文学艺术建构的梦幻与乌托邦，实际上是人的超越性自由品格的投射与延伸。"文学艺术因此而成为现实社会生活发展过程中一种激进的革命性力量，历史上一切优秀的文学艺术的社会意义正在于此，它鼓舞着人们向着这个乌托邦世界所描绘的美好前景跨步和翱翔。从这个意义上讲，和我们通常理解的相反，人们不是根据现实来创造了文学艺术，而是根据文学艺术来塑造了现实。"②杜正华、刘超指出，"作为自由的生存方式，审美把自由还给了人，也还给了世界本身，即创造了自由的审美主体和自由的审美对象，同时审美还创造了自由的人与世界的关系。因此，自由的生存方式主要具有三方面含义：即在审美中，人是自由的，世界是自由的，人与世界的关系是自由的"③。"超越"既是一种力求摆脱现实束缚的思维方式，又在实践中发展出了引领对环境的改造的作用，还体现了人类争取自由的机制。与此相适应，运用超越美学来研究科幻电影，可以揭示相关影片如何在想象中进行摆脱现实束缚的构思、在实践中激发观众改造现实的热情、在想象和现实相统一的意义上为未来设定自由发展的目标，等等。

在从社会层面、产品层面和运营层面论述中国科幻电影的美学研究时，我们分别将交往美学、工具美学、劳动美学作为理论起点，将共同体美学、信息美学、超越美学作为学术旨归。这大致反映了美学本身演进和分合的过程，但并不意味着它的终结。如果说早期人类通过交往制造劳动工具，以此将自己的本质力量对象化是美学观念最初的渊源的话，那么人类在信息时代建构命运共同体以实现对自由的追求，则是美学理论现阶段的要旨。作为艺术作品，科幻电影为美学的上述发展提供了丰富的实例，自身则因为引入美学阐释而彰显了其意义。中国科幻电影的美学研究既是中国学者运用美学理论研究科幻电影的过程，又是中国科幻电影成为美学研究对象的过程，同时还是以科幻电影为例证建构有中国特色的美学理论的过程。

相对于传统电影美学而言，科幻电影美学研究至少可能有如下三种取向：①科幻电影呈现的美。例如，在后人类背景下，我们如何欣赏科幻电

---

① 杨春时：《超越实践美学 建立超越美学》，《社会科学战线》1994 年第 1 期，第 48—53 页。

② 代迅：《日常生活与审美超越——超越美学论》，《文艺评论》2002 年第 4 期，第 10—16 页。

③ 杜正华、刘超：《论超越美学的自由观》，《贵州师范大学学报（社会科学版）》2013 年第 2 期，第 114—118 页。

影呈现的变种人、机器人、类智人的美，这些非人类智能体的美具备什么价值属性，等等。这类研究属于后人类美学范畴。②科幻电影作为艺术的特征与定位。科幻是科技与艺术相互渗透的产物，既将科技作为参考系而有别于其他幻想性电影（如魔幻电影、奇幻电影等），又将幻想作为表征而有别于科普电影。③科幻电影审美经验和审美心理的特点与定位。科幻电影虽然不乏小制作，但其代表作以大片为主；虽然可以在桌面上播放或者通过电视机和各种移动终端观看，但其最佳效果必须在设备完善的高档影院才能充分呈现。正因为如此，我们可以从生活美学、工业美学等不同视角对科幻电影加以研究。与国产科幻电影工业化相适应，目前值得重视的是后工业时代的科幻电影美学。

第二节　科幻电影视野下的美学

为什么要研究科幻电影视野下的美学？这是建构科幻电影美学的需要。上述建构不仅意味着要运用既有美学理论研究层出不穷的科幻片，而且意味着要通过科幻片的奇思妙想来展示美学观念。美学以研究美、艺术和审美为己任。作为一种理论，它可以成为科幻电影的参照系，为有关美、艺术和审美的描写提供指南。反过来，科幻电影可以将美学纳入自己的题材范围，塑造美学家的形象，构思各种与美学研究、美学评价、美学应用等相关的故事，从而成为美学建设的重要资源。如何将美学置于科幻电影视野下加以研究呢？这意味着要关注美学议题在科幻电影中的延伸，亦即美、艺术和审美从现实语境到科幻语境的嬗变；从科幻电影出发，将美学视为包含复杂构成的思想体系，认同、趋向作为整体的美学（以研究美的规律为己任的学科）、作为分支的美学（由具体范畴标示）或作为系统（由社会层面、产品层面、运营层面构成的特色学科共同体）的美学，并将它作为自己创作、传播和鉴赏的主观镜头。这是建构科幻电影美学的重要切入点。下文主要以国产科幻电影为例予以说明。

一、科幻电影视野下的美

在美学界，"美"是众说纷纭的范畴。至少存在三种值得重视的观点，即"美是人的本质力量的对象化""美是普遍快感的对象""极致为美"。当科幻电影将视野聚焦于美的主体、对象与中介时，上述观念可以成为参照系。

（一）潜能：作为本质力量的美

从人的本质力量把握美之要旨，这种观念可以追溯到马克思的《1844年经济学哲学手稿》。[①]但是，马克思没有直接给出"美是人的本质力量的对象化"的结论。在我国，李泽厚率先用上述经典著作中"人的本质力量的对象化"的观点来解释美的本质问题。[②]1984年，楼昔勇发表了题为《美是人的本质力量的感性显现》的文章。[③]蒋孔阳率先提出"美是人的本质力量的对象化"的命题。他指出，"美离不开人，因而美的本质离不开人的本质。但抽象的人的本质概念，不能成为美；人的本质转化为具体的生命力量，在'人化的自然'中实现出来，对象化为自由的形象，这时才美"[④]。在电影界，人们应用"本质力量"的范畴来解释技术美。例如，陈林侠指出，"技术美与'拍摄对象是否美'并没有必然关系，而是运用技术的过程展现出的精神的自由与愉悦产生了美。作为电影工业的核心构成，影视技术自身并不是由于表达、呈现了具有美的性质的对象、内容，就自动产生了技术美，而是在运用影视技术的过程中，体现出人类创造技术的本质性力量，融入了与人的存在相关的'自然规律'与'伦理规范'，内在地生成、创造出了美，这才是技术美学、电影工业美学"[⑤]。

如果将"美"理解为人的本质力量的对象化，那么作为其子类的艺术美可以界定为人的本质力量的艺术表现。例如，《我是外星人》（2010）描写了陕北农村10岁男孩李天游幻想当宇航员，到月球找妈妈。"李天游"这个名字既暗示他一心想飞向太空，又和西北民歌信天游相关，甚至可以说整部影片都是根据"信天游"的字面意义构思的——李天游相信自己能够当宇航员飞向太空，编导致力于揭示他这样想的原因（母亲早逝，长辈告诉他说母亲在月球），并将这种动机置于和现实处境的矛盾中编撰情节（他在乡下是差生，父亲让他转学到县城。他因认为外星飞船不会降落县城而拒绝，自此认真学习）。为了彰显信天游作为民歌的含义，编导设置了来自京城、想当专业录音师的摇滚乐队艺术助理美音这一角色，让

① 蒋孔阳：《美和美的创造》，《学术月刊》1980年第3期，第1—10页。
② 东方牧、周均平：《近年来关于马克思〈1844年经济学-哲学手稿〉中的美学思想问题讨论综述》，《山东师范大学学报（哲学社会科学版）》1983年第2期，第74—77页。
③ 楼昔勇：《美是人的本质力量的感性显现》，《河北大学学报（哲学社会科学版）》1984年第3期，第110—118页。
④ 蒋孔阳：《美是人的本质力量的对象化（上）》，《文艺理论研究》1987年第5期，第2—8页。
⑤ 陈林侠：《"电影工业美学"的学理、现实依据及其愿景》，《艺术百家》2020年第2期，第68—73、144页。

她与李天游为友。他因为体检查出色盲而沮丧，她安慰他说："你有歌声，歌声可以带你上太空。我们国家第一颗人造卫星就是唱着《东方红》上太空。这是根据陕北民歌《骑白马》改编的。"经过努力，李天游的梦想成真，为祖国的航天事业做出贡献。

科幻电影超出人类中心主义的视野，在更广阔的范围内对作为本质力量的美加以探索和表现。例如，我国的《魔翡翠》中的外星人通过脑电波的形式对地球人说话，因此任何国籍的人都能听懂。他宣称："我是另一个银河系的探险家，2000 年前到地球后飞船坏了，只好造了基地。这里的人当我是神，我按地球人的模样造了最完美的形象给他们，这就是维纳斯爱神。"照此来说，除地球人之外，外星人也可能将自己的本质力量对象化。不仅如此，外星人还可能迎合地球人的心理需要，创造出令地球人顶礼膜拜的"最完美的形象"。又如，《超能疯人院》描写了光卓星球人洋洋来地球之后，对少女曼曼产生好感。他们因车坏了露宿，一同在野外烤火。他用手指套住月亮，将影像圈了下来，送给曼曼，并说："每个光卓星球的人都有一个月亮陪伴他。你想见到它，它就会出现。"曼曼说："这是你的月亮吧。"洋洋说："我把它送给你了。你比我更需要它。"洋洋在告别曼曼回母星时，让曼曼保管好月亮，他说自己还会回来的。制作该片的昆明光卓传媒有限公司将其名称"光卓"星球化，为洋洋的来历做了铺垫。洋洋通过圈下月亮之影表现了自己异乎寻常的本质力量，做了地球人无法做到的事情——"掌中圈月"。情节之内的曼曼和情节之外的观众都可能欣赏由此产生的月影之美，进而相信洋洋拥有神奇的本领。

迄今为止，地外天体是否存在可以称为"人"的智慧生命的问题，仍悬而未决。科幻电影有关外星人的描写纯粹是出自想象。这种想象主要是沿着下述思路进行的：如果地外天体存在类似于地球人的智慧生命，那么他们必然与地球人一样拥有自己的本质力量，也一样能够创造作为其本质力量对象化的美。同为智慧生命，外星人和地球人可以共享类似的审美观念，不仅按照自己的尺度创造美的形象，而且可以按照对方的尺度创造美的形象。在无证据可以确认外星人存在的情况下，科幻电影做出这样的想象是一种"递归美学"。作为编程技巧，递归的特点是程序在运行的过程中调用自己。科幻电影编导有关非人智能体的想象同样是"在运行的过程中调用自己"，即以人的本质力量去构思非人智能体的本质力量。不仅如此，科幻电影还描写了不同智慧生命的本质力量在艺术领域的碰撞。例如，《国民女团》（2017）描写的是外星怪兽化身女子艺术团，想通过全球直播演唱来征服人类，将粉丝诱入奴隶地位。在《外星人事件》中，某工厂派到龙潭村扶贫的业务经理赵志富结交了因飞船迫降而成为不速之客的外星人，与之签订互助合同，并举办联欢晚会。赵志富想借此机会弘扬地球文化软实力，在晚会上表演了自编节目，还有现代芭蕾。不过，这两部影片并没有将星际艺术交流所能发挥的作用夸大化。外星艺术团的阴谋最终破产，赵志富也未能靠艺术联欢将外星人争取过来。由此看来，软实力还是需要以硬实力作为后盾的。

（二）刺激：作为快感来源的美

康德说："审美趣味是一种不凭任何利害计较而单凭快感或不快感来对一个对象或一种形象显现方式进行判断的能力。这样一种快感的对象就是美的。"[1]受此启发，祈志祥做出了"美是普遍快感的对象"的判断。[2]他认为，"在原始审美经验中，人们把引起愉快的对象称作'美'。其后，人们意识到对官能快感的过度追求会导致负面后果，进而将'美'限定为'有价值'的快感对象。快感对象的范围包括五觉快感对象的形式美和心灵愉悦对象的内涵美"[3]。

什么是快感？它是一种愉快或舒服的感觉，若由外界刺激引发，可以称为"愉悦反应"。人类的快感来源不一，并不局限于美。我国短片《吃纸的人》（2013）中的主角叶南有异能，只要吃掉纸，就可以记住纸上的内容。他不仅能通过吃纸获得精神快感，而且能获得身体快感。我国的《拳神》描写了开发大脑"上帝禁区"带来的快感，从 10%走向 100%，仿佛是从人变成神。《超能嗨战队》（2017）所说的"嗨状态"是头脑神经在受到极限阈值的刺激时达到的一种快感，在喝酒、跳舞和性交时都可能体验到。《生化英雄之夺魂》描写了注射基因重组药物后体验到的快感与狂暴。因此，不能仅仅从快感去理解美，美所引发的应当是有益身心的快感。就此而言，美、善是统一的。

如果将"美"定义为快感来源，那么"美人"就是在观者心目中唤起愉悦反应的人。科幻电影引导观众扩展对"美人"的欣赏范围。例如，《卫斯理之蓝血人》描写了美丽的外星人来地球寻找兄弟。《鲸鱼座》（2009）描写了美丽的变种人（背上长鱼鳍）加入游泳队。我国短片《程序恋人》描绘了近乎完美的智能人——设计师德米。她不仅貌美如花、才

---

[1] 转引自：朱光潜：《西方美学史（下册）》，长江文艺出版社 2019 年版，第 283 页。
[2] 祁志祥：《论美是普遍快感的对象》，《学术月刊》1998 年 第 1 期，第 49—50 页。
[3] 祁志祥：《美的特殊语义——美是有价值的五官快感对象和心灵愉悦对象》，《学习与探索》2013 年第 9 期，第 143—150 页。

智出众，而且严格遵守阿西莫夫提出的机器人三定律中的规定，在察觉现场有人类受到枪击威胁时挺身而出挡子弹。除"美人"之外，科幻电影还有许多和"美"有关的想象，如《梦回金沙城》描绘的美丽而神奇的金沙古国，短片《郦语的一个微秒》（2012）描写的是女生郦语冒着无法返回的危险乘时间机器去寻找男友洪飞的美好回忆，短片《孤者定律》（2012）中看起来很美的微连续理论，等等。它们之所以"美"，同样是因为可以唤起人的愉悦反应。

如果将"美"视为快感来源，那么艺术美就是在观者心目中唤起愉悦反应的艺术属性。正因为如此，《所爱非人》描写了机器人附庸风雅，陪女主人去看艺术展，说："你喜欢，我也喜欢。"拟人性是艺术美最重要的特点之一。科幻电影中有关外星人、机器人等非人智能体具备类似于人类的美的描写，就是拟人性的表现。在地球上的芸芸众生中，只有人类进化成了万物之灵。因此，根据形式与内容相统一、外观与意蕴相统一、身体与智慧相统一之类的观念，如果异源智能体希望成为地球上的智慧生命，那么其很可能必须取类似于人的形态。即使原来不像，在地球上生活久了也会变得很像。推而广之，如果其他类地天体中诞生了可以和人类相媲美的智慧生命，那么其很可能和地球人是异质同构的，因为地球人的身体经过了"物竞天择，适者生存"的考验，被证明是非常合理的。当然，根据美的多样性原则，也许地外生命各有其美、各享其美。

在现实语境中，有三条规律经常对人际吸引起作用，即相似律、对比律和邻近律。因为彼此相似（起码都是地球人），所以有共同语言（广义），便于沟通。差异固然会妨碍交往，但如果差异大到形成对比，反而可能会在两极相通的条件下实现互补。相互邻近可以降低交往的成本，增加互动的频率，使喜欢变成更加喜欢。在科幻语境中，人们根据类似的原则塑造了异类生命的美。例如，在动画片《烈阳天道》中，年轻貌美、打扮时尚的 23 岁公主蕾娜继承王位，当了天道星的主神，这让争强好胜却又被迫隐姓埋名充当地球守护神的孙悟空怎么受得了（对比律）。但他们都有爱地球人的一面，斗而不破，共同对付饕餮（相似律）。蕾娜作为外援来到地球，担任雄兵连的队长（邻近律）。她在舞台上表演，热情奔放，体现了作为"太阳之光"的特点。孙悟空感叹队里的年轻人受不了这种热情。

美的观念受制于社会历史条件。因此，在强调集体主义的共同体中，张扬个性的行为被认为不美；在强调个人主义的共同体中，泯灭个性的行为被认为不美，这可以被理解为相似律的特殊表现。物质匮乏时代以丰满为美，物质充裕时代以苗条为美，艺术稀罕时代以静观为美，艺术冗余时代以交互为美，这可以理解为对比律的特殊表现。对于良辰美景，我们乐于处身其中，对于灾难动乱，我们希望离远一点，这可以理解为邻近律的特殊表现。

对美的认知受制于当事人的心境。就此而言，"美"是一种力求使主观心境与外界态势相投契的定位。当你认知外界态势时，觉得它们与自己的主观心境相互印证、彼此激发，因此有意识地加以体验，达到某种共鸣，这就是对"美"的欣赏。当你认定自己的主观心境很有价值时，试图以之投射于外界态势，或者努力用它来改造外界态势，这就是对"美"的创造。在构成主观心境的众多因素中，最重要的是关于美的理想，即审美理想。在构成外界态势的众多因素中，最重要的是创造美的境界。美的理想和美的境界相互融合，这是艺术和人生追求的目标。与"美"相对立的范畴是"丑"，亦即意识到主观心境与外界态势相冲突的定位。如果外界态势和主观心境相冲突，或者主观心境无法顺利地对象化于外界态势，那就产生了"丑"的感觉。"丑化"是因为存在心理冲突而有意识地将美说成不美，"美化"是因为存在心理需求而有意识地将不美变成（或说成）美，很多科幻电影对美丑关系予以了关注。例如，《我的麻烦老友》（2003）描写了某公司推销员甘小文在想象中见到一个像自己又比自己苍老、自称是甘小文之良心的人。甘小文不以为然地说："我从来没有良心。"他问对方为什么长得这么丑，对方将责任归于甘小文本人，并说："我本来美丽纯洁、人见人爱，但你除了好事什么都做。若不悔改，你我都会死。"这成为甘小文弃旧图新的契机。

（三）目标：作为极致观念的美

"极致"通常是褒义词，意为到达顶点、做得最好、表现最出色等。对于极致之美的追求，可以溯源到古希腊的人文主义教育。[①]在现代电影史上，法国后新浪潮电影形成了"极致美学"，要旨是令人震慑的影像。[②]

极致意义上的美是介于主体作为本质力量的美和作为对象快感来源的美之间的中介性范畴。它可以是一种物我交融、主客合一的状态。《玛德2号》（2013）描写了单亲妈妈曹宜为谋生整天工作。帅哥小铁收到阿姨

---

① 陈晨：《追求极致之美：古希腊人文主义教育情怀》，《大学教育》2015年第1期，第99—100页。

② 汪方华：《极致为美——现代电影的美学原则》，《中国青年政治学院学报》2009年第1期，第112—116页。

寄来的糖，若有所思地对曹宜说："阿姨就像我的妈妈，又像我的姐姐。她没有结婚，也是单身一人。从侧面看，你和她很像，都有一种温柔的美。忘记自己的美的人才是最美的，这在当妈妈的人身上出现。"该片还有体现人机类比的镜头。曹宜对闺蜜说："我不是人，是机器人。"闺蜜说："若说机器人，我是最美的一个。"曹宜又说："我是打不死的小强。"闺蜜要曹宜和她一起高呼："女人当自强！"成人之美者，因成人而美，因忘己之美而成其大美，小铁心目中的曹宜就是如此。曹宜已经忙到连自己的美都忘记的地步，因此说自己是机器人；她的孩子小虎从电视剧中看到母亲 2 号机器人由于过度使用而损坏，因此担心曹宜也会发生故障。曹宜作为母亲体现了极致意义上的美。在《超能联盟之葫芦战队》（2017）中，一群孩子因为阻停列车、拯救千人而被誉为"最美少年"。他们作为侠客同样体现了极致意义上的美。

　　极致观念的美不仅见于人物的心灵，而且见于人物的容貌。例如，《外星人》中的来自外星的亨利说地球人凯西是自己见过的最美的女子。《天堂计划》中的杨晓说："这条河里睡着最美丽的女人。"还有不少由极致观念的美衍生的观念，例如，《克塞之战》（2018）的主角沐桑准备"去寻找我们最美好的记忆"。《幻界游戏王》的主角吴明回想起了和妈妈在一起的温馨，认为"这是我一生中最美好的时光"。《星际流浪》中的平民科学家将女友诺兰视为他一生中最美好的回忆。《最后的日出》中的人工智能程序告诉主角孙炀："你隔壁邻居家有扇窗户，那里可以看到最美丽的日出。"

　　作为极致的美可以称为"最美"，它和"善"是相通的，但并非没有缺点。与之相关的范畴是"完美"，即具备应当有的全部肯定性特征。主体使自己的本质力量充分对象化，可以称为"完美"；对象没有任何缺陷或漏洞，令主体感到非常满意，也可以称为"完美"。因此，"完美"是体现主体与对象交融的中介性范畴。

　　如果将艺术美理解为极致，那么它可以从主体的角度被理解为充分发挥自身潜能带来的高峰体验，可以从对象的角度理解为因其创造性无与伦比引发的高度愉悦，也可以从主体与对象相结合的角度理解为"艺之至者可通神"。我国台湾地区的《关公大战外星人》（1976）为此提供了生动的例证。该片中的赵先生长期从事神像雕刻。儿子超群强调："如今科学昌明，你刻这玩意儿没用。"赵先生说："你怎么可称神像是'这玩意儿'？"怫然不悦。女儿纯兰打圆场，说超群不应以科学为尺度否认艺术的价值，不能以时效和实用来批判艺术价值。同时，又劝赵先生说不必务求完整，有许多艺术品虽然不完整却有魅力。赵先生说："完美时神灵会再现，产生无比的神力。"超群出门后对女友说父亲工作太累，得了幻想症。父亲则在家中质疑："科学家可证明没有神灵？超群怎么容不下爸爸的想法？"上述争论中的"神灵"并非支配人的命运的超验存在物，而是艺术家发挥其本质力量所创造的超性存在物。它不同于科技产品，又胜于科技产品，在人类无法凭科技打败外星入侵者时力挽狂澜于既倒（关公神像显灵）。

俗话说："金无足赤，人无完人。"由此看来，"完美"带有理想化的性质。"完美"可以是当事人追求的一种肯定性目标。例如，在《再生勇士》中，歹徒元安将科学家李民抓来，对其说："我的理想与你殊途同归，要把人类改造得更完美。伟大的计划。你改写基因，让我觉得自己原先用生物芯片植入控制显得太原始。你的方法是从根本上解决问题。"李民拒绝与他合作。又如，《蜜桃成熟时33D》（2011）描写的是未来联合国女孩回到2011年寻找完美精子，以挽救人类生育危机。"完美"也可以是当事人认定的一种肯定性效果。例如，我国短片《Parapax》以女主角的三重身份展示作为元科幻特征的量子态，其中一种身份是克隆人。该片始于她在手术台上醒来的镜头，配有实验室里关于克隆背景的对话："一切都复制得完美无缺。""完美"还可以是当事人所主张的一种辩证的否定。例如，短片《完美离婚法》（2014）构想政府要求申请离婚的夫妇在自己的大脑中植入芯片，以检验他们是否还相爱，若确实已经没有感情，才准予办理离婚手续，因为离婚是对爱情的否定。称上述方法为"完美"，实际上包含了尽量避免离婚的考虑，因此是一种辩证的否定。短片《迷失的一半》表达了完美男友不可得的遗憾。在该片中，妙龄女子淑敏通过专业公司寻找心仪的完美男子张浩，被告知此人居然是人工智能司机。她为了和正开车的张浩合影而引发交通事故，在专卖店修好了汽车，连带调换了新司机，因此淑敏再也无法见到自己的心上人。这部电影以肯定完美男友的存在为叙事出发点，以表达完美男友实际上不可得的遗憾结束，也是一种辩证的否定。在上述四部影片中，"完美"涉及的都是科幻情境，具体项目包括人体克隆、人类基因改造、通过芯片植入控制人脑、让智能机器人开车上路等，目前都有可能因为触碰人伦底线而被禁止。由此看来，"完美"未必是真的，可以非常科幻，却未必是善的。

在《所爱非人》中，作为主角的科学家认为，如果完美机器人意识到次等级机器人和自己不一样，那就证明其有了自我意识。根据"两极相通"的规律，"完美"有可能朝对立面转化。例如，在《舰姬》（2016）

中，拍卖场中出现了"所有病毒都支持的完美实验母体"。在《微天堂》（2016）中，人工智能 GM 自认为通过杀掉"坏人"创造了完美世界。在动画片《吃货宇宙》（2018）中，通吃星球邀请其他星球的人去进行完美改造，妄想通过科技使美食星球上所有居民同质化，成为流水线上复制的"肉丸"，以便自己实施统治。在《末日玩家》（2019）中，世界大战导致人类末日来临，AI 控制的圣廷诞生，其首领是雌雄同体的千灵圣女。她将社会划分为孵化区和完美世界，让人类幸存者佩戴手环以测定心灵值，达标者可前往完美世界，否则只能在孵化区度过余生。完美世界是一种吸引人类幸存者归顺和同化的"玄区"。它作为高楼林立的都市与集中营式的孵化区隔水相望，唤起蛰居者的憧憬和追求。在上述四部影片中，"完美"都转化成了自己的对立面，至少对于人类来说是如此。

对于"美"，不乏见仁见智之谈。上文着重分析了有关"美"的三种最常见的观念在科幻语境中的表现。这些观念可以在"美是生活"的命题中获得统一。车尔尼雪夫斯基说："任何事物，凡是我们在那里面看得见依照我们的理解应当如此的生活，那就是美的；任何东西，凡是显示出生活或使我们想起生活的，那就是美的。"①在上述界定中，"我们"是主体，"事物"是对象，"生活"是中介。对生活做出"应当如此"的判断，体现了人作为万物之灵的本质力量；事物使我们看得见应当如此的生活，体现了它们作为快感来源的属性；生活既是人的存在，又是事物的意蕴，包含了人对于极致的追求（更美好、更理想等）。科幻电影将"美是人的生活"的适用范围从人类扩展到非人智能体，从此岸世界扩展到异度时空，大大丰富了美学的内容。

二、科幻电影视野下的艺术

"艺术"和"美"有密切联系。在发生学的意义上，当人们试图通过外化的方式来表现自己作为主体的本质力量时，所影响（或用于影响）的物成为艺术手段。当人们试图通过内化的方式反映作为快感来源的对象时，所萌生的情思成为艺术内容。当人们试图通过内外合一、物我交融的方式创造新的存在时，所创造的作品成为艺术本体。下文所说的艺术工具、艺术情思、艺术作品正是艺术手段、艺术内容和艺术本体的具体化。

---

① 〔俄〕车尔尼雪夫斯基：《艺术与现实的审美关系》，周扬译，人民文学出版社 1979 年版，第 6 页。

（一）关于艺术工具

所谓"艺术工具"，是艺术手段最重要的组成部分，相对于艺术材料而言。它至少包含三种可能的含义：一是指将艺术当成工具；二是指艺术所需要的工具；三是指艺术所表现或创造的工具。就第一种含义而言，艺术被当成"敲门砖"。真正的艺术家达到忘我境界，以艺术为目的（即人生价值之所在），超越了上述限制。就第二种含义而言，艺术生产需要各种具体工具的支持。就第三种含义而言，艺术家可以对各种想到的工具加以描写。它们都被科幻电影所关注。

《疯狂的兔子》（1997）包含了与第一种含义对应的科幻情节，涉及被当成工具的艺术。西伯尔星人劫持地球上的儿童豆豆，改变其大脑，派他以李大米为名携带神奇的游戏光盘回学校。游戏若中断，玩家只要喊五声"疯狂的兔子"，就可以重新开始，但大脑亦受控制。其邻居、学姐然然因遭到"兔子"化的同学们欺凌而痛哭，李大米被触动。外星人因担心他泄密而将其大脑格式化。然然认定他就是豆豆，央求科学怪人孟博士挽救他，自己为此甘当实验品。李大米获得然然输给的记忆后苏醒为豆豆。在本例中，游戏成为外星人控制地球人的艺术工具。

《我的外星人舅舅》包含了与上述第二种含义对应的科幻情节，涉及对艺术所需要的工具的夸张描写。普罗米欧拉尔星球来了两个不速之客，要将其外甥、地球牛家村的丁小八带回去。在丁小八的恳求下，他们答应在地球玩几天，用猜彩票的方法帮助丁小八发财，通过芯片植入帮助他获得文化素质和艺术特长。丁小八追求舞蹈演员杨美翻，希望自己也能有艺术气质。于是，两个舅舅将一块芯片装进他的大脑，丁小八因此会弹钢琴、画画，赢得了杨美翻的芳心。杰森率领一批打手攻击丁小八，殴打他，导致丁小八的芯片脱落。他因此什么艺术才能都没有了，履行不了演出合同，在钢琴演奏会上当场出丑。杰森登台，声称丁小八抄袭其作品的创意。在本例中，芯片是艺术所需要的工具（对丁小八而言）。

《黑洞来的那一夜》包含了与上述第三种含义对应的科幻情节，涉及对艺术所创造的工具的大胆想象。中国留学生松松画出具备神奇功能的黑洞，它贴靠上的任何东西都可以让人的手伸进去，什么样的锁都防不住，无论是珠宝店还是银行都能去偷。洛杉矶黑帮老二刘枫因此绑架松松的女友，要松松带黑洞画本来换。松松虽然是一介书生，但很有头脑，运用黑洞的延时效应引刘枫及其手下落入陷阱，解救了女友。

（二）关于艺术情思

所谓"艺术情思"，是艺术内容最重要的组成部分，和艺术叙事相对而言。它至少包含三种可能的解释：一是想成为艺术家的情思；二是作为创作动机的情思；三是被当成艺术议题的情思。

成为艺术家，可能是学有余力者的业余目标，也可能是人生困顿者摆脱现状的执着梦想。《觉醒：仿生浩劫》中的富二代郑浩不喜欢经营企业，而是爱好艺术，因此他曾对其手下阿坤大谈艺术需要想象力，要将光滑平整的楼面想象成湖面，这是前一种情况。下述影片所设想的则是后一种情况。在《北海怪兽》中，北京无业青年塔南对邂逅的少女说自己的梦想是成为伟大的艺术家，如今却无所事事。少女安慰他说："年轻就应当无所事事，头脑里有乱七八糟的东西就充实。"在《变身男女》（2012）中，电台编辑单民一紧张就结巴，却渴望成为音乐节目 DJ。在《异能超模》（2017）中，艾乐乐长相普通，但梦想当超模。《AI 女友》中的一位店员将追求音乐作为自己最大的梦想。《请叫我救世主》中的郑好决定坚持读完大学，再开始追求音乐梦想。在《无名者传说 I：异能觉醒》（2017）中，路阳为了成全女友芳芳学音乐的梦想，辍学打工，但后来她没考上音乐院校。路阳在码头打工时结识了不好的人，染上毒瘾，后来是芳芳送他进了戒毒所。

通过具体艺术作品表现情思，在现实生活中是常见的做法，科幻电影也有类似的描绘。例如，《时空大魔王》（2018）以错位情歌为特色。其描写达魔大将军为消灭其对手吴天法官，派手下头号杀手冷风从 2050 年穿越到 2017 年，以除掉还在上学的吴天。造出时光穿梭机的柳博士认为应当保护吴天法官，因此也穿越而来，将激光枪交给学生吴天。后者因此打败冷风，并将失忆的她命名为小苍。当时，学生吴天正苦于写不出献给心上人雅涵的情歌，没想到当他开始哼曲子时，她便接唱了歌词，断断续续地哼出来，这让他又惊又喜。究其原因，冷风居然说："好像是一个很爱我的人给我唱过。那个人就是你。"但吴天却明白地告诉她："我从你那里知道歌词，是为了向雅涵表白。"因此，剧中出现了这样别扭的场面：吴天想向雅涵求爱，嘴上说自己写了歌曲献给她，但歌曲却是由冷风演唱的。

再说被当成艺术议题的情思。《异星寻爱记》（2016）描写了卡斯比星球面临能源危机，马达因此来地球寻找真爱以化解，所邂逅的流浪歌手刘飞教他如何寻找。刘飞说场合很重要，便和马达到了高级酒店。他发现一个矜持的女子正在大堂沙发上看艺术类的书，认为她一定很有品位，就凑上前谈起斯坦尼拉夫斯基的表演理论。不料对方的回应是招聘群众表演如何按角色付费、包月价格等，令刘飞大为扫兴。《天才 J 之谜题里的倒计时》中的天才少年郭佑在医院一楼大堂画画，他所心仪的女生叶初晨对他会绘画感到很惊讶，而且画的是她。他说："昏迷时满脑子都是你的影子。"在《觉醒：仿生浩劫》中，机器人化身作为富二代郑浩的代表与他心仪的钢琴教师王晓茹接触，双方谈艺术还谈得蛮投机。在上述影片中，艺术都是异性交往中的议题。

上述三种含义的艺术情思都和内容有关。想成为艺术家的情思可以转化为具体情节、为塑造人物提供根据，有关创作动机的情思构成了"缘由"或"本事"（唐代孟棨著有《本事诗》一书），被当成艺术议题的情思可以转化成鉴赏内容。

（三）关于艺术作品

所谓"艺术作品"，是艺术本体最重要的组成部分，相对于艺术复本而言。它至少包含三种可能的意义：一是创作者人格的表征物；二是知识产权的物质承担者；三是具有特殊使用价值的产品。以下依次论之。

第一，作为创作者人格的表征物。例如，在《关公大战外星人》中，雕刻家赵先生的妻子临终前说："我跟你结婚 45 年，你雕刻的关公神像不止 250 尊，总要更好的。"他说："以前自己是匠人，如今要刻出有生命的雕像。"赵先生精益求精，制作的关公神像在关键时刻显灵，打败连当局调兵遣将都对付不了的外星人，拯救了人类。又如，在《异星寻爱记》中，流浪歌手刘飞与奶茶妹晓天真心相爱，推出了象征结合的音乐奶茶。

第二，作为知识产权的物质承担者。例如，《天龙号醒来之返航迷途》设想商人肖红袖向作家张衣衣购买小说知识产权，用来拍戏。《消失的乐章》（2017）将一首乐曲的创作缘由写得扑朔迷离，包含了对于艺术作品知识产权的反省。在该片中，某咖啡店老板不准别人触碰他的钢琴，因为他爱慕的琴师曾用它弹出美妙的乐曲。自从她于 1995 年因从店中出门追小偷而被车撞死之后，老板到 2016 年才听到音乐制作人西村再度弹奏此曲。西村弹奏的曲谱，居然是他穿越到 21 年前时听她所弹记下的。老板叙述了此曲背后的故事，并委托西村将一条项链带给她。西村悟出自己就是 1995 年出现的那个小偷，想偷的是她所弹的乐曲。她之所以出门，是由于此前一直在等西村。等西村的原因是，他 1994 年曾经穿越回咖啡馆招聘现场，给了来应聘的她一份写着自己的名字的曲谱。西村不负老板之托（将项链悄悄放进琴师的裤兜），却给观众出了难题：这首因琴师之死一度消失的曲谱究竟是谁创作的呢？或者说人们不应当在乎版权之类的事情，因为生活中的故事本来就无所谓版权。你自诩独创的作品，也许是从某个时间旅行者那里抄来的。反过来，你也许不经意地创作过美妙的乐章，如今为他人口耳相传，虽然未必署上你的名字。

第三，作为具有特殊使用价值的产品。试举数例：①治疗疾病。例如，《异空危情》（2010）将戏剧治疗当成主题。《还星爷一部电影》（2017）描写的是周星驰的喜剧驰名宇宙，外星人大米为解除母星百姓的战后忧郁症而来到地球，想邀请周星驰去施治。②安抚怪物。例如，中、美合拍片《蒸发太平洋》描写的是科学家韩博士在废弃的航母上用基因技术开发治癌药物，实验失控而生成大批怪物。迫降于此的豪华客机乘客受到怪物的袭击，机长若欣利用找到的直升机组织大家逃生。大群怪物来了，但直升机还未加满油。盲人音乐家用大提琴拉起《命运交响曲》，怪物居然驻足倾听。③充当密码。例如，《钢琴木马》描写的是情侣"黑客"和"音乐女神"分手后意外卷入基因谍战，破解相关加密文件的关键是钢琴乐谱。④乞讨赏钱。例如，《天龙号醒来之返航迷途》描写的是绰号"疯马"的天龙星侏儒擅长拉手风琴，来到地球后在街头卖艺，将帽子放在地上讨赏，声称"我的音乐是献给大自然的"。他还可以通过演奏"搜索音乐"（和"记忆音乐"相对而言），寻找同伴。⑤开展教学。例如，在动画片《钢铁飞龙之奥特曼崛起》中，宇宙超人奥特曼将一个魔方留给他所认定的传人乐乐。它至少包含五种模式，其中之一是虚拟人说快板的艺术模式。

如果说艺术弘扬立足于对艺术正能量的认知，那么艺术批判则是对艺术界的丑恶现象的针砭。在科幻电影中，艺术批判的矛头至少包含如下取向：①产生误导作用的描写。例如，在《机械画皮》中，闯入人类社会的机器人对媒体加以检索，发现古今中外歌颂的都是与钱无关的纯真爱情，但是现实生活并非如此。女主角苏辛一针见血地指出："缺什么，歌颂什么。"②包含强迫行为的演出。例如，《来自太空的小精灵》（2020）描写的是外星少女娜娜奉命来地球寻找好男人以挽救母星的性别危机，不料落到江湖老大手里。老大以她凌空飞舞为卖点，门票一张2万元。她因老大以不让喝水相威胁而丧失体能，在表演中昏倒。③践踏道德底线的逐利。《监禁外太空》（2020）中的主角刘静（艺名文青）为成名而整容，建多个公众号自我吹嘘、诋毁同道，接受导演的"潜规则"，甚至在女一号突发心脏病时故意延误求救时机，以便自己有机会替补为主角。所有这一切，本以为神不知鬼不觉，没想到最后却被真情者暴露于天下，使她生不如死。

总的来看，艺术是美学的重要研究议题，迄今为止的艺术都是依托于人而得以发展的。"依托于人"具备多种含义，如社会层面以人为主体而创作、以人为对象而奉献、以人为中介而流行，产品层面以人开发的工具为手段、以人经历的事件为内容、以人认可的类型为本体，运营层面以人掌握的技巧为方式、以人生活的世界为环境，以人促进的运动为机制，等等。以上是就现实语境而言的。科幻电影可以将以此为特色的艺术引入异类交往的语境之中，也可以根据异类交往的语境创造新的艺术，或者对既有的各种艺术加以批判。

三、科幻电影视野下的审美

审美与甄别、批评等活动都是人类把握对象属性的心理过程。不过，它们所持的尺度分别是创造性、真实性与规范性。大致而言，甄别的重点在于言意是否一致、身份是否可靠等与真实性相关的问题；批评的重点在于动机与效果的对错、善恶等与规范性相关的问题；审美的重点在于能否以一定形式、内涵和/或行为唤起愉悦反应等与创造性相关的问题。我们常说的"真善美"统一，实际上就是甄别、批评和审美的统一。人们既从日常生活中认识真善美，又从理论研究中分析真善美，已经积累了不少经验、提炼出不少观念，但也形成了不少定式、产生了不少局限。科幻电影将有关真善美的问题置于新的背景下加以考察，从而有助于拓宽观众的视野。

（一）本原性：美、真关系的探索

作为心理范畴的"真"产生于认识过程中，既意味着客观事物与主观映像相一致，又意味着内心思考与言论表达相一致。"美"既意味着客观属性与主观反应（愉悦感）相一致，又意味着本质力量与自主决策相一致。如果特定对象能够以其客观属性唤起特定主体的愉悦感，那么便是美的（被创造意义上的美，指这些属性证明他们是按照美的规律被创造出来的）；如果特定主体能够在自主决策条件下表现自己的本质力量，那也是美的（创造意义上的美）。在与"真"并举时，"美"可能强调的是陈述时的态度（坦诚为美，欺骗为丑）。

在现实语境下，关于美、真关系的讨论都是在人类内部进行的。科幻电影有意将相关问题置于跨物种条件下加以考察。例如，《超能疯人院》描写的是光卓星球人洋洋来到地球找姐姐，路人将"姐姐"理解为妓女，指引他到妓院。正赶上警察来查，洋洋被带到派出所。他说："你们不能拘留我，我有星际联盟通行证。我来找姐姐，她双眼皮、大眼睛，很漂亮。"他画出来给警察看，并解释说："小时候遇到星战，父母在战场去世。姐姐带我四处流浪。数年后，大战打得生灵涂炭。战后，姐姐加入星际和平组织，就是星际联盟。一次姐姐参加太阳系星际航道测试飞船时失踪，定位器显示她在地球上。你们放了我。"但警察认为他胡说，将他用车载到疯人院。洋洋虽然是外星人，但他描述的姐姐的美符合地球人的审美标准。如果姐姐不是这番长相、洋洋不过是有意迎合地球人的审美观念，那就构成了欺骗。如果洋洋的姐姐真的是这个模样，地球人警察之所以无法认可洋洋的描绘，只是因为洋洋声称自己是外星人，那就构成了误会。根据该片的设定，洋洋本来就是外星人，他来找姐姐的事由也是真实的。不过，地球人当时并未认识到外星人真的存在，更未意识到外星人已经来到地球上，反而将声称自己来自外星的人都当成是精神病患者送进疯人院。

在该片中，地球人与外星人不仅在长相上没有什么区别，而且审美观念也相对一致。但问题是：洋洋是否真的为外星人？是否真的有这么一位姐姐？若有的话，这位姐姐是否真的（像洋洋所言、所画的）那么美、是否真的有洋洋所说的经历？这些问题之中，第一个问题是大前提。如果洋洋不是外星人，其他问题都可以否定。审问洋洋的警察知道人类科学家至今尚未能证明外星人的存在，因此可以认定洋洋所言非真。但洋洋讲话的模样看起来又不像是说谎，因此警察顺理成章地将他当成疯子，即理智失常的人。正常人很难和疯子探讨什么是美，更难以就此达成共识。目前的大背景确实是人类尚未能确认其他天体存在智慧生命，因此也不会相信外星人已经来到地球。如果大背景发生了变化，人们已经通过宇航探险确认外星人的存在，通过基因检测确认外星人来过地球，那么警察很可能不会将自称来自外星的那些人当成疯子送到精神病院，也许是将他们送到科研机构甄别（如果这些人还不具备合法身份的话），或者将他们送往地球出入境管理局之类的机构（如果这些人已经具备合法身份的话）。尽管科幻电影经常将拟人性作为描绘另类智慧生命的惯例，但未来科技的发展也许会证明：外星人长得像地球人，与地球人持类似的审美观念，这类现象的概率是微乎其微的。相关影片的主创人员未必不知道这一点，之所以仍然奉行上述惯例，很大程度上是出于如下考虑：由地球人出演外星人，可以降低拍摄成本（不必诉诸特效）。

美与真的关系至少有三种值得注意的情况，即美而不真、真而不美、美真统一。美而不真主要有三种情况：①行为效果在美学意义上是值得肯定的，但其动机在认识论意义上是应该否定的，如乔装打扮等；②外观、外貌、外表是美的，但其心地、品质、内蕴深藏不露，经常虚与委蛇、矫情造假；③美得过了头，被认为不真实。相比之下，真而不美也有三种情况：①动机在认识论意义上是值得肯定的，但其效果在美的意义上是应当否定的，像讲真话时不注意语言技巧就是如此；②心地、品质、内蕴的表现是真实的，但其外观、外貌、外形未能使交往对象产生快感，例如，《隐形侠》中的王二狗为参加抵抗外星人的战斗而主动要求接受基因改造，留下了脸部变形的后遗症；③真实过了头，令人眩晕（虚拟现实环境下经常有这种感受）。美真统一表现为动机与效果、心地与外观、状态与趋势在美学、认识论意义上都值得肯定。

"真"是相对于"幻""假""伪"而存在的。大致而言，真、幻的区别主要在于感觉是否有现实依据，真、假的区别主要在于是否合乎实际，真、伪的区别主要在于动机是否如实披露。它们分别与"美"结合，形成了亦美亦幻、美而不实、美而涉伪等现象。

亦美亦幻的现象为人们所关注，如水中月、镜中花等。在《爱是一场温柔幻觉》中，美女小婷不幸死于车祸，其意识"幻觉"通过科学家安装的脑机接口雇佣婚介舒代关注前男友雷鹏。该片由此营造了一种亦美亦幻的氛围。雷鹏未接受舒代介绍的相貌与小婷相似的美女温柔，该片由此表达了希望美、真统一的理念。

美而不实是艺术美的特征，因为人们不要求将艺术描写、表现或反映的现象当成现实。《超能手机》中的人工智能 Sule 说："眼睛才是最好的相机。照片里的花看起来美，也没有花香，捧在手里才是最真实的。"这也有一定的道理。艺术的特点是公开声明假定性仍不失其效用。因此，尽管人们明明知道凡·高画出来的向日葵非真，却仍然珍惜它。如果艺术语境与现实语境混淆，那就会闹出误会，甚至形成危机。《隐形侠》就此大做文章，它描写的是外星人的飞船降落在草地上，有一名旁观者被从飞船出来的隐形人扼杀，别人以为他在演戏。更多的人被扼杀，仍有人认为这是行为艺术"快闪"，说其精髓在于人人参与。结果讲这话的人也被扼杀，此时大家才逃散。

美而涉伪是骗子艺术家之所为。"伪"的本义是人造，与自然相对立，其引申义是胡编乱造、以假乱真，蛊惑人心以牟取私利，那些假造古董卖高价的人正是如此。在《龙潭巨兽》（2020）中，东南亚龙潭湖的游客在丛林中见到"神兽脚印"，导游向拍照者收费，其实这个脚印是伪造的。

总的来看，"真"可以从多种角度定义，首先是指自然的（不是伪造、编造或出自人为），其次是指符合自然规律，还可能是指符合逻辑等。在日常生活中，"真"是一种强调主观和客观相吻合的定位。其对立面是"假"，即主观脱离客观。问题在于，人们如何判定主观是否吻合客观呢？比如，我如何能够知道自己在做梦呢？有三条定位标准：所处的环境可以用感官来把握，我们可以和环境进行互动，这种互动的因果关系是可以从逻辑上理解的。这三条标准对应于虚拟现实的三个特性，即沉浸性、交互性和想象性。虚拟现实正是从这三方面混淆了虚拟与现实的界限。从科幻创意的角度看，至少有如下可能性：①直接将虚拟现实当成故事发生的情境。例如，《虚拟情人2》（2017）描写了游戏开发者以 E 先生的名义控制其产品中的虚拟人活动，被当成虚拟情人。②设置亦幻亦真的情境。例如，《我儿子去了外星球》（2018）中有关外星人的传闻既可能是当事人出于功利目的编造出的谎言，又可能是确有其事但被有意掩盖的实情，还有可能是亦真亦幻的所谓"民间真实新闻"。又如，我国短片《程序恋人》创造了对剧中人、新生代设计师克洛依来说介于真、幻之间的情境。当时的网络提供定制完美情人的服务。用户在完成订购的服务之后，服下网站邮寄来的遗忘胶囊，就可以忘却订购的全过程，将出现在自己生活中的智能机器人当成完美情人来交往，享受似真实幻的浪漫人生。不过，克洛依没有完成订购，也没有吞下遗忘胶囊，而是非常幸运地在一次晚会上与空军少校安杰罗一见钟情。她因此遇到了似幻实真的情境，这段姻缘理想到她自己都难以置信。晚会的东道主是一位著名的设计师。他妒忌克洛依和安杰罗的浪漫邂逅，认为安杰罗肯定不是本真人，而是电脑为克洛依安排的男伴。当时，智能机器人还没有公民权，这个设计师因此想开枪打死他。

（二）功利性：美、善关系的探索

如果说"美"所体现的是人类与环境之间的超越关系的话，那么"善"所体现的则是人类与环境之间的功利关系。"善"在自然的意义上是指具体事物完好、不为外力所损坏，在社会的意义上是指利于他人、利于群体以至于利于人类，在心理的意义上是指心地仁爱、品质淳厚。"善"既意味着动机意义上的规范性（善心、善念），又意味着效果上的规范性（善行、善举）；既意味着静态品质意义上的规范性（善人），又意味着动态表现的规范性（善事）。在与"善"并举时，"美"可能强调为善时的风度（优雅为美，促狭为丑）。与"善"相对立的范畴是"恶"，介于二者间的范畴有"非善""非恶"（不适用伦理评价），还有近于"恶"的"不善"（强调动机有问题，不怀好意），近于"善"的"不恶"（强调不以恶声厉色激化矛盾）。

"美"与"善"的矛盾存在彼此统一和相互对立两种情况，后者又可分为美而不善、善而不美，各类电影中不乏其例。

美善统一主要表现为动机与效果、心地与外观、状态与趋势在美学、伦理学意义上都值得肯定。例如，《超能兔战队》（2015）描写了一群萌兔化身为斗士，拯救被诱拐的嫦娥，用健康与爱的力量让变得臃肿的嫦娥恢复美丽。

美而不善至少有如下可能性：①行为效果在美学意义上是值得肯定的，但其动机在伦理学意义上是应该否定的。墨子的"非乐"，正是基于上述认识提出的。统治者让乐人弹琴瑟，吹竽笙，看起来是繁荣了艺术，其实是为了满足自己的穷奢极欲。"今王公大人，惟毋为乐，亏夺民之衣食之财，以拊乐如此多也。是故子墨子曰：'为乐，非也！'"[①]②外观、外貌、外表是美的，但其心地、品质、内蕴有问题。《蛇蝎美人》（1935）中惯于戏弄男性的贵妇人黄梨影可以为例。③美得过了头，被认为妖艳。动画片《秦时明月大电影之龙腾万里》（2014）中为帝国效力的死亡使者大司命即为一例，她外表妖艳，手段狠毒，能深入人的大脑读取记忆。

相比之下，善而不美至少有如下可能性：①动机在伦理学意义上是肯定性的，但其效果在美的意义上是否定性的。像正常医疗机构为患者进行康复整容（善的动机）失败（丑的效果）就是如此。②心地、品质、内蕴是好的，但其外观、外貌、外形未能使交往对象产生快感。例如，《情癫大圣》（2005）中的岳美艳公主从地球移民外星，为躲婚而回来，愿意用高科技飞船上的装备协助唐僧救徒弟。她心地善良，但长得奇丑，这一度妨碍了她与唐僧的交往。③善良过了头，被认为是傻子。例如，在《来自月亮的你》（2006）中，桂姨（桂树）为保护嫦娥而对篡权的玉兔发功时，嫦娥挺身保护玉兔，自己受了伤。吴刚说："你真的是太善良了。"

---

① ［春秋］墨翟：《墨子·卷八》，明正统道藏本，第49页。

"善"是一种力求使动机（有时兼及效果）和社会规范相一致的定位。它的对立面是"恶"，也就是一种有意使动机（有时兼及效果）和社会规范相对立的定位。社会规范与文化传统、主导意识形态（特别是价值观）、社会群体利益等因素相关。因此，有关善恶的评价可能不尽一致，甚至彼此对立。

科幻电影对美、善矛盾的探讨至少可以从以下三方面进行：①着眼于自然环境，描写美丽风景如何隐藏杀机，人类为美化环境进行的努力导致生态的破坏，等等。例如，《食人岛》（2016）设想中国东海最深处显现出了一个与世隔绝的美丽小岛，好奇者纷纷前往探险，但多数死于非命。②着眼于社会环境，描写倘若"美"被用来作恶的话，各种智慧生命如何处理美、善的关系。这类现象在现实语境中不乏其例，如"美人计"就是如此。科幻电影将上述冲突置于跨物种条件下加以表现。例如，《慕容骑士》（2020）描写了人族与智能族联手斗魔族。魔族用计，派美女当奸细打入智能族内部；人族也用计，由驱魔师后代魏然深入魔族实验室，利用那里的条件研制出针对魔族的生化武器。③着眼于心理环境，描写人造美景如何异化等。例如，《破梦游戏》（2018）描写了少女江函在探寻父亲死因过程中无意坠入虚拟游戏《万梦千魂》，进入其中的美景天空。一个诱惑的声音说："这世界这么美，现实不能实现的，这里都可以实现，你舍得吗？这一切的一切都是你的。这是你父亲的心血啊。他和我一样不希望这个游戏停掉。"她以定力对上述诱惑加以抗拒，转瞬间美景消失，天地旋转。画外音宣称："在这里，没有人能战胜我。"

艺术美虽然可能被认为是超凡脱俗的，但实际上具备功利性。这是指它可以用来满足人类审美需要之外的其他需要，包括可以用于表现国家软实力、增强群体向心力、激励个人奋斗力，等等。艺术美的创造可以成为谋生手段，也可以成为崇高事业，还有可能是兼而有之。若失败的话，对当事人是很大的打击。我国的《为你钟情》（2010）中的音乐家张伟杰就经历过这样的打击。他因此潦倒了 20 年，直到先前因病被冷冻的女友方英芝苏醒过来，才有了转机。方英芝想方设法激励张伟杰，使其重新焕发活力，登台演唱，但她自己却昏倒不起。

（三）相容性：美、美关系的探索

在我国古代就有"鱼与熊掌不可兼得"的感叹。这既可以用于说明对立目标之间的不相容，也可用于说明美与美之间的矛盾。后者是审美发展的重要机制，相关命题有美美分异、美美相生、美美与共等。

美美分异不仅是指作为审美对象的人、事、物具备不同的美，而且是指同类美的对象可能无法兼得，甚至彼此冲突。在现实世界中，无法"两全其美"的现象普遍存在。科幻电影通过幻想表现类似的矛盾。例如，我国的《黑豹传说 II 之绝响之城》（1993）中的主角因爱人之死而变得偏执，只允许用摇滚乐追悼亡妻，和其他同行发生冲突，后来是在长相酷似其爱人的黑豹之妻的规劝下才回归正常。在动画片《桂宝之爆笑闯宇宙》中，蓝鲸市小发明家应邀参加基米星举行的机器人发明大赛，途中和来自极美星的太阳系生物叽咕一起享用超级料理师嘛噜提供的美味食物，最初因为它的形状像便便而感到恶心。《异次元少女失踪事件》（2015）中的少女说："在暗物质世界里，没有两全其美的办法。"在《天降机器女仆》中，程序员大宝备感美女伊娃与夏娃同时伺候进食的尴尬，吃谁给的东西都不是，齐人之福原来没有那么美好。《智能危姬》（2017）描写的是高科技公司利用人工智能技术生产成人玩具，导致用户家庭关系破裂。

美美相生的含义是不同客体的美可以在一定条件下相辅相成。试举数例：①以美延美。例如，《硬盘少女》（2016）描写的是单身了 26 年的程序员金刚在梦中有艳遇，美女机器人为掩护他而死。醒来之后，见到同形美女新同事，与其同居。②以美配美，如常言之"俊男配美女"。在《异能超模》中，首席模特 Michelle 鄙视"乡下野模"，认为自己才是内衣设计师 Steven 的"完美搭配"。③以美喻美。例如，《机甲前线》中的大龙将同学小纯之美比喻成日出。④以美仿美。例如，《机甲美人》（2018）描写了某实验室通过选美比赛寻找原型，以便通过智能人项目予以仿真。

美美与共的含义是人们不仅要欣赏与自己相一致的美，而且要欣赏与自己不一致的美。从理论上说，人类在科幻语境中不仅要能够按人的尺度欣赏另类生命的美，而且要学会按其他物种的尺度欣赏另类生命的美。具体影片经常采取换位手法，描写外星人欣赏人类的美。例如，在《秀恩爱死得快》（2016）中，爱做梦的天真女孩柏可得知其情侣邱枫居然来自太痒星球，而且是雌雄同体。他要走了，留下他生的婴儿，让她抚养。他们回忆初识的情境，柏可说："当时你呆呆傻傻，不像现在这样。"邱枫答道："你和现在一样美，多了女人味儿。"柏可说："大家都说我不漂亮，你们外星人的眼光毕竟不一样。"邱枫答道："我们外星人的眼光更好。"科幻电影当然也可以描写地球人欣赏外星人的美，通常是在后者与人类趋同的意义上。

上文所说的美美分异、美美相生、美美与共完全可以在具体影片中统一起来，《全息游戏：恋爱世界》（2020）即为一例。其主角苏苏是刚刚步入职场的少女，因为其貌不扬加上缺乏经验而觉得自卑。她偶然进入一款全息游戏，必须完成看似不可能的任务（赢得两位完美男神的真爱）才可平安退出，否则将陷入死循环。她在虚拟世界中作为员工接触到青春偶像唐总（唐宇）和兰总（兰天择），凭借自持自重周旋于二者之间，打败了想同时笼络唐总和兰总的情敌诗诗，成功闯过第一关，增强了自信心。在该片中，唐总与兰总虽然都是"完美男神"，但前者一开始就鄙夷苏苏，后者一开始就关心苏苏，这体现了"美美分异"。不是只有一位女员工想同时赢得唐总和兰总的青睐，其中，诗诗失败了，但苏苏成功了。这类职场四角恋是对于"美美与共"可能性的一种探索。最终，苏苏成功攻略两位完美男神，以此证明她克服了因其貌不扬而产生的自卑感，在情场上取得成功。但是当这两位追求者对她的爱恋达到顶峰时，也是系统将她送出游戏情境之时。因此，至爱意味着无爱，"美美相生"意味着辩证的否定。美美交融更常见的机制是艺术中的艺术，范围并不限于文中文、诗中诗、画中画、乐中乐、影中影、戏中戏等反身艺术。以科幻电影中的电视剧为例，我国的《玛德2号》描写了男孩在家看以机器人为主角的电视剧受到启示。《克塞之战》利用日本科幻电视剧《恐龙特急克塞号》（*Dinosaur Taskforce Koseidon*，1978）的互文关系唤起观众的联想，这属于"影中剧"。

真、善、美的统一是人们的冀盼，三者的背离是人们的遗憾。除上文所说的美而不真、真而不美、美而不善、善而不美之外，我国科幻电影还设想了复合性矛盾。例如，在《超级学校霸王》（1993）中，未来案犯想通过时间旅行杀掉未成年时的法官，未来政府派三位特警回到当下以保卫他，其中一位帅哥伪造身份，去法官的童体所在学校担任音乐老师，以执行任务，这是美、善而不真。《美少女危机》设想了一种真的能够使被吻者由男变女、丧失理智的"美少女病毒"。它体现了美、真而不善——名义是美的，功能是真的（能让女性变美），结果是恶的（人类因性别比例失调而濒临灭亡）。我国动画片《摩尔庄园3：魔幻列车大冒险》（2015）描写了钢铁蛞蝓号列车长用美丽的谎言诱骗孩子，使他们离家出走；在《机械画皮》中，机器人从人类美女面部剥皮蒙在自己脸上，以冒充被害者去体验爱情。这两部影片提供了美而不真、不善的例证。

上文依次分析了科幻电影视野下的美、艺术和审美，以说明美学议题在科幻电影中的延伸，为建构科幻电影美学提供参考。反过来，科幻电影也提出了许多超出现有美学框架的问题，例如，如何评价变种人、电子人、类智人、生化人、克隆人、机器人、外星生命的美，如何看待时间旅行、空间穿越、宇宙多元等艺术设定对美学基础的挑战，如何塑造记忆移植、人格再造、身体合成等幻想中的技术开拓的审美空间等。总的来看，科幻电影视野下的美学建构包含了三种可能的思路：①将既有美学理论视为阐释科幻电影的参照系；②将科幻电影作为丰富既有美学理论的重要资源；③建构体现科幻电影美学特色的新理论。上述思路存在递进关系，完成上述任务可谓任重而道远。

第三节　科幻电影美学属性研究

美学虽然拥有悠久的历史，但至今仍是一个相对缺乏共识的领域。学派众多既表明了它受到人们的广泛关注，又蕴藏着沟通的困难。实际上，这些学派都有存在的合理性，也都为美学的繁荣做出了贡献。其代表人物之所以持不同观点，不仅是由于自身的出发点不同，也是因为"美"可以从多重角度进行观察和研究。这些观点的核心主张与其说是彼此排斥的，还不如说是相互补充的。它们的结合构成了美学意义上的参考系，为我们考察科幻电影（指故事片，下同）的美学属性提供了切入点。这些属性可以归纳为以叙事激发换位畅想、以符号展示黑镜科技、以实践制造人为同梦。

一、以叙事激发换位畅想

在美学领域，运用社会学的观点和方法研究审美与艺术的分支习称"社会学美学"或"艺术社会学"。那些认为美是人的本质力量的显现、美是事物能够引发人的愉悦反应的属性、审美可以替代宗教发挥教育作用等主张，在着眼于人或社会的共同视野下，显示出侧重于主体、对象和中介的差异。由此而概括出来的核心范畴分别是力量美、怡情美和教育美。科幻电影在对它们加以呈现时，显示出重视叙事、畅想和换位的特点。

（一）叙事：科幻电影的力量美

从主体的角度看，美是人的本质力量的显现。在美学史上，曾有人认为美是上帝、神祇之类超性存在物创造的，但这种观念在科学、科普或科幻语境中均被视为迷信或过时的主张。科幻电影的美是由人创造的，对具体影片而言，是由编剧、导演、演员分工协作创造的。因此，科幻电影的美是艺术美的一种形态，是相关团队或个人创造性劳动的产物，在创意方面，编剧与导演功不可没。科幻电影的美既包含了主创人员对历史、现实和未来的理解、描绘，又表现了他们从自身体验出发的情感、评价和理想。

在发生学的意义上，艺术是人类为摆脱现实交往的局限性而创造的，包含祈使、说明、叙事、抒情、描写、议论等多种要素。科幻电影将它们融汇为一炉，以叙事为主要特征。科幻电影的叙事美是通过讲故事而体现的人的本质力量，这种力量至少具备如下含义：①在故事中作为角色的各种智能体交往的层面，通过具体情节激浊扬清，歌颂人格美（或者类人生物的类似品质），并对丑恶现象加以批判。就人与科技的关系而言，科幻电影既肯定科技的成就与价值，也反思它所带来的风险与负面影响。②在科幻电影创作者和鉴赏者交往的层面，体现了相关团队编出好故事、叙述好故事、赢得观众理解与尊重的能力。③在科幻电影创作者、鉴赏者分别与故事中的角色交往的层面，体现了人类设身处地加以体验的能力。这种能力对创作者来说主要和创造想象相联系，对鉴赏者来说主要和再造想象相联系。

为了创造叙事美，科幻电影不仅要满足一般意义上叙事作品的要求，而且要满足科幻意义上成功作品的要求，这就是将科学逻辑与艺术逻辑统一起来。①为了创造作为类型片的叙事美，科幻电影有时还要遵守相应的惯例。正如熊炜所总结的，美国科幻电影基于以观众为中心的原则，产生了一种程式化的、具有可重复性的叙事范式，即以因果关系为叙事逻辑，设置紧凑而连贯的情节，并注意在紧张的叙事中夹杂舒缓、浪漫的情节和场景，最大限度带给观众欢乐。这可以被认为是好莱坞的一种行之有效的商业智慧，也是一种美学选择。詹姆斯·卡梅隆（J. Cameron）的《终结者》就是这种程式化叙事的典范。②

（二）畅想：科幻电影的怡情美

从对象的角度看，美是给人带来愉悦的事物，或者说是能引起人们美感的客观事物的一种共同的本质属性。当然，客观事物要给人带来愉悦，除自身的属性之外，还得有其他一些条件支持，如当事人具备理解能力、移情能力、宽松心境等。通过主客观条件结合而形成的愉悦反应，便是我

---

① 荣耀军：《科幻电影〈流浪地球〉的科学逻辑与艺术逻辑》，《南京邮电大学学报（社会科学版）》2019 年第 2 期，第 25—29、37 页。

② 熊炜：《由〈终结者〉看美国科幻电影叙事范式》，《电影文学》2018 年第 22 期，第 104—105 页。

们所说的怡情美。

在笔者创立的艺术交往心理学的视野中，所谓"对象"有三种基本类型，即描写对象、奉献对象和师法对象。①与此相应，观众可能在三种不同含义上欣赏科幻电影的怡情美：①他们是具体影片的描写对象，即通常所说的原型。当他们在影片中看到有关自己（小我）、所属群体（中我）或族类（大我）的描写时，如果感觉这些描写既真实（更准确地说是符合生活逻辑的）又新颖，就可能产生愉悦；反之，他们可能会因为觉得被愚弄而产生反感。②他们是具体影片的奉献对象，大致相当于叙事学谈到文学作品时所说的"预设读者"。当他们在影片中发现创作者有意讲给自己听、演给自己看（或者发现有意为自己设计的人物、情节等）的时候，如果感觉到这些设定出于友善态度并有启发意义，就可能产生愉悦；反之，他们可能会因为觉得被冒犯而生气。③他们是具体影片的师法对象，因为其作品被模仿、戏仿或调侃。当他们在影片中发现有这方面的迹象时，一般都会格外留意。如果事先知情并同意，此时他们可以相对超然地欣赏自己对影片创作者的启发或影响。如果事先不知情，他们可能会觉得意外。如果事先虽然知情但不同意，此时他们可能会产生抵触情绪。无论哪种意义上的"对象"，都是就观众在欣赏影片的过程中作为接受者表现出来的受动性而言的。如果他们进而发表意见、相互交流，甚至进行再创作，那就朝"主体"转化。

如果说"电影是需要想象力的艺术"②，那么幻想类电影是尤其需要想象力的艺术。就观众而言，他们对这类电影的欣赏属于"想象力消费"。③科幻片不仅需要一般意义上的想象力，而且需要以科技为参照系的想象力。对于观众来说，欣赏科幻片给他们提供了畅想未来科技对自然环境、人类社会和心理世界影响的机会。

从上述背景出发，科幻电影要想给作为描写对象、奉献对象和/或师法对象的观众带来怡情美，至少必须注意下述要求：①从认识过程看，需要恰当地定位知识难度，通常以让观众基本理解但又不完全理解为佳。唯有基本理解，才可以摆脱"硬着头皮看下去"的烦恼。唯有不完全理解，才可以产生散场后继续探讨的兴趣。②从情感过程看，需要尊重观众，这

---

① 黄鸣奋：《艺术交往心理学》，厦门大学出版社1987年版，第78—82页。

② 牛颂：《电影是需要想象力的艺术》，《中国民族报》2014年11月28日，第11页。

③ 陈旭光：《类型拓展、"工业美学"分层与"想象力消费"的广阔空间——论〈流浪地球〉的"电影工业美学"兼与〈疯狂外星人〉比较》，《民族艺术研究》2019年第3期，第113—122页。

通常以事先进行的社会调查为前提，表现为避免触犯禁忌等。③从意志过程看，需要留给观众发挥想象的空间，无须对观众进行"耳提面命"，但可以引导他们从影片描绘的具体人、事、物中发现美，收到画龙点睛的效果。

观众要想在观看科幻电影的过程中把握怡情美，也必须注意如下事项：①从认识过程看，科幻不同于科普，因此不要用严格的科学标准求全责备，否则要么自寻烦恼，要么令人烦恼。科幻又类似于科普，因此可以有影片不违背公认科学原理的期待。②从情感过程看，中西方科幻电影都可能出现有关科技界的描绘，或者以肯定科技的正能量为主，或者以揭露科技的负价值为主。在评价相关内容时，要注意到发展中国家和发达国家的不同国情。相比之下，像我国这样的发展中国家，出于现代化的需要，往往会对科技的积极作用予以更多的关注，《珊瑚岛上的死光》等影片就表现了这一点。③从意志过程看，科幻电影不是教科书，虽然可能提出种种前瞻性的问题，但并不想将解决方案硬塞给观众。因此，观众若留意具体影片描写了什么，那不是最重要的，发挥联想、放飞想象才是最可贵的。

（三）换位：科幻电影的教育美

从中介的角度看，美寓指关系和谐，包括天人和谐、人际和谐、身心和谐等。人类处于地球食物链的最高端，不对自然界有所索取的话，就活不下去，但这并不意味着索求无度；人群各有需要和诉求，不维护自己利益的话，也活不下去，但这不意味着尔虞我诈；个人通过身体立足世界，如果完全否定食色之欲的话，同样活不下去，但这不意味着追求享乐主义或巧取豪夺。和谐的关键是摆脱机械的主体、对象二分法，寻求互惠、共赢之道，为此就必须要有社会规范，有贯彻社会规范的教育，有体现伦理要求的教育美。孔子主张"里仁为美"[①]，墨子提出"务善则美"[②]，这些观点都是对教育美的表述。

教育美的一般要求是求真、向善、务实。艺术的特点是将上述要求置于虚构条件下加以表现，科幻电影的特点则是通过提倡跨天体、跨物种、跨人机的换位思考来满足上述要求，创造强烈的代入感。就天人关系而言，科幻电影不仅关心地球人，而且关注外星生命；不仅关心生活在地表

---

①　[战国]孟轲：《孟子·里仁》，四部丛刊景宋大字本，第20页。

②　[春秋]墨翟：《墨子·非儒》，明正统道藏本，第55页。

的人，而且关心生活在地心、海底、外空的异源生命；不仅描写这些另类生物可能对人类构成的威胁，而且揭示他们作为生物体、智能体或智慧体具备合理性的需要，思考与他们的共处之道。就人际关系而言，科幻电影不仅关心正常人，而且关注丧失灵明的僵尸、同化机器的电子人、没有肉身的虚拟人，受基因工程影响的改造人、复制人、生化人，等等。编导从不同角度揭示了这些人的处境和心理，既表现了他们与正常人之间存在的矛盾，也在一定程度上设想了他们的诉求和权益，构思了协调利害关系的方案。就身心关系而言，科幻电影远瞻各种各样的新技术，如换头、共脑、记忆清洗、芯片植入等，描写当事人因此经受的困扰；虚拟造成异能化的情境，申明"能力越大，责任越大"的道理。故事虽然离奇，但题旨仍然是求真、向善、务实。这不是说科幻电影就没有在观念或描写上出轨的风险，而是说所在国家的政府和业界几乎都找到了适应其国情的管理办法，引导相关制片企业走正道。

要让科幻电影充分展示教育美的魅力，媒体界、教育界、科技界等领域的有识之士负有当仁不让之责。他们可以通过新闻报道、追踪采访等渠道揭示具体影片的拍摄过程，利用讲台或论坛为大众阐释这些作品的宏义、要旨，或者指出它们的不足之处。

上文着眼于社会层面的主体、对象与中介，分析了科幻电影的力量美、怡情美和教育美。它们可以在审美社会学的意义上统一于"心灵美"（亦称精神美、内心美、灵魂美），可以在艺术心理学的意义上统一于以叙事激发换位畅想，这就是一种基于设身处地体验的代入感，或者说是仿佛身临其境的激励感。赵子鹤指出："《流浪地球》全程都在诠释着希望的力量。'希望，是这个时代比钻石还珍贵的东西'，这句话首尾呼应，却在最后爆发出催人泪下的力量，穿透银幕直达心底，帮助被'丧文化'绑架的年轻一代人找到生活的新方向。"[①]上述分析为科幻电影社会意义上的美提供了很好的例证。

二、以符号展示黑镜科技

在哲学领域，运用艺术学的观点和方法研究美、艺术的分支，习称"艺术美学"。那些强调美和艺术是"绝对"的象征和体现，认为美把真的科学知识和善的道德行为综合实现于艺术之中，提炼出"优美""崇

---

① 赵子鹤：《科幻灾难电影叙述伦理与文化艺术分析——以〈流浪地球〉为例》，《视听》2019年第6期，第85—86页。

高""悲剧""喜剧"（滑稽）等美学范畴的主张，从整体上说都是着眼于美的产品层面，虽然它们之间存在重视形式、知识（意蕴）或风格的差异。导致这类差异的原因之一，是论者分别将作为手段的美、作为内容的美和作为本体的美置于视野中心，由此而概括出来的核心范畴分别是形式美、知识美和风格美。科幻电影在对它们加以呈现时，显示出重视符号、科技和"黑镜"的特点。

（一）符号：科幻电影的形式美

人类的远祖以自然物为谋生手段，其后开始制造工具，并运用既有工具以制造新的工具，由此将自身从动物界提升出来。在上述过程中，人类不仅因为确认自己的本质力量而产生美感，而且注意到自然物与人造物所具有的和谐、比例、对称、多样统一等形式属性，相信这些属性是相对于自己而言的客观存在，这是美在客观说的起源。人类根据上述认识改造所处的环境，包括营建住处并加以装饰等。与此同时，为了能够进行有效的交流，人类从曼声长吟发展出以抑扬顿挫为特征的语言，并将某些劳动工具改造成为乐器、画笔或文具，以期相对自由地传情达意。

对形式美的追求至今仍然在人类生活中占有重要地位，并对科幻电影产生影响。其表现至少有如下几个方面：①电影视效的美。例如，根据刘业伟的看法，《阿凡达》"开创了电影创作立体化时代，将 3D 技术完美运用于视觉传达之中，将科幻主题与动画效果完美统一于视觉艺术之中，开辟了观众立体化感受与人类理想表达方式的新时代"[①]。②电影音效的美。例如，张晶晶探讨了科幻电影如何通过模仿自然的形式来破解非现实空间声景建构的谜题。动画科幻电影《超能陆战队》中机器人大白的身体动作声模仿现实乳胶材料的声音，适当加入短小音调变化；机器人大战时的搏击碰撞声模拟现实人类之间的格斗声，强烈刺激的电子音乐音色模仿强机器人搏斗时释放的超强电能；《第九区》中外星人的语言虽然脱离英语语言的外衣，但依然模拟英语元音发音及说话的语调变化。[②]③电影意效的美（即将意蕴赋予一定形式的美）。例如，根据李娜的看法，"丹尼斯·维伦纽瓦执导的《降临》，本身就是一部关于语言的科幻片，而在阐述语言及其他由此衍生的复杂问题时，电影又提供了一套深

---

① 刘业伟：《由〈阿凡达〉的视觉艺术谈科幻电影创作》，《电影文学》2018 年第 23 期，第144—146 页。
② 张晶晶：《艺术材料声音的特性与表现——以科幻电影声音创作为例》，《艺术品鉴》2020年第 35 期，第 178—179 页。

可玩味的表意体系。在《降临》中，观众得到的不仅仅是视觉上的直观审美感受，还有通过读解电影语言而获得的富有意蕴的启益"①。④电影结构的美。例如，根据刘奕华、罗嘉欣的看法，"近年来，由于受到物理学界新时空观的影响，美国好莱坞推出了一批具有新型叙事结构的科幻电影，如循环结构和多种可能性并列结构。这两种典型的新式电影叙事结构彻底打破了传统科幻电影单向线性叙事的模式，不仅丰富了电影叙事艺术手法，推动了世界科幻电影的发展，还带给观众前所未有的审美体验"②。

在历史上，理论家对电影形式美进行了不同的概括，最有代表性的是爱森斯坦（S. M. Eisenstein）的蒙太奇理论，以巴赞（A. Bazin）为代表的现实主义理论，还有麦茨（C. Metz）的电影符号学。蒙太奇理论未能涵盖电影语言的多样性，现实主义理论无法解释科幻电影的假定性。相比之下，电影符号学在方法论上是跨学科的，更适宜于分析科幻电影。换言之，无论科幻电影的编导是否自觉地以符号学为指南，他们的创新实践依然可以被视为符号系统的开拓性应用。当然，这里所说的符号系统不局限于静态，也包含了动态；不只是蕴含语言结构模式，而且蕴含了心理结构模式。

在符号学的视野下，科幻电影形式美研究重视如何将画面、音效、语言、结构等融为一体的问题。正如郝蕊指出的："科幻电影的类型特性决定了其拥有更广泛的想象、技术、意象和媒介容纳空间，因此在媒介融合时代迎来了迅速发展。"③王敏从视觉符号的角度分析了科幻电影海报④，袁海燕从符号的角度分析了科幻电影中机器人的身体政治⑤，余贝从符号的角度分析了科幻电影的影像叙事⑥，郑露娜运用符号矩阵理论分析了科幻电影的人物关系⑦。这些成果都说明了电影符号学的用途。

① 李娜：《科幻电影〈降临〉的电影语言艺术》，《电影文学》2018 年第 7 期，第 152—154 页。
② 刘奕华、罗嘉欣：《新时空观的艺术体现——小议美国科幻电影叙事结构的特点》，《常州工学院学报（社科版）》2014 年第 5 期，第 41—47 页。
③ 郝蕊：《媒介融合视域下科幻电影的沉浸传播、符号重构与媒介批判——以〈头号玩家〉为例》，《电影新作》2018 年第 5 期，第 44—48 页。
④ 王敏：《新世纪美国科幻电影的海报分析——视觉符号与设计变奏》，《当代电影》2016 年第 6 期，第 162—165 页。
⑤ 袁海燕：《身体·符号·性别：科幻电影中"机器人"的身体政治——电影〈机械姬〉中的性别游戏》，《电影新作》2018 年第 3 期，第 17—24 页。
⑥ 余贝：《科幻电影的影像叙事符号研究》，《传播力研究》2019 年第 29 期，第 63—64 页。
⑦ 郑露娜：《符号矩阵理论视域下科幻电影的主题思考——以〈银翼杀手 2049〉为例》，《浙江树人大学学报（人文社会科学）》2020 年第 1 期，第 105—110 页。

（二）科技：科幻电影的知识美

所谓"知识"指的是生活经验与生产经验的积累和升华。"知"重在了解（特别是对规律的了解），"识"重在辨认（特别是辨认那些可以应用先前经验并做出预测的场景）。它大致可以区分为自然知识、社会知识、心理知识三大类。以之为基础，形成了自然美、社会美和心理美。被视为"美"的现象是人类通过知识所能了解、并确认其肯定性价值的。科幻电影以展示科技风云为特色，在硬科幻、软科幻、巧科幻等意义上与知识美发生关联。

在硬科幻的意义上，科幻电影看重的是科技包含的自然知识（即对自然规律的认识），与自然美相对应。自然知识萌芽于人类和自然界打交道以满足其需要的过程中。与制作粗糙的工具相比，那些制作精细的工具意味着更高的技能或技艺水平，给人以美感，这是技术美学的源头。与相对具体的经验相比，那些相对抽象的知识意味着更高的思维水平，同样给人以美感，这是科学美学的源头。进入文明时代之后，西方的毕达哥拉斯学派以对数学、音乐和天文学研究为基础，提出了宇宙美学理论，将数视为宇宙的本源。我国春秋时期的老子阐述了"大音希声""大象无形"的观点，是辩证的宇宙论。科幻电影以"科"冠名，顺理成章地将科技知识当成自己的参照系，它意味着合目的性与合规律性的统一。刘慈欣说："科学本身蕴含的故事，包括科学史，以及科学所发现的大自然的奥秘，那种很神奇很曲折的状态，比真正的文学故事还要神奇。我写作《三体》的灵感，就来源于经典的三体问题（三个可视为质点的天体在相互之间万有引力作用下的运动规律问题）。"[1]韩松认为科幻的美来自科技本身。[2]陈娟娟、刘涛在探讨数字技术、科幻电影与电影本体论的关系时，提出了"化科为幻，化幻为美"的命题。[3]上述观点从不同角度说明了科技与科幻的关系。所谓"科技美"，从属于知识美，至少包含如下含义：①以科技为手段，指运用科技创造出的美，如符合音律学原理、工艺先进的乐器等；②以科技为内容，指科技因为包含了行之有效的知识、可以提供各种问题的解决方案、预见事物的未来发展而令人感到愉悦；③以科技为本体，指科技本身的美，如科学公式以简洁的形式概括出自然规律、技术蓝图令人

---

① 刘慈欣：《科幻：玩转科学之美》，《知识就是力量》2015年第7期，第15页。
② 韩松：《科幻的美来自科技本身》，《文艺报》2021年1月18日第6版。
③ 陈娟娟、刘涛：《化科为幻，化幻为美：数字技术、科幻电影与电影本体论》，《出版广角》2017年第1期，第72—74页。

赏心悦目等。

在软科幻的意义上，科幻电影看重的是科学思想、科学观念以及科学精神，并由此从自然科学向社会科学延伸，与社会美相对应。硬科学与软科幻的区别早在 19 世纪西方科幻小说中就表现出来了。法国作家凡尔纳（J. G. Verne）的作品是"硬科幻"的代表，因为它们包含丰富的科技知识；英国作家威尔斯（H. G. Wells）的作品则是"软科幻"的代表，因为它们较少涉及科技方面的内容。造成这种区别的原因与其说是他们所修的专业不同，还不如说是二人的兴趣不同。凡尔纳是学法律出身，但对科技相当热忱；威尔斯在英国皇家科学院的前身堪津顿科学师范学校系统学习过物理学、化学、地质学、天文学和生物学，但对人文异常关怀。如果以重"硬"轻"软"的科普标准来衡量，似乎凡尔纳更胜一筹或属于正宗，威尔斯则是空有其才或选错方向了。上述看法其实是错误的。早在 20 世纪末，金涛就曾指出，不能认为只有硬科幻对科学普及有重要作用。他的根据是：科普的目的不只是传播科学知识，使大众更好地接受科学、亲近科学、喜爱科学，还必须大力传播科学思想、科学观念以及科学精神。①后者恰恰是科幻文学的重要功能。

在巧科幻的意义上，科幻电影看重的是心理知识，与心理美相对应。李倩、弓太生指出："科幻电影作为艺术的技术品不是冷冰冰的、和人没有联系的存在，它是人的智慧、意志、力量、情感的结晶，充满了人的因素，带有浓烈的人性色彩。"②所谓"巧"，正是人的因素的体现。相关的问题至少有如下几个方面：①如何运用智慧（巧妙）建构科幻世界？它必须离现实世界足够远，这样才能驰骋想象，引人入胜。它又必须离现实世界足够近，这样才能唤起代入感，令人心动。②如何运用偶然性（巧合）来补充人们对规律性、科学性、技术性的认识？科幻情节必须有根有据，这样才能令观众信服；又必须出乎意料，这样才能让观众产生惊奇感。③如何让影片中的各种角色施展策略（巧智），使故事一波三折？科幻主题未必需要明白说出，可以通过这些角色博弈竞胜自然而然地引出。

无论自然科学、社会科学或心理科学，都是科学学的研究对象，它们在被人脑内化的过程中受制于知识观。无论硬科幻、软科幻还是巧科幻，都是科幻电影美学的研究对象，它们在由具体影片加以表现的过程中受制

---

① 金涛：《科幻的科普功能》，《大庆高等专科学校学报》1999 年第 2 期，第 44—46 页。
② 李倩、弓太生：《科幻电影中的艺术美与技术美》，《电影评介》2009 年第 14 期，第 18 页。

于科幻观。知识观的核心问题是怎样理解知识、对知识抱有怎样的态度；科幻观的核心问题则是怎样理解科幻、对科幻抱有怎样的态度。张海燕、高靖生指出，中美科幻片有三个分野：①科学之地位，以科学为本位还是以科学为名目；②科学之表现，是以科学的表现方式来表现科学思想、科学观念本身，还是在科学观念不足甚至缺失的地方便用无厘头的搞笑代替；③科学之归宿，是否引向有关哲学、道德的思考。①上述三个分野正是不同科幻观的表现，虽然未必与中美的具体科幻片一一对应。

（三）表征：科幻电影的类型美

"类型"可以理解为类别和形态的统一。类别代表了某种逻辑意义上的区分，形态代表了某种经验意义上的认知，类型试图将二者统一起来。美学意义上的类型习称"范畴"，有优美、崇高、悲剧、喜剧等。其中，喜剧又包含讽刺、揶揄、滑稽、机智、幽默、怪诞、荒诞等子范畴。文学意义上的类型习称"文体"，如诗歌、小说、散文、戏剧等。艺术意义上的类型习称"样式"或"样态"，可根据不同标准定义，如按感觉通道区分为视觉艺术、听觉艺术、视听艺术等。电影本身是一种艺术亚类，无声片属于视觉艺术，有声片属于视听艺术。电影学意义上的"类型片"以公式化情节、定型化人物为特征，科幻片就是其中之一。

所谓"类型美"可以理解为在惯例许可的范围内成功进行创造的结果，或者说是同类作品中佼佼者具备的属性，也可以说是可供鉴赏者辨识的肯定性品质。在文艺领域，人们通常用"风格"来指称它。"风格"原先是指人的肯定性品质的表征，这些品质包括与繁衍机制相联系的活力、能产，与营养机制相联系的健壮、丰硕，与认知机制相联系的博学、敏锐，与情绪机制相联系的温柔、热情，与意志机制相联系的刚强、弘毅，与憧憬机制相联系的壮阔、博大，等等。后来，人们将所创造的艺术作品当成自己的表征，这就是艺术风格的由来。它又细化为个人风格、群体风格、作品风格、文体风格、时代风格等。科幻电影在不同意义上使用了"风格"这个概念，主要有以下三种情况。

一是着眼于社会层面，从导演的角度谈风格，将风格作为具体科幻电影导演的表征。以好莱坞导演斯皮尔伯格为例，曾险峰认为，"从经典影片中移植和变奏的镜头和剪辑技巧，以通俗的方式呈现了电影奇观，在了

① 张海燕、高靖生：《试论中美科幻电影处理科学的不同方式及其意义——以〈终结者〉系列与〈机器侠〉之对比为例并兼及其他》，《湖南科技学院学报》2013年第7期，第57—59页。

无痕迹的叙述机制中提供给观众一个安全的意识形态港湾，便是构成斯皮尔伯格作者风格的基本要素，也是斯皮尔伯格在艺术和商业之间取得平衡的关键"①。任姗认为，斯皮尔伯格"吸取好莱坞经典电影经验加以改善，讲述通俗易懂且吸引大众的故事，再加上运用自然的讲述方式，把一个现实意识中的理想展现在大银幕上"②。苏莹则认为，"斯皮尔伯格的科幻电影之所以获得了其他影片难以匹敌的票房成绩，最主要的原因就是其影片对艺术性与通俗性之间的调和"③。上述三篇文章都侧重于从对环境的适应解释斯皮尔伯格形成其风格的原因。田园在分析英国导演诺兰（C. Nolan）的风格时，则侧重于他个人的精神追求，认为他基本经历了一个螺旋式上升过程，"从继承斯坦利·库布里克等导演的新好莱坞精神起步，经历当代好莱坞市场大潮的洗礼——创作出兼备经典好莱坞大片特征外壳与新好莱坞精神内核的蝙蝠侠黑暗三部曲，最终到达可以自由选择叙事方式及表达内心情怀的目的地——《盗梦空间》与《星际穿越》的诞生"④。相比之下，王思懿在谈到美国导演吉列姆（T. Gilliam）时，强调了他不苟流俗、左右观众的一面。如其所言，奇幻和科幻都是吉列姆用来表现艺术个性的方式，而从来都不是用以迎合当下商业趣味的类型片选择。当其他导演最终只是用幻想来对现实进行美化时，吉列姆却选择用幻想杀死现实甚至是杀死幻想。其美学主要从下述角度体现：①疏离美学，即由位移、变形为观众提供陌生、刺激的世界。②矛盾美学，即将科技的矛盾上升到哲学的矛盾。例如，让观众在看到"外祖父悖论"的同时，还看到了个体与集体的矛盾、独裁与自由的矛盾、爱情与事业的矛盾、科技与人性的矛盾等。③讽喻美学。真人真事经过黑色幽默等手法的变形进入另一个世界中，观众立足于现实社会来赏析这些丑陋现象，从而领悟到主创人员对现实社会的抨击。⑤

二是着眼于产品层面，从纵横比较的角度谈风格。科幻本身被作为一种风格，与现实风格相区别。⑥科幻内部硬科幻、软科幻各有其风格。例如，贾雨薇认为，《流浪地球》建立了高度自洽的世界观与科幻逻辑，保

① 曾险峰：《论斯皮尔伯格的科幻电影风格》，《嘉应学院学报》2010年第10期，第59—63页。
② 任姗：《论斯皮尔伯格的科幻电影风格》，《电影文学》2014年第24期，第46—47页。
③ 苏莹：《解码斯皮尔伯格科幻电影叙事风格》，《电影文学》2016年第12期，第78—80页。
④ 田园：《星际旅途的孤独舞者——论克里斯托弗·诺兰科幻电影的风格演变》，《海南广播电视大学学报》2019年第2期，第52—57页。
⑤ 王思懿：《特里·吉列姆科幻电影的美学风格》，《电影文学》2017年第22期，第71—73页。
⑥ 花郎：《从科幻风格到现实风格 太空电影的百年历程》，《世界博览》2014年第22期，第76—79页。

证了"硬科幻"电影内部结构与外部风格的一致性。①这是将风格作为科幻电影具体类别的表征。风格也被作为科幻电影组成要素的表征，如服装风格②、美术设计风格③等。风格还被作为科幻电影相关样态的特征，例如，杨成指出，"科幻动画是文化工业时代里人类新的视听童话，也是技术与艺术结合的产物"。好莱坞科幻动画电影具有模式化的类型特征和独特的影像视听符码。"一方面，它在叙事架构、情节设计、人物谱系、主题意蕴上，大多遵循着一套成熟的类型片模式；另一方面，它有着动画电影特有的角色形象、场景设计、视听符码等方面的审美特征，并通过高科技手段得以自由呈现。"④

三是着眼于运营层面，从发展变化（特别是类型片与反类型片的矛盾）谈风格。钱方正认为，"'科幻'一词的全称为科学幻想，区别于同类型电影魔幻类电影，科幻电影在总体的世界观上比魔幻电影的架空程度要低，科幻电影需要界定更多的虚构来源，以此作为现实世界的延伸，以现实为连接对过去或者未来进行虚构（大多数是延伸至未来）。近年来一些热门的科幻电影，如《阿凡达》、漫威宇宙系列电影等在视觉特效上给予了观众足够的震撼。《星际穿越》《降临》《黑镜》《湮灭》这些科幻类型电影相对于其他主流商业科幻电影，走出了新的'反类型'拍摄风格分支，形成了一种新的电影艺术风格"。根据他的解释，"反类型科幻电影，简单来说就是非主流的电影。主流电影有以下几个标准：1. 有普遍吸引力的标准情节；2. 表现具有普适文化的人物、背景和复杂紧张的场面。类型片可以说是一种流水线模式化批量生产的商品，其目的是占取更大的市场以获取更多的利益。反类型片的导演则会以个人对艺术的思考为出发点，而不是迎合市场。在反类型电影中，我们很少看到俗套的枪战、车辆追逐等模式化的镜头。反类型片是非商业化电影，极具个人色彩"⑤。

① 贾雨薇：《中国科幻电影艺术审美的再思考——以电影〈流浪地球〉为中心》，《艺术评论》2019 年第 4 期，第 44—50 页。
② 孔祥梅：《科幻电影服装的后现代风格解读》，《电影文学》2012 年第 10 期；刘姮：《科幻电影中服装戏剧性风格引领娱乐文化》，《山海经》2016 年第 12 期；付冰冰：《科幻电影服装设计的后现代风格解读》，《戏剧之家》2018 年第 36 期。
③ 侯瑞、杨莉：《国内科幻类型电影美术设计风格及审美形态》，《电影评介》2017 年第 10 期；刘寒：《好莱坞科幻电影的美术设计风格》，《短篇小说（原创版）》2015 年第 32 期。
④ 杨成：《近年来好莱坞科幻动画电影类型特征及审美风格浅析》，《当代电影》2016 年第 6 期，第 165—168 页。
⑤ 钱方正：《拍摄的"加减法"——浅析近年科幻电影的艺术风格》，《独秀论丛》2020 年第 1 期，第 154—163 页。

上文从产品层面考察了科幻电影的美学属性，由美学的形式美、知识美、类型美切入，引申出科幻电影的符号、科技、表征三要素。形式美、知识美和类型美可以在形象美的意义上统一起来。对电影而言，这意味着它所呈现的艺术形象不仅在视觉上要美，而且要有意蕴，并且要符合艺术规律。对科幻电影而言，这意味着将以符号展示黑镜科技作为自己的美学特征。"黑镜"是科幻影视的一个隐喻[①]，"黑镜科技"则是能够映射人性的黑科技[②]。将作为符号的视效、音效、意效、结构等熔为一炉，围绕黑镜科技骋才运思，这正是科幻电影作为产品的特色之所在。

三、以实践制造人为同梦

在经济学领域，运用产业理论研究美、艺术与审美的分支被称为"产业美学"。它依产业类型划分为农业美学、工业美学、商业美学、服务业美学等。如果根据产业总体定位来划分，关注人类如何通过发展生产来满足其需要的是生活美学，关注人类生产与环境相互影响的是生态美学，关注人类生产如何成为自我改造契机的是进化美学。作为其核心范畴，生活美指的是那些富有生活意义与人生价值，从而易于唤起审美情感的事物，生态美是指生物与其环境的和谐关系，进化美则是指生物在遗传与变异的矛盾推动下发展出更强大的能动性。科幻电影在对它们加以呈现时，显示出重视实践、同梦和人为的特点。

（一）实践：科幻电影的生活美

生活美学将"美"理解为一种生活方式，将"生活美"理解为基本需要得以满足之后比较优雅的生活方式，将"实践"理解为人类为满足自身需要而进行的自觉努力。

人类社会以物种生产、物质生产和精神生产为三大支柱。其中，物种生产是人类社会与地球上的其他生物种群共有的，物质生产是将人类社会和地球上其他生物种群区分开来的标志，相对独立的精神生产则是将文明社会和原始社会区分开来的标志。物质生产体现了人类社会的特殊存在方式。从上述认识出发，实践美就是人类通过物质生产表现出来的本质力量，"实践美学"就是主张从物质生产对现实的能动作用出发探讨美的本质的学说。不过，物质生产毕竟不是人类社会的逻辑起点，因为它是从生

① 黄鸣奋：《黑镜：科幻影视中的一个隐喻》，《艺术广角》2017 年第 2 期，第 21—27 页。
② 黄鸣奋：《科幻视野下中国电影的定位》，《福建论坛（人文社会科学版）》2019 年第 6 期，第 23—32 页。

物种群演变而来的。如果因此将美学的起点追溯到生物种群，那就形成了"生命美学""生存美学"等学说。物质生产毕竟也不是文明社会的唯一支柱。当人们强调"科技是第一生产力"的时候，实际上已经肯定了精神生产对物质生产的引领作用。如果因此将美学的目标追溯到人类追求的精神自由，那就形成了"超越美学"等学说。在我国，生命美学、生存美学和超越美学都属于后实践美学。

从产业美学的角度看，科幻电影本身就是人类实践的一个领域。它有效地将人类社会的三大支柱统一起来：在探索人类命运、表现人类与异类之矛盾的意义上，它牵涉人类的物种生产，更准确地说，是对人类未来繁衍可能性的影像化表现；在运用设备制作的意义上，它牵涉人类的物质生产，显示了作为第一生产力的科技所达到的水平；在满足观众对美好生活之需要的意义上，它牵涉人类的精神生产，蕴含了人对未来前景的思考。

从工业美学的角度看，科幻电影涉及三种意义上的实践：①电影机械工业的实践，属于制造业，所生产的主要是电影拍摄设备、电影放映设备；②电影制片工业的实践，属于文化工业，所生产的主要是具体影片；③电影衍生工业的实践，属于轻工业（如果生产纪念品的话）或建筑业（如果建设主题公园的话）。

从创意经济的角度看，科幻电影以电影机械工业提供的设备为依托，以电影制片工业设计的项目为核心，以电影衍生工业提供的链条为拓展，通过引导观众想象未来的方式获得精神自由，这是其实践的方式。

从信息经济的角度看，科幻电影制作属于信息型实践。在以计算机为标志的信息革命的推动下，科幻电影正在发展成为"人机与艺术融合的智能系统"。根据刘伟对人工智能相关领域的发展态势的总结，传统人工智能已有游戏规则，需要"数学+特定领域"的支持；人机交互领域正在形成规则，需要"自动化+人工智能"领域的支持；人机融合智能领域没有游戏规则，需要"人的智慧+人工智能"来完成。"科幻的创作过程，是理性与感性相结合的过程。理性很难创造，感性很难精确。要运用理性创造一个新的颠覆性的事物非常困难，而感性很容易做到。为什么？因为感性能够把表面上无关的事物关联起来，但理性很难做到这一点。对人而言，科幻电影是延伸自我的一种工具，同时也是认知自我的一种手段。"[1]

---

[1] 刘伟：《科幻电影是人机与艺术融合的智能系统》，《吉林艺术学院学报》2018 年第 4 期，第 80—84 页。

（二）同梦：科幻电影的生态美

"生态"的本义是生物在一定的自然环境中生存与发展的状态，引申义是人类在一定社会环境、心理环境中生存与发展的状态。"生态美"在自然环境的意义上是指绿水青山、万物各得其所，在社会环境的意义上是指和衷共济、群策群力，在心理环境的意义上是指休戚相通、荣辱与共。

科幻电影至少在三种意义上和"生态"建立联系：①在自然环境的意义上，科幻电影对传播生态价值观做出贡献。例如，林晓娟纵观科幻电影对生态问题的切入点与探讨领域，将其批判矛头指向征服自然的妄想、滥用科技的弊端和人类欲望的恶果等。①②在社会环境的意义上，科幻电影的繁荣有待于相应文化生态的支持。反过来，它的流行促进了文化生态的变迁。正如刘伟所言："美国科幻电影是特殊文化生态下的产物，而其在数十年来的风靡不衰，也证明它如自然生物适应生命网络一样适应了整个文化生态。与生物学一样，电影与文化生态环境是互相作用的。在当前的社会发展水平下，美国科幻电影也有着它的文化功能与时代诉求，这些也在某种程度上改变、塑造着文化生态。"②③在心理环境的意义上，科幻电影的功能是让观众围绕未来共享梦境。正如杨成所言："一方面，好莱坞生态电影艺术家借助'恶托邦'异质空间的危情呈现，展开对现实生态问题的揭示与批判；另一方面，通过'乌托邦'异质空间的美好世界想象形成对社会与人性的精神重构与救赎。"③

唐芸认为，电影是造梦机器。"每一部电影，都是游走于受众心理层面与生活领域的虚拟梦境。根据叙事手法与演员演绎的优劣，可以是一场美梦，或是一场噩梦，抑或是一场乏善可陈、枯燥无味的无聊梦境。科幻类型电影，更是将符合科学原理或科学推理的幻想，通过电影语言呈现在受众面前，在此基础上展开叙事。"④在笔者看来，科幻电影主要从下述三方面为生态美做出贡献：①放大危机，冀以警世。例如，郝慧鑫在评价《流浪地球》时指出："面对日益严峻的生态危机，导演及编剧团队将人类的生态危机放大，转而变成了有关地球的逃亡危机，这是之前我国电影文本中从未涉及到的影像建构，这些陌生化的危机巧妙地将现实困境与科

---

① 林晓娟：《科幻电影中的生态主义摭谈》，《电影文学》2015 年第 12 期，第 51—53 页。
② 刘伟：《当代美国科幻电影的文化生态解读》，《电影文学》2016 年第 23 期，第 33—35 页。
③ 杨成：《"乌托邦"与"恶托邦"的二重奏——好莱坞生态科幻电影中的异质空间书写》，《当代电影》2017 年第 11 期，第 176—179 页。
④ 唐芸：《詹姆斯·卡梅隆科幻电影风格探析》，《电影文学》2018 年第 22 期，第 90—91 页。

幻元素结合，构成了《流浪地球》式的主观真实特质。"①②痛定思痛，给出建议。例如，根据郑丽对美、英合拍片《星际穿越》的分析，"在人类发展史中，科学技术是一把双刃剑，在给人类带来利益的同时，也给生态环境带来了伤害，当这种伤害积累到一定程度时必然爆发出惊人的生态危机。在影片中可见，人类舍弃了科学技术，人类对科学技术所带来的危机充满悔恨与谴责，为了延长人类在地球上的生存时间，人类选择了一种较为原始的生活方式，以求减缓能源危机带来的生存危机"②。又如，根据徐娟的总结，日本科幻电影表达了对人类在当下应选择的道路的思考：重新敬畏大自然的神秘与伟大，并将这种敬畏发展到尊重和热爱；应该秉承生态中心主义，强烈要求把技术对自然的干扰降到最低（但不是反技术）。③③展示憧憬，指引方向。例如，尹松涛、徐飞指出，"科幻电影中经常出现一个从遥远的太空俯瞰美丽蓝色地球的镜头，这或许象征着人类有限的认知和对美丽地球家园无限的向往，人类只有坚持整体性观念，敬畏自然，建立更宏观而深邃的生态观，才可能拥有一个更可以期待的美好未来，才能从遥远的太空欣赏自己美丽的家园，这也许就是生态主题科幻电影共同的启示"④。

（三）人为：科幻电影的进化美

进化是生物适应环境变化而改变自身的过程。依据进化论的观点，人目前的形态是原始生命经过漫长进化演变而来的。从机制的角度看，美是有利于进化的趋势，也可以说是进化创造了美，或者说美显示出作为进化标志的特征。与"进化"相对而言的是"退化"，正如与"美"相对而言的是"丑"一样。"丑"可以理解为不利于进化的趋势，也可以说是退化创造了丑，或者说丑显示出作为退化标志的特征。但是，进化论并非人人都同意，将它作为美丑的判别标准更非人人都赞成。进化美也只是本节所说的"美"的类型之一。

在电影史上，也许科幻电影是最关心"后人类"议题的分支了。后人类时代以人为进化取代自然进化为特征。潘汝指出，"在新科技的狂飙中，基因工程、机械连接、电子植入、远程传输等方式都可造就区别于自

①　郝慧鑫：《低碳艺术指引下的国产科幻电影新探索——以〈流浪地球〉为例》，《传播力研究》2019 年第 15 期，第 64 页。
②　郑丽：《科幻电影〈星际穿越〉的生态关怀》，《电影文学》2015 年第 18 期，第 154—156 页。
③　徐娟：《生态主义视角下的日本科幻电影》，《电影文学》2017 年第 22 期，第 56—58 页。
④　尹松涛、徐飞：《美国生态主题科幻电影的启示》，《科普研究》2015 年第 3 期，第 58—67 页。

然人的'非人'"①。丁婕、陆道夫则认为，"主体裂变出意识副本，各类人工智能机器人被赋值了人工虚拟生命，纷纷参与后人类主体性的建构，碾压了往昔理性的纯主体性观念。这类科幻电影试图以寓言的方式，描述并呈现了后人类主体性的消解过程与趋势，通过解释后人类的道德伦理困境和思维谜团，从而唤起观众对后人类主体性赋值的警觉与思考，进一步反思后人类主体性话语与现代性主体话语的语境生成差异和主体性自身的合法性危机"②。

科幻电影至少在三个意义上和人为进化发生关联：①打破人类一成不变的模式，将人类在近未来或远未来可能发生的形态变化提前到当下展示出来。曲一公说："当代科幻片已从'幻想''奇观'走向对人类现实和未来命运的深切关注，科幻电影已不再局限于对科学技术的纯粹幻想，开始思考科技发展可能使人类未来遭遇的某种真实困境，这意味着人类思维发生了重大变化。同时，以基因技术、人工智能等颠覆性成果为标志的后人类处境，已逼近和危及自然人类的生存边界。加速发展的现代科学技术，使科幻电影成了对人类未来境遇的探索。"③②打破人类进化是独自演变的模式，将人类与异类的互动或协变当成进化的动力。"科幻电影中的机器人/后人类挑战了人类主体的界线，给人类形态（包括人类的愿望及其各种外部表现）带来了巨大的改变。与此同时，关注科学、电影和小说，可以促进前瞻性和普世性的思考，勾勒一幅有助于人类以及其他生命形式长期共存的图景。"④③打破人类总是朝肯定性方向进化的模式，展示了包括乌托邦、恶托邦、异托邦等在内的多种可能性。正如袁强所说："后人类科幻电影聚焦于对人类未来形态与生存境遇的想象，塑造了丰富的后人类景观，主要包括基因改造人、赛博格、人造人、人工智能四类，虽然他们在身体构成上截然不同，但在文化内涵上都指向了后人类现象所引发的人类主体性危机。《攻壳机动队》与《机械姬》代表了这类电影的两种倾向，即对人们能在人本位伦理失效与技术统治的境遇中实现主体性重塑的肯定与否定，两种倾向相反相成，为人类未来的发展做出了不同的

---

① 潘汝：《身体·主体·社会：20 世纪 90 年代以来欧美经典科幻电影的"赛博格"想象》，《上海交通大学学报（哲学社会科学版）》2020 年第 3 期，第 46—54 页。
② 丁婕、陆道夫：《人工智能的后人类主体性赋值——从科幻电影〈她〉谈起》，《广东技术师范大学学报》2020 年第 4 期，第 90—96 页。
③ 曲一公：《后人类处境：科幻电影与未来探索》，《探索与争鸣》2019 年第 3 期，第 135—144 页。
④ 刘宇清：《科幻电影与后人类思潮——凯瑟琳·海勒访谈》，2018 年第 1 期，第 129—134 页。

预示。"①

人为进化创造了比自然进化更迅速演变、更多样变异的可能性。陈灯杰指出，"当代科幻电影通过对'他者'的设计，向我们诠释了什么是后人类主体以及我们如何构建后人类主体。从这个意义上讲，电影走在了哲学的前头，先哲学一步重新思考和阐释了人的概念"②。科幻电影不仅想象后人类的形态或者思考后人类的观念，而且通过屏幕将他们展示出来。因此，既可以说是后人类范畴启发了科幻电影编导的思路，也可以说科幻电影为后人类时代的到来推波助澜。后人类时代的到来，究竟意味着原先人类的进步，还是意味着"人将不人"？人类将会因此变得更美（更强大、更健壮、更有能动性）还是更丑（更孱弱、更病态、更具受动性）？这类问题是悬而未决的，但目前还基本上处于可控范围内。未来的前景在很大程度上取决于人类的价值判断。

以上着眼于运营层面，分析了科幻电影的生活美、生态美和进化美。它们可以在美学的意义上统一于"身体美"（因为它们都和身体有关）。由此引申出来的"实践""同梦""人为"可以在艺术心理学的意义上统一于"以实践制造人为同梦"，这是科幻电影的美学属性之一。这里所说的"实践"包括技术实践、艺术实践、产业实践等多重含义，"人为同梦"则是围绕人为进化展开的共同体幻想（主要是科技社会中后人类的未来命运）。

本节认为现阶段有代表性的美学观点通过相辅相成构成了比较完整的参照系，可用于分析科幻电影的美学属性。由美学界定的力量美、怡情美、教育美可以统一于心灵美，由此定义科幻电影"以叙事激发换位畅想"的特征；形式美、知识美、风格美可以统一于形象美，由此定义科幻电影"以符号展示黑镜科技"的特征；生活美、生态美、进化美可以统一于身体美，由此定义科幻电影"以实践制造人为同梦"的特征。心灵美、形象美和身体美又可以结合为人格美，由此从文化美学的角度界定科幻电影的属性。丁姝杰认为，"国产科幻电影凝聚的是一种与西方救世主神话和文化完全不同的东方式的电影梦，其主要表现之一便是在人物谱系中呈现出与好莱坞科幻电影完全不同的面貌"，并以《流浪地球》《疯狂的外星人》为个案解析了国产科幻电影叙事风格的突破。这种突破主要有如下

---

① 袁强：《后人类科幻电影中的人类主体性反思——以〈攻壳机动队〉与〈机械姬〉为中心》，《电影新作》2020年第3期，第103—108页。

② 陈灯杰：《电影与后人类主体的构建——以电影影像中的"他者"为例》，《当代电影》2018年第12期，第124—127页。

表现：一是摒弃了人物二元对立的简单设置；二是摒弃了个人英雄主义，选择了群像作为主体。①上述观点可以为理解科幻电影的美学属性提供参考。科幻电影美学既从传统美学汲取营养，又关注科幻电影创作经验的升华，可以为中国电影学派建设做出重要贡献。②

本章依次分析了"美学视野下的科幻电影""科幻电影视野下的美学""科幻电影美学属性研究"。它们说明"科幻电影的美学研究"可以从多种角度进行，各有各的重点。尽管如此，这些角度可以融合为共同的视野，即当下美学与科幻电影的关系如何在科技的引领下发生变化。刘永亮指出，"随着跨媒介、人工智能、网络虚拟技术以及情境计算的出现使人类主体自身开始进入对'后人类'进行思考的境地，此时人类的思维和审美也开始发生新的变化。后人类语境下的科幻电影引起了对媒介意识、拟像表达、人性关照的多维度思考，并且形成自身独特的美学判断"③。根据韩思琪的看法，"伴随着科幻电影由'符码''类像''仿真'所想象出的新经验领域，塑造了一种比'现实'更真实的'超现实'，但'后人类'时代与'赛博格身体'并不意味着真实感的全面丧失。有关人（实）机（虚）关系科幻电影给出三种虚实模式：虚拟会谋杀现实、虚拟可以拯救现实，或者在虚实之间搭建新可能，以情感指认的'后真实'，去构建一种新的想象共同体"④。他们的观点是颇有见地的。

① 丁姝杰：《解析国产科幻电影叙事风格的突破》，《电影文学》2019 年第 8 期，第 31—33 页。
② 郑露娜：《符号矩阵理论视域下科幻电影的主题思考——以〈银翼杀手 2049〉为例》，《浙江树人大学学报（人文社会科学）》2020 年第 1 期，第 105—110 页。
③ 刘永亮：《后人类语境下科幻电影美学的三个批判维度》，《北京电影学院学报》2019 年第 1 期，第 28—35 页。
④ 韩思琪：《"后人类"时代真实死亡了吗？——科幻电影的三种回答》，《文艺论坛》2019 年第 3 期，第 97—103 页。

第四章　科幻电影的发展趋势

科幻电影在我国方兴未艾，正随着信息革命的深入、工业社会向后工业社会的演化、工业美学向后工业美学的转变不断推出新品，在社会生活中产生越来越大的影响。本章分别从中国、工业和美学的角度阐析科幻电影的本土化、商品化与类型化问题。

第一节　从中国角度看科幻电影本土化

在我国，科幻电影的本土化是在科幻与电影互动的基础上实现的。"中国科幻"在狭义上专指中国科幻文学，在广义上是我国出品的科幻文学、科幻音乐、科幻美术、科幻戏剧、科幻影视、科幻游戏及其周边产品等的总称。作为中国科幻的重要组成部分，科幻电影以科幻文学为先导而产生，经历了产业化、信息化，在国人期待、失望、再期待的进程中发展，到 2019 年终于迎来了真正意义上的高潮（以根据刘慈欣小说改编的《流浪地球》公映为标志）。事实证明，中国科幻对于作为其要素的科幻电影具有支持作用，反过来，科幻电影在充当视觉化先锋的意义上对中国科幻具有引领作用。不过，中国科幻电影的发展并非一直顺风顺水。这两年出品的影片未能达到人们的期待水准，在引来批评之声的同时，也启发人们思考这样的问题：如何通过本土化生产高质量的科幻电影？这正是本节要探讨的。

一、中国科幻的由来与演变

我国现代意义上的科幻已经有 100 多年的历史。它产生于西学东渐的背景之下，在本土化的历程中为思想启蒙和科学普及做出了重要贡献，同时也孜孜不倦地探索自己的应有定位（即"自觉化"）。从比较纯粹的精神产品到步入文化市场，我国科幻逐渐通过产业化实现自己的使用价值和交换价值。受以计算机为龙头的第五次信息革命的影响，中国科幻逐渐将其生产、流通与消费纳入了新媒体的轨道。

（一）中国科幻的自觉化

我国古代典籍不乏有关科技的想象，某些想象已经具备科幻意味，像《列子·汤问》讲述偃师献歌舞机器人给周穆王的故事就是如此。不过，近代意义上的科幻是在西方兴起的。像英国玛丽·雪莱的《弗兰肯斯坦》这样的小说，不是作为寓言或轶闻，而是有意识进行虚构的，表达了作者对科技的看法，在逻辑上自洽，具备开创性意义。像法国作家凡尔纳那样在科学畅想的框架中编织众多生动故事的成就，更是我国古代缺乏的。正因为如此，鲁迅在 1903 年将凡尔纳的《从地球到月球》翻译成汉语出版，并在序言中阐述了科幻小说的妙处："盖胪陈科学，常人厌之，阅不终篇，辄欲睡去，强人所难，势必难矣。惟假小说之能力，被优孟之衣冠，则虽析理谭玄，亦能浸淫脑筋，不生厌倦。"[①]他从科普的角度把握科幻要旨，切合了当时中国社会革故鼎新的启蒙需要，产生了很大影响。1904 年，《绣像小说》杂志连载了荒江钓叟所著《月球殖民地小说》，描写了主角乘气球寻找失散的妻儿，为我国的原创科幻文学开了先河。1908 年，上海小说林社出版了长篇军事科幻小说《新纪元》，作者碧荷馆主人在开篇中说：编小说的意欲除了过去现在两层，专就未来的世界着想，撰一部理想小说。因为未来世界中一定要发达到极点的，乃是科学，所以就借这科学，做了这部小说的材料。[②]他既从未来给出定位，又声明所著小说并非"科学讲义"，这种观点是符合科幻的要旨的。在字里行间，我们隐约可以看到，对于科幻小说是以科学为本位"假小说之能力"，还是以小说为本位"借这科学"做材料，存在明显的分歧。

上述分歧在中华人民共和国成立之后有关的论争中以更清晰的方式表现出来。改革开放之前的科幻是在以文学为主导、以科普为使命的总体格局中发展的。青年发明家张然的《梦游太阳系》1950 年由天津知识书店出版。这是中华人民共和国成立后的第一部科普型科幻小说。次年，由生活·读书·新知三联书店出版的《宇宙旅行》也是同类小说，作者薛殿会是大连科普作家。在新时期，童恩正率先指出，与"科普作品"不同，"科学文艺"并不以介绍科学知识为目的。对它来说，科学知识是作为展开人物性格和故事情节的需要而充当背景的。[③]他的观点引发了热烈的讨

---

① 鲁迅：《〈月界旅行〉辨言》，见吴岩、姜振宇《中国科幻文论精选》，北京大学出版社2021 年版，第 2 页。

② 碧荷馆主人：《〈新纪元〉开篇》，见吴岩、姜振宇《中国科幻文论精选》，北京大学出版社 2021 年版，第 2 页。

③ 童恩正：《谈谈我对科学文艺的认识》，《人民文学》1979 年第 6 期，第 110 页。

论，其影响之一是许多科幻作家逐渐将关注的重点由科普转移到对人性和现实的思考上来。郑文光对科幻小说中的硬科幻、软科幻加以区分，认为前者的情节、人物、场景都是围绕科学幻想构思展开，后者却是将科学幻想构思组织到作为社会小说的整体构思中去。即使是前者，亦非科普读物，也不能称为"科普性科幻"。①刘慈欣试图用"三形象说"将上述分歧统一起来，认为科幻文学有三种特有的形象，即种族形象、世界形象和科学形象。②

中国科幻的自觉不仅体现在将自身与科普区分开来，还表现在内部流派的分化上。韩松指出，科幻并不过多地选择批判现实，而是选择了逃离现实，不管怎样，科幻成为我们的生活方式，成了我们自我解嘲的艺术——如果我们不能自我解嘲的话。③陈楸帆倡导作为话语策略的科幻现实主义，认为科幻用开放性的现实主义，为想象力提供了一个窗口，去书写主流文学中没有书写的现实。④吴岩则发表了《科幻未来主义宣言》，针对性地提出，真正的未来需要建构性的写作。要为人类打开脑洞，为迷途的羔羊折返自由的宇宙而写作。⑤他们的观点明显有别，但所使用的范畴有时因令人产生有关西方对应流派的联想而未能彰显自己的立意。尽管如此，上述见解都体现了中国科幻领军人物的反思精神，可以供科幻电影研究者参考。

（二）中国科幻的产业化

如前所述，中国科幻诞生于 20 世纪初，以肩负启蒙使命的科幻文学先行，但相关作品也显示出娱乐读者的倾向。电影在我国兴起之后，科幻被进一步纳入产业轨道，服务于作为消费者的观众。当时科幻电影的生产者主要是民营企业。中华人民共和国成立后，经过对私改造，我国科幻在以公有制为主导、以科普为主要使命的总体格局下发展。无论科幻作家在什么报刊上发表小说、诗歌、散文或剧本，这些报刊的编辑部都属于事业

---

① 郑文光：《科幻小说两流派》，见吴岩、姜振宇《中国科幻文论精选》，北京大学出版社2021年版，第170页。

② 刘慈欣：《从大海见一滴水——对科幻小说中某些传统文学要素的反思》，见吴岩、姜振宇《中国科幻文论精选》，北京大学出版社2021年版，第232页。

③ 韩松：《自嘲的艺术——当代中国科幻的一些特征》，见吴岩、姜振宇《中国科幻文论精选》，北京大学出版社2021年版，第260页。

④ 陈楸帆：《对"科幻现实主义"的再思考》，见吴岩、姜振宇《中国科幻文论精选》，北京大学出版社2021年版，第267页。

⑤ 吴岩：《科幻未来主义宣言》，见吴岩、姜振宇《中国科幻文论精选》，北京大学出版社2021年版，第272页。

单位。无论是由哪个导演牵头拍摄科幻电影，剧组都是属于国有电影制片厂的。新时期以来，中国科幻开始沿着有别于科普的轨道发展，标志性事件是以《科学文艺》《奇谈》为前身的《科幻世界》杂志出版（1979年）。该刊以四川省科学技术协会为主管单位和主办单位，这在一定程度上说明科幻仍然从属于科普。不过，既然以"科幻"（而非"科学文艺"）为名，就有了与世界接轨的可能性。1991年，世界科幻协会年会由《科幻世界》杂志社承办，这是一个标志性事件。

在这一时期，民营经济重新振兴，华谊兄弟传媒集团等企业开始进军电影行业。国有电影制片厂则在改革过程中走上了集团化道路。21世纪以来，中国科幻文学加快了发展步伐。2010年，世界华人科幻协会成立，并设立了全球华语科幻星云奖。2015年，刘慈欣凭借《三体》获第73届世界科幻大会颁发的雨果奖最佳长篇小说奖，为亚洲首次获奖。在电影界，国有企业自失去垄断地位之后发展相对缓慢，中国电影集团公司、上海电影（集团）有限公司等直到2016年才陆续登录A股。民营企业则活跃得多，拍摄了很多科幻影片。上述两种不同所有制的企业既相互竞争，又彼此合作。2013年以来，混合所有制经济呈现出强劲的发展势头。新时代以来，科幻电影领域国有企业与民营企业的合作取得硕果。中国科幻电影的代表作《流浪地球》就是由中国电影股份有限公司、北京京西文化旅游股份有限公司、北京登峰国际文化传播有限公司、郭帆文化传媒（北京）有限公司出品的。

科幻生产（狭义）是精神生产的重要分支，科幻产业就是在科幻生产的基础上形成的。它包括六个分支：①科幻创造业。其职能是通过饱含情感的想象活动实现人类对精神自由的追求，可根据创造活动的性质细分为科幻创作业（原创）、科幻表演业（二度创作）、科幻鉴赏业（三度创作）。②科幻制造业。其任务是实现科幻作品的物态化，可根据制造的过程细分为科幻设计业、科幻用具制造业、科幻产品制造业。经过科幻制造业的加工，作为人类精神活动成果的科幻作品转化成为具有一定物质形态的科幻产品。③科幻传输业。其使命是实现科幻信息的传播，可根据大规模传输的性质细分为科幻印刷业（诉诸视觉媒介）、科幻摄录业（诉诸电化媒介）、科幻广播业（诉诸无线载波）。经过科幻传输业的加工，科幻产品扬弃了自身的本真性，成为依托大众媒体不胫而走的信息流。④科幻营销业。其功能是保证科幻为生产性消费和生活性消费服务，可根据服务的性质细分为科幻娱乐业、科幻销售业、科幻中介业。由于科幻营销业起作用的缘故，科幻产业直接作用于物质生产的发展，并与消费者建立密切联系。⑤科幻养成业。它负责为整个社会的科幻活动培养与输送人才，并保证科幻的社会价值的实现，可根据活动的性质分为科幻教育业、科幻竞技业、科幻出版业。由于科幻养成业起作用，科幻产业具备了独特的社会效益。⑥科幻管理业。它负责根据一定的社会规范调节全社会的科幻活动，可根据管理主体与管理对象的角色伴侣关系而区分科幻部门管理业、科幻社团管理业、科幻场馆管理业。由于科幻管理业起作用，科幻产业在社会许可与鼓励的范围内活动，服务于既定的社会目标。在我国，目前上述六个分支都有不同程度的发展。

（三）中国科幻的信息化

19 世纪以来，世界经历了以电磁波为标志的第四次信息革命、以计算机为标志的第五次信息革命。这两次信息革命都对中国产生了巨大影响，也给 20 世纪兴起和发展的中国科幻产业打上了烙印。迄今为止，我们已经见证了如下变化。

一是电视业的兴起。中国电视业形成于 20 世纪 50 年代末，标志性事件是中央电视台成立（1958 年）。由于国家层面的主管单位不同等，中国电影业和电视业的融合发展比较迟缓，其表现之一是电视电影不发达。尽管如此，在科幻领域仍有值得一提的成果，例如，1987 年，央视一套播出以超能机器人为主角的国产儿童科幻电视剧《神奇的贝贝》。2005年，中国教育电视台一套播出科幻电视剧《非常 24 小时》。它以网络少年破解密码程序进入卫星授时系统为引子，描绘了因时间错乱而引发的矛盾冲突。21 世纪以来，我国政府致力于扶植动漫产业。以此为背景，国家广播电视总局陆续推荐了不少优秀国产电视动画片，其中包括 2009 年第四批推荐的北京禹田文化艺术有限责任公司的《魔角侦探》（52 集，每集 11 分钟），2010 年第二批推荐的厦门利根思动漫有限公司的《毛毛王历险记》（26 集，每集 12 分钟）、北京卡酷动画卫星频道有限公司的《卡酷漫游记》（52 集，每集 11 分钟），2011 年第一批推荐的福建省燕子动漫科技有限公司的《燕尾侠》（26 集，每集 11 分钟），2018 年第三季度推荐的完美鲲鹏（北京）动漫科技有限公司的 3D 版《宇宙护卫队》（52 集，每集 12.5 分钟），等等。2019 年，在国家广播电视总局的指导下，江苏卫视、爱奇艺、抖音联合出品了国内首档天文科幻科普节目《从地球出发》。

二是信息业的兴起。中国信息业形成于 20 世纪下半叶，标志性事件是中国互联网开始建设（1989 年）。汉语网络文学由海外留学生在 20 世纪 90 年代初首创，被台湾大学生蔡智恒创作的小说《第一次的亲密接触》（1998）取得的成功鼓舞，1998 年以来在中国勃兴，不仅发展成为庞大产业，而且为科幻电影提供了源源不断的创意。影视数字化通过制作特效镜头、生产数字动画片和网络剧等途径推进。我国最早的科幻影视网络剧可能是北京东方飞云国际影视股份有限公司出品的"穿越时空"系列。它以天才科学家李斯坦为主人公，由四部电影构成，即《穿越时空之明月郡主》《穿越时空之灵格格》《穿越时空之大清宫祠》《穿越时空之来客》。这个系列的作品既在辽宁卫视首播（2010 年），又在腾讯视频播出，因此兼有电影、电视剧、网络剧等多重身份。其后，主要供网站播放（或由互联网企业出品）的科幻网络剧层出不穷，如 2014 年的《高科技少女喵》《你好外星人》，2015 年的《发明大师》，2016 年的《爱情公寓外传之开心原力》《梦境规划局》《薛定谔的猫》，2018 年的《海克星》《同学两亿岁》《火星女孩》《时空侠》，2019 年的《彗星来的那一夜》《爱上北斗星男友》《非常 Y 星人》，2020 年的《失踪人口》《只好背版地球了》《总裁的机械情人》，2021 年的《新人类！男友会漏电》《太空有点烫》，等等。2020 年，优酷推出了《谁偷了我的WIFI》，包含 7 种不同的结局，是互动电影的尝试。

三是动漫游戏业的转型。通常所说的动漫游戏业涵盖漫画、动画、电子游戏等产品的生产。漫画起源于文艺复兴时期的意大利，清末传入中国。在日本，漫画始终占据科幻的中心位置。在美国，DC（Detective Comics，1934）漫画、惊奇漫画（Marvel Comics，1939，即漫威漫画公司）等企业在科幻领域颇为有名。在我国，科幻漫画是科幻美术的重要品种，虽然出现得比较晚。20 世纪 80 年代，《幽默大师》杂志开辟了"拍脑袋发明"栏目，为科幻漫画提供了印刷平台。在数字化过程中，科幻漫画拥有了新平台，即电信运营商和移动运营商提供的在线空间。科幻题材的科幻动画也迎来了新机遇，如有妖气原创动漫梦工厂出品了壁水羽的网络动画《端脑》（2014）。电子游戏原先以模拟技术为主，如电视游戏、投币游戏等。在电子计算机兴起之后，陆续出现了单机游戏、网络游戏、手机游戏等新品（同名游戏可能有分别适用于单机、网络和手机的不同版本）。科幻题材的国产电子游戏有目标软件（北京）有限公司开发的即时战略游戏《铁甲风暴》（1998），北京金洪恩电脑有限公司开发的全 3D即时战略游戏《自由与荣耀》（1999），祖龙工作室开发的机器人第一人称射击游戏《大秦悍将》（2002），幻羽（北京）科技有限公司开发的科幻沙盒动作冒险游戏《幻》（2017），杭州点力网络科技有限公司制作的基因题材第三人称射击类游戏《基因雨：风塔》（2020）等。腾讯游戏天美工作室群开发并运营的多人联机在线竞技游戏《王者荣耀》（2015）获得了巨大的成功，2018 年获得第 29 届阅文杯"中国科幻银河奖"游戏奖。

经历 100 多年的发展，中国科幻逐步实现了自觉化、产业化、信息化，不仅在科学启蒙、解放想象力、引导公众思考和定位未来等方面做出自己的贡献，而且开始带动周边产品的发展。根据姚利芬的分析，目前科幻周边产品开发主要围绕产业上游的畅销科幻作品展开，形式有舞台剧、游戏、有声书等。①尽管中国科幻已经有了上述进步，但未从整体上摆脱在西方同行面前的自卑心理。中国的科幻小说待到西方人颁奖才在国内引发轰动，中国的科幻电影未在西方赢得过有影响的大奖，因此未能在国内获得应有的重视，对标好莱坞一直是发展国产科幻电影的基本思路，这种情况无疑应当改变。2021 年，吉林大学付思遥发表了一篇很有见地的文章，就此指出："虽然好莱坞作为电影美学走向主导者的地位至今无人能够撼动，但中国作为拥有丰富文化资源的国家，建立起具有自己主体地位的科幻电影是科幻电影全球本土化的题中之义。尤其是在发展软科幻时，不妨跳出好莱坞式科幻片的窠臼，扬长避短，不迷信用大规模特效创造视觉奇观，而是充分发挥成熟的作者电影风格特色，加入中国元素和符号借以深入体现中国文化内涵，并且以现实主义的视角给予社会人生深刻的观照。"②

二、中国科幻对电影的支持作用

陈军指出，电影《流浪地球》的走红，不仅得益于国人当下某种"大国焦虑"的暗中助力，同时也是刘慈欣小说加持的结果。③刘慈欣的小说是中国科幻文学的佼佼者，电影《流浪地球》便是根据其同名原作改编的。这一事例说明，中国科幻文学取得的成果可以转化为科幻电影发展的重要条件。不仅如此，从整体上而言，中国科幻（不限于文学）是为激发观众的想象力服务的，其繁荣有利于电影（首先是科幻电影）产业的振兴。下文从科幻文学、科幻艺术和科幻评论的角度予以论述。

---

① 姚利芬：《年度科幻周边产品的发展》，见吴岩《2020 中国科幻发展年鉴》，中国科学技术出版社 2020 年版，第 116 页。
② 付思遥：《新世纪中国软科幻电影的"全球本土化"研究》，《科技传播》2021 年第 8 期，第 94—96、136 页。
③ 陈军：《卷首语》，《戏剧与影视评论》2019 年第 2 期，第 1 页。

（一）中国科幻文学是电影创意的泉源

之所以说中国科幻文学是电影创意的泉源，主要有如下三个原因：①虽然我国大部分科幻电影的创意直接来自本土的编剧、导演与制片人（有时一身多任），但是主创人员在成长过程中几乎都受到过中国科幻文学的熏陶。②虽然无脚本拍摄是我国科幻电影编导可能的选择之一，但有脚本拍摄更为流行，因为它可以提供比较可靠的质量保证。这些脚本是用文字写成的，可视为创意写作的产物，实际上本身就是中国科幻文学的组成部分。③虽然直接改编自中国科幻文学（主要是科幻小说）的影片不是很多，但它们仍然可以成为文学创意启迪电影编导的例证。在内地出品的科幻影片中，《十三陵水库畅想曲》改编自田汉同名话剧，《珊瑚岛上的死光》改编自童恩正的同名小说，《危险智能》根据张之路的小说《非法智慧》改编，《海洋之恋》（2016）改编自阿兰的同名长篇小说，《异能学姐》（2017）根据悬疑作家赵家三郎的小说《亡灵编程》改编，《流浪地球》根据刘慈欣同名小说改编，《上海堡垒》根据江南同名小说改编，《时空救援队》根据涤心（本名李娜）的《替代者2050》改编。在我国香港地区出品的科幻影片中，《卫斯理传奇》（1987）改编自倪匡的同名小说，《那夜凌晨，我坐上了旺角开往大埔的红 VAN》（2014）改编自 Mr. Pizza 的同名小说。当然，这不是说外国科幻文学就不能成为中国科幻电影创意的来源，《巨齿鲨》就是根据美国作家艾尔顿（S. Alten）的同名小说改编的。

吕哲认为，"只有当故事片诞生的时候，现代电影工业才算是真正开始成型，而种类繁多的小说就成了电影拍摄的'天然'题材库，由此电影改编，或者说是电影故事片对长短篇小说的'译写'就成了电影工业的一个重要环节"；"然而，从小说到电影，必然要经历情节和人物的取舍，环境、空间元素的强化，以及场景与对白由风格化向情景化的转变等"。① 就文学改编成电影而言，值得关注的问题首先是：什么样的作品适宜改编成电影？对此，刘健的看法是值得参考的。他提出如下四条标准：①原作者及被改编的作品都要有较高的知名度；②篇幅在5万字以内；③背景内容简洁，叙事结构清晰，人物关系简单，情景设置易于实现；④有较大的改编余地。好莱坞科幻电影已经形成了自己成熟的叙事模式，因而在电影改编时，他们往往只是借鉴了科幻小说中的创意点或基本的"科学性"设

---

① 吕哲：《当科幻小说遇上光影魔术》，见吕哲《源代码：从科幻小说到电影经典》，百花文艺出版社2015年版，第1、2页。

定，至于剧本编写则是完全按照好莱坞的工业化流程进行的。[1]

其次，在将文学作品改编成电影的过程中，应当注意哪些问题？鲍远福归纳出如下注意事项：①拍摄制作的技术条件与电影生产的电影工业规范标准的限制；②社会文化环境对科幻电影类型化的制约；③文学和电影之间的符号表意机制的差异。他认为影视改编者在改编过程中需要将科幻小说中天马行空的想象拉到可以触及的现实生活经验层面，将它们具体化。[2]张琰琳认为，电影《流浪地球》对刘慈欣原作进行了出色的改编，主要经验有两条：①举要删芜，打造"中国叙事"世界观；②再创造，塑造具有"中国气质"的人物。该片只选取科幻的空间设定，所体现的人物关系依然是当代中国社会人际关系的再现——不是为了个体幸福在战斗，而是为了家和家园的未来在战斗。[3]

再者，文学作品在被搬上银幕的过程中，会发生哪些变化？ 卓芽的下述见解值得参考："电影与小说是两种相对独立的艺术形式，其两者区别是无法回避的。小说家通过纸张上的文字表现形式将某种程度上支离破碎的隐喻勾勒出抽象的思想概念；而电影是直观的形象艺术，其无法展现出形象与概念交错相连的意识流。因而在改编过程中改编者应有一定抗衡的魄力，运用电影中的空间意识、运用意识、摄影意识、蒙太奇意识以及声音意识思维对原作进行独立完整的电影构思，使用电影艺术手段，在原作的土壤上进行大胆创造。"[4]

最后，以什么标准衡量改编的成败得失？诚如李叶、马俊锋所言："影片的成功，即是小说改编的成功。影片《流浪地球》并未完全按照原著，《疯狂的外星人》更是对小说动了'大手术'，说面目全非也不为过。电影史上许多成功的改编电影也并非都是遵照原著，刘慈欣认为，'电影与小说是两种不同艺术形式，不必完全遵照原著'，拍得好看就是成功。"[5]

---

[1] 刘健：《王晋康科幻小说改编电影潜力漫谈》，《中国电影报》2019 年 6 月 12 日第 7 版。

[2] 鲍远福：《从〈流浪地球〉的成功看科幻小说的影视改编》，《中国艺术报》2019 年 2 月 27 日第 3 版。

[3] 张琰琳：《中国式科幻内核创造——浅谈〈流浪地球〉电影改编》，《大众文艺》2020 年第 11 期，第 167—168 页。

[4] 卓芽：《新时代我国科幻小说影视改编的策略研究》，《电影评介》2020 年第 3 期，第 89—92 页。

[5] 李叶、马俊锋：《赋予温情 坚守希望——〈流浪地球〉从科幻小说到电影的改编》，《新疆艺术（汉文）》2019 年第 3 期，第 94—97 页。

（二）中国科幻艺术是电影繁荣的沃壤

在我国，赵士林早在 1985 年就从未来学角度论证了科幻艺术是"新神话"的观点。他认为当代艺术家在运用想象以征服、支配自然力方面和古代神话有共同之处，不过他们总是遵循着清晰可辨的理性轨道、焕发着科学的威力，在表现人与自然的关系时，注意揭示人类宇宙观、人生观、道德意识、情感生活——文化心理结构的新变化。[①]他对科幻艺术的前景持乐观态度。

所谓"科幻艺术"，在狭义上是科幻文学之外的各种以科幻为题材的艺术样态的总称，在广义上将科幻文学视为科幻性语言艺术而包括进来。本书这一部分所说的主要是前者。科幻电影本身也属于科幻艺术，它可以从同属这一艺术家族的兄弟姐妹那里汲取营养，当然也可以为整个艺术家族的发展做出贡献。从目前的情况看，我国科幻艺术有了一定程度的发展。例如，在视觉艺术领域，以科幻插画、科幻漫画为代表的科幻美术获得了青少年的喜爱。"科幻建筑"被作为电脑美术的分支进行创作。在听觉艺术领域，由伍佰（本名吴俊霖）担任主唱兼主音吉他手的摇滚乐团"China Blue"于 2008 年推出了专辑《太空弹》。在视听综合领域，广东省佛山市顺德区于 2014 年推出了以环保为核心的大型科幻音乐剧《星球密码》。武汉艺画开天文化传播有限公司、哔哩哔哩在 2019—2020 年联合出品了原创网络科幻动画剧《灵笼》。哔哩哔哩在 2021 年出品了科幻动画剧《残次品·放逐星空》，由上海灵樨文化科技有限公司制作。

科幻电影的繁荣昌盛应当是与科幻艺术的百花齐放相辅相成的。我国科幻电影已经在一定意义获益于其他科幻艺术，漫改剧即为一例，它指的是根据漫画改编的影视剧。1949 年，上海昆仑影业公司推出根据张乐平同名动画摄制的《三毛流浪记》，为国产漫改剧开了先河。我国科幻领域的漫改剧始于香港。例如，科幻电影《力王》（1991）改编自日本猿渡哲也的漫画，《黑侠》（1996）根据利志达（Li Chi-Tak）的同名漫画改编，它们引起的反响都很大。在内地，科幻电影《只好背叛地球了》（2020）改编自抽纸小 jin 的同名漫画。上述作品只能说是初步尝试，若将它们置于近年来国产漫改剧大热的背景下加以考察，那只能说科幻题材在改编成影视方面远远落后于其他题材。若与美国、日本、韩国等国家比较，那这方面的差距就更大了。若与文学改编相比较，那么动漫改编成电影遇到了

特殊问题，即漫迷比小说迷对改编后的电影忠于原著的要求更强烈。

科幻剧（包括舞台剧、广播剧、电视剧、网络剧）都有使科幻深入人心的作用。它们和科幻电影都属于叙事艺术，完全可能相互转化，而且已经形成科幻剧集这类中介形式。科幻电子游戏与科幻电影的区别较大，付亚康就此指出："电子游戏的剧情化和参与感同电影一样是建立在视听语言的基础上的，但相比之下，电子游戏由玩家控制剧情进行网络社交活动，而电影只能让观众被迫接受预先设置的剧情，电子游戏明显让玩家有更深的参与感。"[①]不过，二者之间也已经形成交互电影这类中介形式。此外，游戏有降低科幻门槛的作用。[②]

（三）中国科幻评论是电影定位的参照

从主体的角度看，所谓"中国科幻评论"以国内人士对科幻发表的意见为主。吴岩、姜振宇主编的《中国科幻文论精选》（北京大学出版社2021年版）收录了自鲁迅先生以来关于科幻文学最有代表性的见解。论者的身份主要是科普作家、科幻作家，同时还有科学家、翻译家、理论家、出版家、文学家、高级工程师等。是他们的主张引导着民众对于"科幻"的看法，促成了中国科幻的自觉。其中，特别值得一提的是郑文光。正如王卫英所说："中国科幻理论的形成完全来自科幻作家们的实践摸索，郑文光就是其中的代表。他从自身科幻创作实践中总结出来的、不断发展与完善的理论思想，不仅引导当代中国科幻创作走向深入，而且还将继续指导未来中国科幻发展的方向。他的科幻理论探索也清晰地勾勒出中国当代科幻创作的理论发展轨迹。"[③]

从对象的角度看，"中国科幻评论"包括但不限于对中国科幻电影的评论。其中，对中国科幻文学（特别是中国科幻小说）的评论有助于电影界遴选适合改编的作品，有关科幻电影的评论则有助于促进公众与业界的沟通。例如，江晓原具有科幻迷、科学家和影评人的三重身份，其所著《江晓原科幻电影指南》在科幻观、科学素养、影评人的独立立场以及科学、文学、哲学的三层批评体系这四个方面都有建树。[④]

---

① 付亚康：《数字媒介视野下影视与电子游戏的交互影响》，《今传媒》2020年第1期，第99—101页。
② 张映光：《游戏使科幻的门槛降低》，《文化月刊》2002年第17期，第35—36页。
③ 王卫英：《中国当代科幻小说创作的理论建设——论郑文光的科幻理论探索》，《山西师大学报（社会科学版）》2012年第4期，第106—111页。
④ 肖康亮：《科幻迷、科学家、影评人：三重身份的文本交互——评〈江晓原科幻电影指南〉》，《出版广角》2016年第17期，第90—91页。

　　从中介的角度看，其他国家的人士也有可能对中国科幻感兴趣，其见解可以帮助我国电影界人士开阔眼界。例如，白丽芳、李朋飞对英文媒体有关我国科幻电影《流浪地球》的报道加以研究，指出其关注热点包括影片的票房和意义、内容和制作及对好莱坞的影响。这些报道肯定了这一科幻大片的商业成就、开创意义及制作中的工匠精神。不过，各类报道对情节的评论褒贬各半，对主题意义则以肯定为主，认为这部影片最大的亮点在于视觉效果，最大的不足为角色塑造。有媒体认为，影片以中等的投入，获得丰厚的回报，且视效逼真，角度独特，对好莱坞大片构成了一定的挑战。①

　　上文依次论述了我国科幻文学、科幻艺术与科幻评论对科幻电影产生的支持作用。科幻电影要想摆脱作为短板或弱项的尴尬状态，单靠少数爱好科幻的电影工作者的努力是很难办到的。它有待于科幻文学、科幻艺术与科幻评论整体上的繁荣。从创意的角度看，中国科幻从整体上已经为中国科幻电影的腾飞提供了重要条件。以网络科幻文学而论，单单起点中文网所收入的科幻小说就有 157 333 部。②虽然其中有些未必是严格意义上的科幻作品，也有些虽然是科幻作品但很难改编为电影，但经过筛选还是有很多佳作值得重视的。当然，要想将这些佳作搬上银幕，首先会碰到资金问题。不过，就投资门槛而言，网络电影低于院线电影，短视频又低于网络电影。就此而言，应当大力鼓励科幻短视频与科幻网络电影的创作，通过它们的影响从整体上形成关注本土科幻的氛围。

三、电影对中国科幻的引领作用

　　如果将中国科幻比作由众多兄弟姐妹组成的群体，那么中国科幻电影便是其中最为帅气的成员。它不是老大，却为老大（科幻文学）的智慧所濡染；它也不是老幺，却又像老幺（科幻游戏）那样朝气蓬勃。孟君指出："科幻电影具有三重属性，它既是一种追求商业价值的类型电影，也是具有哲学意味的艺术电影，还是凝聚社群的想象共同体。因此，科幻电影的发展状况取决于电影工业的成熟度、科幻想象的自由度和当下社会的发达程度，正是这三个因素的保障促使中国在 2019 年开启了科幻电影的

---

① 白丽芳、李朋飞：《基于语料库的〈流浪地球〉英文报道研究》，《海南大学学报（人文社会科学版）》2021 年第 1 期，第 71—80 页。

② 起点中文网，http://www.qidian.com。

全新阶段。"①反过来，科幻电影的发展又能够为中国科幻以至于整个中国社会的发展做出什么贡献呢？循着这一思路，下文依次探讨三个命题，即电影工业充当中国科幻引擎、电影作品牵动中国科幻舆情、电影教育事关中国科幻未来。

（一）电影工业充当中国科幻引擎

中国科幻是在西方已经爆发工业革命、本土民族工业起步不久的历史条件下登上历史舞台的。它从一开始就不是纯粹的观念或想象，因为其书面形态的传播有赖于印刷工业的支持。至于其电子形态的传播，更离不开电力、电光、电子、电信等技术打造的平台。中国科幻的繁荣不仅依靠想象力的放飞，而且仰仗相关技术的进步、相关工业的发展。若就科幻文学、科幻音乐、科幻美术、科幻戏剧、科幻电影、科幻电子游戏和科幻衍生品加以比较，那么它们都依赖于媒体科技，但科幻电影和工业的关系更为密切，原因之一是它以大片作为自己的标志性产品，而这类产品所追求的投资规模化、制作专业化、流程标准化正是工业性的体现。不仅如此，电影工业还充当了中国科幻发展的引擎。对此，可以从以下三方面认识。

一是电影机械工业的带动作用。电影机械工业以生产电影拍摄、制作、放映等所需设备为己任，相关企业和研究机构不断进行技术革新，既是为了改进电影的视听效果，也是为了在激烈的同行竞争中胜出。因此，桑振指出，"科幻电影和工业设计是一个发展共同体。科幻电影是一个区域的工业设计水平的反映，先进的工业设计是优秀科幻电影的基础平台"②。电影机械工业的进步客观上带动了科幻电影技术水平的提高，进而带动了整个科幻产业的发展。这一趋势在世界各国都是如此，中国也不例外。

二是电影制片工业的吸引作用。电影制片工业通过拍摄、制作、放映具体影片以满足市场需要。什么是电影工业？郭帆从导演的角度理解，认为它就是将写出来的和脑海里想象的东西在银幕上实现的一套系统，是一套思维逻辑、管理方式以及工具的集合体。③他看到了中美电影工业在这方面的差距。夏一杰也看到了中美电影工业的差距，但其所论范围更宽，

---

① 孟君：《电影工业、想象力与社会基础——论中国科幻电影的驱动因素》，《长江文艺评论》2019 年第 3 期，第 29—35 页。
② 桑振：《论"科幻电影-工业设计共同体"》，《电影文学》2012 年第 17 期，第 44—45 页。
③ 郭帆：《从〈流浪地球〉谈"中国科幻"和电影工业》，《中外企业文化》2019 年第 4 期，第 74—77 页。

涵盖制作资金、电影市场、特效渲染团队、观影粉丝等方面。[①]电影制片工业面向市场进行生产，市场的需要就是其发展的动力。中国市场欢迎科幻电影，观众越是为缺乏国产科幻电影感到遗憾，中国电影工作者越是有可能将观众的期待转化为自己朝这方面奋斗的动力。尽管制作科幻电影的难度很大，一旦取得成功，圈粉并激励整个中国科幻业的可能性就越大。

三是电影衍生工业的拉伸作用。这一分支以生产电影的各种衍生品（从广告、纪念品到主题公园等）为己任，并和电影以外的其他科幻产品关联。电影工业取得的进步不仅直接使科幻电影受益，而且间接惠及其他科幻产品，表现为整个社会上对科幻文学的兴趣提高、科幻作家"触电"的机会增多，科幻电视剧、科幻网络剧有了更精彩的片头和特效，科幻影游融合的质量提高，科幻衍生品的销路大增，等等。

（二）电影作品牵动中国科幻舆情

中国科幻文化是由科幻文学、科幻音乐、科幻美术、科幻戏剧、科幻影视、科幻游戏和科幻衍生品等构成的整体。其中，科幻文学最早诞生，它以书籍报刊为载体，凝聚了文学界、翻译界、出版界等的智慧，筚路蓝缕，贡献不菲。不过，其影响主要在知书识字的文化人中。科幻电影诉诸图像与声音，因此得以将其影响扩大到一般老百姓。继起的科幻电视剧和科幻网络剧虽然可以有更大的容量，但其播映效果受制于作为其终端的电视机、个人计算机和手机等设备，因此很难与在大屏幕展现风采的科幻院线电影相媲美。科幻游戏可以将掌机、手机、街机、电视机等多种设备当成自己的终端，玩得尽兴，玩得入迷。不过，因为有"玩物丧志"的古训告诫，加上关于沉溺症的案例提醒，因此电子游戏（即使是科幻题材）始终无法成为公众（特别是家长）普遍认可的主流文化产品。在这样的背景下，科幻电影（特别是科幻大片）成为科幻文化的代表，牵动着舆情。

科幻电影与舆论的关系至少包括如下含义：①舆论通过激浊扬清制约科幻电影的发展，肯定性评价成为激励其前行的正反馈，否定性评价成为延缓其步伐的负反馈。②科幻电影自身是制造舆论的工具，可以用来移风易俗、针砭时弊，也可以用来显示科幻界或电影界的实力，影响观众对科幻或电影的印象。③为了获得经济效益与社会效益，科幻电影有意识地通过舆论工具为自己做宣传。

---

① 夏一杰：《好莱坞科幻电影工业与中国科幻电影的比较研究——对比制作、市场、技术等方面》，《风景名胜》2019 年第 1 期，第 217—218 页。

西方有过《星球大战》带来的"银河热"，也有过《星际穿越》刮起的"科幻风"。在我国，电影作品从多种意义上影响着科幻舆情：①每当进口科幻大片刮起旋风、收割票房时，舆论经常慨叹中国怎么没有可以和它们相提并论的影片，进而从文化、教育、政策等多种角度寻找原因、出谋献策。②每当国产科幻电影（特别是大片）取得突破的时候，舆论总是给以爆棚般的赞赏，不止一次地宣称"科幻元年"到来，给人以从此中国科幻将顺风顺水的感觉，虽然也不乏比较辩证的观点、比较深入的思索。2019 年，《流浪地球》成为热点之后就是如此。③每当国产科幻电影未能达到预期效果的时候，舆论又会迅速下挫，2019 年《上海堡垒》成为痛点之后就是如此。这恰好说明了国产科幻电影的发展是曲折前进的。

（三）电影教育事关中国科幻未来

吴苡婷列举了制约中国科幻产业发展的三大瓶颈，将人才培养体系放在第一位，其次是与消费者互动的创作理念缺乏、原创作品缺乏文化号召力。①中国科幻电影要实现高质量发展的目标，不能不重视人才培养。不仅如此，中国科幻电影要为提高整个民族的文化素质服务，也必须重视人才培养。因此，电影教育与科幻教育成为值得关注的问题。

电影教育和科幻教育是相辅相成的事业。电影教育在我国由来已久，最初是为培养电影产业需要的人才服务的（即电影职业教育），其后发展为利用电影宣传社会规范、普及科学知识（即电影公共教育），并致力于培养电影师资和研究型人才（即电影学科教育）。与电影教育相类似，科幻教育可以被理解成旨在培养科幻创作人才的教育、利用科幻进行的教育和培养科幻研究人才的教育，相当于科幻职业教育、科幻公共教育和科幻学科教育。不过，我国科幻教育远不如电影教育发达，总体上是以业余教育为主的。无论是职业教育还是普通教育，都没有对应的本科生专业。在研究生层面，北京师范大学文学院 2003 年率先设立了科幻专业。作为中国科幻研究的领军人物，吴岩于 2011 年在北京师范大学牵头成立科幻与创意教育研究中心，2017 年在南方科技大学牵头成立科学与人类想象力研究中心。他不仅以编纂《中国科幻发展年鉴》的方式关注整个中国科幻前进的步伐，而且编写科幻教材，给所在城市的中小学教师做培训。黄丹斌考察了国内外科普的现状和发展情况，归纳出以下十大科普活动宣传类型：科学成就展示型、自然科学博览型、实用技术普及服务型、科技交流

---

① 吴苡婷：《科幻产业的发展瓶颈问题剖析》，《科技传播》2014 年第 20 期，第 177—178 页。

洽谈类型、科幻旅游娱乐型、技术市场推广转让型、新闻媒介传播型、科普创作和科幻产业型、科普示范榜样型、科普沙龙活动型。其中，对科普创作和科幻产业型有如下介绍："例如美国的《科幻世界》编辑部、北京师范大学的'科幻评论与研究'课程，都是拓荒元勋和创新者，对公众及青少年一代的启迪、创新进取有着很好的开导作用。"[①]

　　电影教育和科幻教育相互渗透，有可能会形成"科幻电影教育"。这一术语兼指培养科幻电影创作人才的教育、利用科幻电影进行的教育和培养科幻电影研究人才的教育。在第一层意义上，遍布全国各类学校的科幻社团是科幻电影教育的业余形态，相关企业科幻电影团队通过具体项目实施的传帮带是科幻电影教育的职业形态，相关职业学校则是二者的中介。在第二层意义上，像《银河补习班》那样借科幻外衣探索当下家庭教育，或者像《流浪地球》那样引发教育行业以诠释其中包含的丰富自然科学知识为特色的一波"硬核操作"，都是很好的例子。在第三层意义上，我国高校相关专业已经培养出科幻电影研究人才。其中，吴岩指导的博士姜振宇、张凡，留学生彩云等都已经取得可喜成果。

　　上文从电影工业、电影作品与电影教育的角度分析了电影对于中国科幻产生的引领作用。目前，中国电影虽然拥有不少专利技术，但工业体系还比较薄弱，电影作品虽然数量显著增长，但质量参差不齐，电影教育虽然突破了原先个别院校一枝独秀的状态，但离培养电影行业所需要的高水平人才的要求还有距离。正因为如此，电影对于中国科幻的引领作用还未能充分发挥。不过，上述局限是可以在今后通过有意识的努力得到弥补的。目前存在的主要问题之一是，我国虽然已经生产了为数不菲的科幻片（其中网络电影多达数百部），但多属浅尝辄止，有影响的系列片不多，更谈不上形成像"漫威宇宙"那样的规模。要打破这一瓶颈，应当通过知识产权转化、建立产业联盟等途径加强协作，共享比较成熟的世界观设定，建设比较成功的人物形象画廊，形成国产科幻电影的"元宇宙"。

　　2002 年，张映光率先著文探讨了中国科幻产业。他认为中国人写过科幻作品并不意味着中国人懂得用科幻去创造价值。[②]这种遗憾或许可以通过腾讯实践的"泛娱乐""新文创"之类的运营模式来弥补。21 世纪以来，我国科幻产业在科幻文学、科幻影视等领域取得重大突破，科幻产

---

① 黄丹斌：《科普宣传与科普产业化——促进科普社会化维议》，《科技进步与对策》2001 年第 1 期，第 106—107 页。

② 张映光：《中国科幻产业"链条"的缺失？》，《文化月刊》2002 年第 17 期，第 57—61 页。

业研究也取得了显著进展。例如，陈玲、李维运用 CiteSpace 软件对我国科幻产业进行了文献计量研究，绘制出战略坐标图。[①]王大鹏、李赫扬运用同一软件分析了 2000 年以来我国学者在科幻领域的研究重点与研究方向，生成了可视化图谱。[②]他们的研究表明，我国的科幻产业方兴未艾，前程似锦。以此为依托，只要群策群力，我国科幻电影产业必定拥有辉煌的未来。目前，亟待解决的关键问题至少有三个：①摆脱相对于西方同行的自卑心理；②重视发挥院线电影、网络电影和短视频各自的长处；③加强电影业界联盟的建设。

第二节　从工业角度看科幻电影商品化

所谓"电影工业"，至少包含如下三种含义：①电影胶片、电影机械和电影辅助器材制造行业的总称[③]；②按工业方式运作的电影业，其特点是将原先作为精神产品的电影纳入物质生产的轨道；③以发达工业技术为基础，按衍生方式运作的电影业。为了便于区分，下文分别将其称为电影机械工业、电影制片工业、电影衍生工业。世界各国基本上都将产业分为三大类，即农业、工业、服务业。其中，工业是从农业中分化出来的生产部门，即加工制造产业。它经历了从工场手工业到机器大工业的发展，其转折是在 18 世纪英国工业革命的推动下实现的。电影作为工业兴起于 19 世纪末 20 世纪初，其标志在第一种意义上是生产电影器材的企业的问世，在第二种意义上是制片厂制度的建立，在第三种意义上是像好莱坞那样的电影制片业中心的诞生。我国电影机械工业起步于 1928 年，到 1957 年已经初具规模，其标志是创建了包括机械制造、修配、胶片生产、洗印在内的各生产基地；电影制片工业虽然有漫长的历史，却经历了较大的起伏；电影衍生工业则是近年来业界追求的目标。从工业角度对科幻电影商品化进行研究，有几个重要的切入点：在社会层面上是电影企业、电影观众和电影行会；在产品层面上是电影机器、电影价值、电影标准；在运营层面上是电影分工、电影布局、电影升级。相关研究为探讨科幻电影的定位提供了参考系。在下文进行的分析中，上述九个切入点彼此组合，形成

① 陈玲、李维：《基于文献计量的科幻产业领域战略坐标分析》，《齐齐哈尔大学学报（哲学社会科学版）》2020 年第 11 期，第 25—31、36 页。
② 王大鹏、李赫扬：《基于文献计量的科幻产业领域知识图谱分析》，《齐齐哈尔大学学报（哲学社会科学版）》2020 年第 11 期，第 32—36 页。
③ 马守清：《现代影视技术辞典》，中国电影出版社 1998 年版，第 6 页。

了 81 类值得研究的议题，旨归是如下重点：如何在商品化的背景下建设适应科幻电影生产需要的工业体系？

一、社会层面的研究：企业、观众与行会

在社会层面，电影工业化意味着发明家个人的工作室或实验室让位给企业，电影人的个性让位给"机器"（比喻不停运转的庞大机构）。法国学者麦茨将电影作为社会现象来理解，提出由三部机器组成的"电影机构"范畴。外部机器是电影工业（包括电影企业的金融投资等），内部机器是观众心理学（包括批评家、历史家、理论家等在内的电影观众的心理机制），第三机器是电影批评和电影观念（指批评家、历史家、理论家等对电影的批评、论述和研究）。正如他所说："在生产电影的后面有消费它的机器，有吹捧它和以各种形式补贴其产品的机器。"[①]有人称它们为"生产机器""消费机器""促销机器"。[②]它们大致对应于下文所说的主体、对象和中介，只是对"促销机器"的理解有较大不同。电影批评家、历史家、理论家最初是以观众的身份接触电影的，随后以所发表的意见影响社会（包括电影企业），因此成为中介。除他们之外，行业组织也是重要的中介，其作用不只是吹捧，还有规制。

（一）企业：科幻与电影工业的主体

世界上最早生产电影器材的企业可能是波普-爱迪生公司。它成立于1869 年，专营电气工程的科学仪器，活动电影摄影机（1889 年）、活动电影放映机（1891 年）就是其发明的。世界上最早的电影制片厂是"黑玛丽"制片厂，即 1893 年美国发明家爱迪生在新奥尔良的新泽西建成的摄影厂棚。不过，爱迪生只做单人观看的电影视镜，不搞大银幕。后一意义上最早的电影制片厂是 1896 年成立的法国百代（Pathé）电影公司。1913 年，洛杉矶郊区成为电影摄制基地，这就是影响广泛的电影制片业中心——好莱坞的由来。至于引领电影工业走上数字化轨道的企业，最早可能要数"计算机图像之父"惠特尼（J. Whitney）于 1960 年成立的活动图像公司。以上说的是西方的情况。在我国，最早的正规电影企业是由来华外国人创办的，这就是美国人布拉斯基（B. Brodsky）的亚细亚影戏公司，1909 年成立于上海。中国人自营的第一家正规电影企业是新民电影

---

① 汪流：《中外影视大辞典》，中国广播电视出版社 2001 年版，第 46 页。
② 王志敏：《从麦茨理论谈电影批评观念》，《电影艺术》1999 年第 3 期，第 73—75 页。

制作公司，是由张石川、郑正秋和杜俊等于 1913 年在上海创办的。它除承包亚细亚影戏公司的制片工作之外，还独立拍摄故事片（最早是公司成立当年出品的《难夫难妻》）。

电影工业化的标志主要有如下三方面：①专业化。狭义上指电影生产过程中实施分工协作，参与者各有所长、各负其责，设备、技术、岗位等也随之产生分化；广义上指整个电影生产被纳入工业部门来界定、衡量，亦指电影衍生品的生产按工业运作的方式来组织。②标准化。狭义上指出于满足分工协作的需要，为电影生产制定可反复使用、便于对接的共同规则，以增强产品、过程和服务的适用性；广义上指电影生产从整体上呈现出类型化的趋势，按一定的模式生产；衍义上指电影衍生品的生产包含共同标识、共同风格等。③规模化。狭义上指具体企业能够在一定时间内生产相当数量的影片；广义上指电影生产在工业部门以至于国民经济中占有相当地位；衍义上指电影衍生品的生产达到可观的数量。

与上述认识相适应，衡量电影工业化的尺度主要有三项：①专业化程度。狭义上指电影生产过程中的岗位划分是否明确，人员、设备、技术是否专门；广义上指产业链的分工是否细致，例如，是否出现了相对独立的电影咨询等；在衍义上指电影衍生品是否也达到了分工协作的要求。②标准化程度。狭义上指与电影生产相关的岗位的职责的明晰程度，以及相关设备的配套程度；广义上指电影工业体系的行业规范、法制环境等的完备程度；衍义上指电影衍生品生产的统一程度。③规模化程度。狭义上指具体电影的经济产值（包括票房和衍生产品）有多大，传播范围有多广（可以将观众人数、点击人数等作为指标衡量），社会影响有多大（包括国内外影响，可以将反馈信息作为指标衡量）；广义上指电影工业体系在整个工业部分或国民经济中所占的比例；衍义上将电影衍生品的相关数据也计算在内。

从体制的角度看，一般地说，制片人、监制、编剧、导演、主要演员、各部门长构成了"主创团队"。所谓"各部门长"指的是布景、灯光、烟花、造型、化妆、特技、后期处理、后勤服务等部门的负责人。相关人员还有顾问、作曲、出品人、赞助商等。其中，若与戏剧团队相比，制片人、后期处理等角色是电影工业特有的。如车海明所说，"在美国这种完善的电影工业体系中，一般都遵循制片人中心制的原则"[①]。这和我国常见的以导演为中心的作坊式有很大不同。不过，近年来，我国已经日

---

① 车海明：《中国电影工业制片人中心制研究》，《人文天下》2018 年第 23 期，第 26—30 页。

益重视制片人中心制的意义。例如，《我和我的祖国》（2019）采用单元式叙事，总导演不仅要负责给整个影片定创作基调，而且要监督协调各单元导演的创作质量，最终将各导演执导的单元部分汇合成为一部风格统一的电影作品。这种做法说明，中国电影制片人中心制的工业理念开始被运用于主旋律电影的创作中。[①]

企业可以成为科幻电影工业研究的重要议题，相关切入点至少包括以下几个方面：①着眼于企业之间的关系，研究科幻电影工业的竞争、垄断等现象；②着眼于企业与观众之间的关系，研究它们如何根据观众所体现的市场动向决定自己的经营策略等；③着眼于企业与行会的关系，研究它们如何通过抱团壮大自己的力量，如何通过行规来进行自律等；④着眼于企业和机器的关系，研究它们如何开发、使用、推广电影科技，科技发展又如何影响其定位与运营等；⑤着眼于企业和价值的关系，研究它们如何为摄制影片、开发衍生产品立项，如何争取投资、降低风险、实现盈利等；⑥着眼于企业和标准的关系，研究它们如何使电影生产规范化，如何争取参与标准的制订、获得话语权等；⑦着眼于企业和分工的关系，研究它们如何通过细密分工提高影片的制作质量，如何通过有效协作扩大自己的影响范围等；⑧着眼于企业和布局的关系，既研究国家战略布局对企业发展的影响，又研究企业自身如何在全球化、信息化背景下进行产品、产地、产能等方面的布局；⑨着眼于企业和升级的关系，既研究观念迭代、技术更新对企业走向的影响，又研究企业在科研上的投入与产出的关系、产学研一体化的做法与经验等。国内学术界已经有从企业的角度研究科幻电影的相关成果。例如，杨照帅分析了漫威公司科幻系列电影的成功因素。[②]王蕊从品牌营销的角度介绍了老板电器的科幻视频《总有食空，等你穿越》（2016）。视频里，身穿"太空服"的宇航员徜徉在宇宙的"食空"里，与食材来了一场奇妙之旅。[③]

（二）观众：科幻与电影工业的对象

电影观众的历史可以追溯到 19 世纪末。1895 年 3 月 22 日，路易·卢米埃尔（L. Lumière）在法国巴黎"本国工业提倡协会"放映自己

---

① 张李锐、范志忠：《新主流电影的工业化制作与类型化叙事》，《北京电影学院学报》2021 年第 4 期，第 20—25 页。

② 杨照帅：《电影成功因素探析——以威漫公司科幻系列电影为例》，《美与时代（下）》2014 年第 10 期，第 71—72 页。

③ 王蕊：《开创行业先河：老板电器首支科幻大片上线》，《计算机与网络》2016 年第 19 期，第 17 页。

拍摄的短片《工人放工回去》，在场观看的人就成了观众。在美国，面向观众的商业放映始于 1896 年，契机是维太放映机在纽约推出的。如戈梅里（D. Gomery）所言："正因为有了这种掏钱买视觉快感的交易，我们才有了建立一种工业的基础。"曾经有过电影机械的发明者想要垄断市场的时候。在与这些人斗争的过程中，美国电影业形成了新的控制系统，其关键是：①通过实行明星制，把各家公司的产品区别开来；②首先控制全国，进而控制国际的电影发行；③通过占有国内为数不多的首轮影院来操纵电影放映。"明星确保每部故事片都能在高需求和低风险的情况下分别售出。国际发行产生了巨大的经济效益和巨额的成本保留金。拥有主要城市的首轮影院便掌握了放映领域的经济控制权。"①

与电影工业的构成相适应，电影商品化包含三重意义：①电影机械工业进入市场，始于发明家向用户卖电影机；②电影制片工业进入市场，始于向观众售票；③电影衍生工业进入市场，始于向观众卖纪念品。学术界比较受关注的是第二重含义。相关研究表明，电影可以调动观众的情感。郑茬指出："好莱坞采用的是普适性的模式化情节，激发更为普世化的那些情感，以期获得观众跨文化的统一反应。另外好莱坞电影通常都提供一两个由目标、动机引导行为的角色，让观众与之认同。当观众投入某个角色，也就更关注尚未展开的情节。而对情节的关注，更进一步让观众产生强烈的感情反应。"②反过来，观众的体验和评价是决定电影票房的关键因素。③

好莱坞类型片普遍奉行尊重观众的原则，科幻电影也不例外。如刘鸿庆所言，素有"电影鬼才"之称的卡梅隆正是以科幻电影践行观众原则的典范。卡梅隆在拍摄科幻电影时，始终注意对观众原则的遵循，包括在叙事上搭建引人入胜的游戏式框架、设置圆满结局，在视觉上制造奇观性影像等，以实现对多数消费者审美需求的满足，这也是卡梅隆的科幻电影能够深受观众喜爱的原因之一。④虽然电影界的从业者几乎都知道观众的重要性，但要真正贯彻观众原则却并非易事。杨超指出："长久以来，中国

① 〔美〕道格拉斯·戈梅里：《美国电影工业的形成》，李迅译，《当代电影》1992 年第 6 期，第 61—65 页。

② 郑茬：《控制观众情绪——评〈感动观众：美国电影与观众经验〉》，《电影艺术》2010 年第 1 期，第 150 页。

③ 白晓晴：《类型电影的观众体验情感层级研究——以漫威科幻电影为例》，《当代电影》2017 年第 2 期，第 149—152 页。

④ 刘鸿庆：《基于"观众原则"的卡梅隆科幻电影》，《电影文学》2018 年第 22 期，第 76—77 页。

科幻电影在将本土文化元素与科幻普世性结合上存在短板，对好莱坞模式的复制难以让观众在审美心理上引发共情。"不过，目前已经有成功的例子。譬如，《流浪地球》"在工业设计上体现了完整的中式实用主义美学，价值内核上对集体主义精神的展现，为中国电影如何打动观众提供了借鉴思路"①。

观众可以成为科幻电影工业研究的重要议题。相关切入点至少包括如下几个：①着眼于观众与企业之间的关系，研究科幻电影工业如何进行细分市场定位，影迷如何转化成为从业人员，科幻电影如何引导他们关注行业的未来发展等；②着眼于观众与观众之间的关系，研究年龄、性别、地域、阶层、学历等方面的差异如何影响他们对科幻电影的偏好，观众群如何形成与发展，它们的矛盾冲突如何左右科幻电影行销的态势等问题；③着眼于观众与行会的关系，研究科幻电影供需双方如何通过中介沟通，世界科幻协会雨果奖设立的奖项所发挥的作用等问题；④着眼于观众与机器的关系，研究设备更新如何改变观众欣赏科幻电影的习惯，科幻电影中的描写如何启发了科技发明、如何推动衍生品的生产、如何促使观众思考机器的未来等问题；⑤着眼于观众与价值的关系，研究科幻电影对观众具有的价值、观众的价值观对科幻电影评价的影响，这种影响如何左右科幻电影的市场销路，科幻电影又如何影响社会价值心理等问题；⑥着眼于观众与标准的关系，研究观众如何促进科幻电影作为类型片的发展、"观众电影"在科幻领域流行的条件、如何掌握评价科幻电影的尺度等问题；⑦着眼于观众与分工的关系，研究意见领袖在左右科幻电影口碑方面的作用，以及科幻电影如何通过观众进行口碑营销、观众如何由文本消费进入文本生产领域、网络视频平台中参与式文化的逻辑与运作等问题；⑧着眼于观众与布局的关系，研究人口密度与构成如何影响影院建设规划，观众群如何推动科幻城市的定点，以及如何进行科幻影视基地的建设等问题；⑨着眼于观众与升级的关系，研究代差对科幻电影接受的影响，观众如何以其期待激励科幻电影创作不断出新等问题。

范志忠、仇璠指出，大数据的崛起意味着电影工业生产体系将面临着全方位的转型，传统的电影工业体系以产品为导向，而新媒体技术所带来的大数据，则使得电影工业体系建构将转变为以用户为导向。②这是值得

---

① 杨超：《〈流浪地球〉：观众视角下的中国科幻电影审美心理共情》，《电影文学》2019 年第 8 期，第 97—99 页。
② 范志忠、仇璠：《创意驱动·市场拉动·技术推动：论中国电影工业体系建构的新态势》，《现代传播（中国传媒大学学报）》2020 年第 4 期，第 84—88 页。

注意的大趋势。

（三）行会：科幻与电影工业的中介

这里所说的"行会"不是指旧时代的工商业组织，而是指当下业界作为工业主体和工业对象的中介的联合体。电影界行会组织可以分为两大类：①行业协会，主要功能是协调不同企业之间的关系，如20世纪20年代法国的电影俱乐部、第七艺术之友俱乐部，比利时的影片俱乐部，荷兰的电影联盟，德国的电影之友俱乐部，英国的电影协会，美国的电影艺术协会等；②行业工会，20世纪初开始组建，主要目的是保障从业者的权利，包括演员工会、导演工会、编剧工会、剪辑工会等。

行业协会多数以学术交流或艺术交流为主，但也有例外，像美国电影协会就是如此，它成立于1922年，由制片公司法人组成，具有一定的商业职能和管理职能。要论美国电影协会所起的作用，不能不谈到其制定的对全美影片生产和发行都有约束力的电影分级标准。美国早期电影用暴力和低俗内容来吸引观众，引起宗教势力和进步人士的反感。电影工业与反电影力量经过多次冲突之后达成共识，即通过行业自律管控电影的内容生产，《海斯法典》（*Hays Code*）因此出台。它通过严格审查来保证片商所造的是美梦而非噩梦。导演为通过审查而采用公式化、类型化的模式。由于反电影力量的衰落和电影从业者的不满，《海斯法典》在1966年被取消，取而代之的是电影工业自律管理的分级制。欧洲也有类似的组织，英国电影协会可以为例。它是获得皇家特许而创立的非营利性组织，其资金主要来自英国电影理事会（The UK Film Council）从文化媒体体育部的基金中的拨款，此外还有捐款、商业收入。值得一提的是，它出版了一系列电影资料（总其名为"英国电影协会经典"），其中包括不少科幻电影剧本，如布鲁克（W. Brooker）的《星球大战》[①]、克雷默（P. Kramer）等的《2001：空间奥德赛》（*2001: A Space Odyssey*，2010）[②]、布卡特曼（S. Bukatman）的《银翼杀手》[③]、纽曼（K. Newman）的《火星人地球大袭击》[又译《奎特马斯与坑洞》（*Quatermass and the Pit*，2014）][④]、拉克赫斯特（R. Luckhurst）的《异形》[⑤]等。

---

① Brooker W, *Star Wars* (BFI Film Classics). Basingstoke [England], New York: Palgrave Macmillan, 2009.

② Kramer P, *2001: A Space Odyssey* (BFI Film Classics). London: British Film Institute, 2010.

③ Bukatman S, *Blade Runner* (BFI Film Classics). London, New York: Palgrave Macmillan, 2012.

④ Newman K, *Quatermass and the Pit* (BFI Film Classics). London: British Film Institute, 2014.

⑤ Luckhurst R, *Alien* (BFI Film Classics). London: Palgrave Macmillan, 2014.

在业界，国际电影制片人协会（International Federation of Film Producers Associations，FIAPF）有重要影响。它于 1933 年成立，总部在巴黎。据其网站（http://www.fiapf.org）介绍，其成员是来自 27 个国家和地区的 34 个制片人组织。它在以下关键领域帮助有关部门制定政策和协调政治行动：版权及相关知识产权的立法，加强知识产权立法和反盗版行动，数字技术的部署及其对视听价值链的影响，技术标准化过程，媒体监管，私营和公共部门电影融资机制，与贸易有关的问题。FIAPF 还是国际电影节的监管者，其制定的《国际电影节条例》是电影业与电影节之间的信任合同。中国电影制片人协会成立于 1989 年 5 月，1993 年加入国际制片人协会。

与行业协会不同，行业工会主要协调雇员和雇用单位的关系。在美国，后者包括美国导演工会（Directors Guild of America，DGA，1960）、美国制片人工会（Producers Guild of America，PGA，1990）、美国演员工会和美国电视与广播艺人联合会（Screen Actors Guild-American Federation of Television and Radio Artists，SAG-AFTRA，2012 年合并而来），还有国际戏剧舞台工作者联盟（International Alliance of Theatrical Stage Employees，IATSE，1995）。它们对建立稳定的电影人才队伍有重要作用。相比之下，我国不仅有中国电影家协会（1949 年）、中国电影评论学会（1981 年）、中国电影发行放映学会（1985 年成立，后更名为中国电影发行放映协会）、中国电影制片人协会（1989 年）这样的行业协会，也有电影企业内部的工会组织，但缺乏行业性的工会。因此，陈昌业、岳翔指出，"中国电影工业到了该思考工业的基石如何铺就、如何锻造的问题了，这是所有围绕电影强国梦想的最为根本的前提所在——人才不止是导演、主演、编剧这些线上人员，还有那些数量庞大却'无依无靠'的线下人员。美国电影行业工会的组织形态或许不是我们可以或必须复制的，但其为行业提供第三方的非营利性的劳务服务的本质是中国电影行业可以仿效的参照，并以此来完善产业的软性基础设施建设，丰富产业结构、调整产业边界"[①]。

除行业协会、行业工会之外，世界上还有许多组织和科幻电影有密切关系，如围绕不明飞行物（unidentified flying object，UFO）、地外智能搜索（search for extraterrestrial intelligence，SETI）等兴趣组建的学会，以

---

① 陈昌业、岳翔：《工会组织：电影工业基础的重要截面——〈唐人街探案 2〉的创作启示》，《电影艺术》2018 年第 3 期，第 156—160 页。

及各种科幻协会，如世界科幻协会、世界华人科幻协会、中国网络科幻协会等。

　　在社会层面，上文所说的企业、观众和行会是彼此关联的。例如，百代公司之所以能够获得将大部分法国戏剧拍成电影的独占权利，与当时的作家及文学家电影协会有很大关系。在电影领域，原先是各类公司或企业从供给端影响市场，因此我们视之为主体；处于消费端的观众接受它们的影响，因此我们视之为对象；学会、行会或协会作为企业与观众之间的因素起作用，因此我们视之为中介。不过，上述身份本来就是可以相互转变的。进入网络时代之后，这种转变成为常态，用户生成内容（users generate content，UGC）大量出现，抖音、知乎等网站成为专业用户生成内容（professional users generate content，PUGC）的集结地，电影因此从工业时代进入后工业时代。

　　行会可以成为科幻电影工业研究的重要议题，相关切入点至少包括以下几个方面：①着眼于行会与企业的关系，研究与科幻电影相关的协会、工会等组织如何贯彻自律的方针，如何调整从业人员之间、从业人员和企业之间、企业与企业之间、企业与其他社会组织之间的关系，如何维护其成员的利益、促进行业的繁荣等；②着眼于行会与观众之间的关系，研究行会如何满足科幻电影观众的心理需求，并引导观众文化健康发展等；③着眼于行会与行会之间的关系，研究它们之间的竞争与合作如何左右电影工业的整体态势等；④着眼于行会与机器的关系，研究物质设施如何保证它们的有效运作，新媒体又如何促进它们的变革等；⑤着眼于行会与价值的关系，研究它们在科幻电影立项、实施、评议过程中所起的作用，所贯彻的价值观念等；⑥着眼于行会与标准的关系，研究影响科幻电影的质量把关、评奖条件、经典化的关键因素等；⑦着眼于行会与分工的关系，研究它们在组织不同企业、不同工种的协作方面做出的贡献等；⑧着眼于行会与布局的关系，研究它们所举办的各种节展的定位、它们的扩张对文化输出以及科幻电影事业全球化的意义等；⑨着眼于行会与升级的关系，研究相关组织的远见如何引导科幻电影工业前行、电影领域的推陈出新又如何对行会产生影响等。

　　上文所说的企业、观众和行会都是从社会角度研究电影工业体系建设不可忽视的要素。科幻电影商品化涉及三者之间的利益关系。商品化为企业创造了回收成本、赢得利润的途径，为观众创造了欣赏影片、提高素养的机遇，为行会创造了沟通舆论、协调矛盾的机会。如刘晓华所言："电影票价，与任何其他商品的价格一样，传递着电影市场观众需求和院线影院市场策略的诸多信息。"①要想在商品化的背景下建设适应科幻电影生产需要的工业体系，关键之一是要在社会层面实现企业、观众和行会之间的良性互动。如果企业花费重资千辛万苦拍出科幻片，观众却不爱看、不叫好、不买账，那无疑是令人伤感的。观众喜欢看、想要看、期待高的影片，企业却不愿拍、不想拍、不敢拍，那也是错失良机。行会在协调企业和观众之间的关系方面可以发挥重要作用。除此之外，政府主管部门、媒体、教育机构、咨询公司等同样是研究电影工业体系不可忽视的要素。

二、产品层面的研究：机器、价值与标准

在产品层面，工业以机器为手段，以价值为内容，以标准为本体。如果说运用工具以制造工具可以将人和动物区分开来，那么运用机器以制造机器就可以将大工业和手工业区分开来。如果说取之自然、还之自然是农业生产的特点，那么消耗自然、疏离自然则是工业生产的特点。标准化不仅能够保证批量复制，而且可以促进科技进步，能够保证产品、工程、服务质量，有助于提高企业的管理水平，因此工业以标准为本体。就上述意义而言，将科幻电影纳入工业生产的轨道，顺理成章地使之拥抱机器、追逐价值、符合标准。尽管如此，科幻电影毕竟仍然烙有艺术的烙印，因此它对机器的拥抱不等于放弃人文关系，对价值的追逐不等于放弃批判思维，对标准的重视不等于放弃推陈出新。

（一）机器：科幻与电影工业的手段

和上文所引的麦茨的说法不一样，此处的"机器"是就其本义而言的，即各种消耗能量以做功的装置。它是工业用以提供服务、实现再生产的基本手段。

在历史上，农业是人类最早也是最基本的产业，其所运用的手段最初以人体四肢为主。为了提高效率，人类致力于制造农具，由此催生了手工业。手工业者运用自己的才智和技艺生产武器、教具、娱乐用品等可以更好地满足需要的工具，最初的幻盘、诡盘、胶片、放映机、摄影机、洗印设备、电影留声机等机械就是这样被发明出来的。当人们运用车床、钻床等工作母机去生产电影机械时，电影工业化的时代就到来了。在西方，这是 19 世纪与 20 世纪之交的事情。我国电影机械工业诞生于 1928 年左右，之前相关设备和技术项目是从国外引进的。新中国电影机械工业体系

---

① 刘晓华：《电影票价成因及定价策略研究》，《电影艺术》2009 年第 1 期，第 50—54 页。

形成于 1949—1965 年，快速发展于 1966—1980 年。此后，由于电影市场受到电视、录像、视盘等媒体的强烈冲击，我国电影机械工业于 1981—1995 年进入调整期，通过扩大产品范围、推动数字化，在 1996—2005 年进入多元稳定时期，2006 年进入以数字电影为主导的新时期。[①]数字技术的特点之一，是工具和产品在代码意义上的可通约性，人们因此可以用软件生产软件，正如先前人们用工具生产工具、用机器生产机器那样。人们只需要更换软件就可以改变硬件的用途，因此电影机械的市场缩小了，视频软件的市场却扩大了。不过。新型的电影机械悄然而起，像专用于影视特殊镜头拍摄的智能型机器人就是如此。在国内，陕西省韩城市 2016 年率先推出这样的机器人。

电影的本义是基于电光源的映像，电影工业的本义因此是制造图像摄录与投影设备的行业，即电影机械工业。在将电影推向观众、推向市场、推向观众群体的过程中，需求和期待转化为引导电影技术进步、电影设备更新的强大驱力，这是电影制片工业获得发展的表现。在电影不仅形成了作为文化资本的社会网络，而且依靠以互联网为代表的信息基础设施传播的过程中，电影衍生工业开始引领风骚。互联网实际上是人类曾构建的最大的机器，更准确地说是呈现为分布性存在的机器集合体，由主机、终端、通信线路和各种附属设备组成。由电影向"泛电影"（包括网络视频、在线游戏等）发展，正是在互联网的支持下实现的。

机器可以成为科幻电影工业研究的重要议题，相关切入点至少包括以下几个方面：①着眼于机器和企业的关系，研究机器在手工业向大工业、现代工业转化中所起的作用，以及企业购置、安装、使用机器的基本考虑和实际效益等；②着眼于机器和观众的关系，研究机器如何为电影观众的审美活动提供支持，电影观众又如何将机器当成审美对象、购买对象、仿制对象等；③着眼于机器和行会的关系，研究机器的广泛应用如何成为相关行会组建的契机，行会又如何以汇集需求等方式影响机器的生产等；④着眼于机器和机器之间的关系，研究软硬件的搭配、组合如何才能提高科幻电影的制作效率，以及机器共同体的未来前景等问题；⑤着眼于机器和价值的关系，研究机器的成本、效用、性价比等；⑥着眼于机器和标准的关系，研究各种机器如何按照一定的标准进行生产，各类标准如

---

① 曲金魁：《中国电影机械工业百年发展回眸（上）》，《现代电影技术》2006 年第 8 期，第 31—35、51 页；《中国电影机械工业百年发展回眸（中）》，《现代电影技术》2006 年第 9 期，第 26、58—60 页；《中国电影机械工业百年发展回眸（下）》，《现代电影技术》2006 年第 10 期，第 30—34 页。

何左右机器的具体使用等；⑦着眼于机器和分工的关系，研究社会分工如何促进机器发明、机器发明又如何改变了社会分工等问题；⑧着眼于机器和布局的关系，研究机器的功能、功用等因素如何影响电影工业的布局，电影工业的布局又如何影响机器的配置与共享等；⑨着眼于机器和升级的关系，研究电影相关设备更新、折旧，以及电影技术的换代等问题。

（二）价值：科幻与电影工业的内容

内容本是指物件内部所装的东西，后被用于指事物内部包含的各种要素，在哲学上指事物内在因素的总和，与"形式"相对。所谓"工业内容"至少包含三种可能的解释：①指工业的实质，即从事自然资源的开采，对采掘品和农产品进行加工和再加工的物质生产部门；②指人的思维、文本或作品对工业的反映，在艺术的意义上属于特定题材；③指工业产品的物质功能和实用功能。反过来，"内容工业"主要是指生产精神产品的工业分支，亦称"文化工业"，影视生产就属于此类。"内容工业化"是指将精神产品的生产纳入工业生产的轨道，"工业内容化"则是指将工业当成精神产品的内容（例如，为包括影片在内的作品所描写）。

在产品的意义上，电影内容主要是指影片的主题、题材、情节、人物等要素的总和，是与作为语言、结构、体裁等要素之总和的电影形式相对而言的。电影工业的内容主要是指生产的影片的价值，是与体现生产管理要求的项目相对而言的。从价值角度看，电影作为物质产品蕴含的主要是经济价值，作为精神产品蕴含的主要是社会价值，作为媒介产品蕴含的主要是信息价值。电影工业力求通过具体影片的生产实现经济效益最大化、社会效益最大化、信息效益最大化。经济效益最大化集中体现在电影企业投资和利润的关系上，反映了资本运动的目的；社会效益最大化集中体现在电影企业社会责任和社会效果的关系上，反映了企业文化的旨归；信息效益最大化集中体现在电影企业品牌和声誉的关系上，反映了社会理想的要求。

价值可以成为科幻电影工业研究的重要议题，相关切入点至少包括以下几个方面：①着眼于价值与企业的关系，研究价值观念如何影响相关企业对科幻电影的立项、撤项，企业的活动又如何保证电影价值的实现等；②着眼于价值与观众的关系，研究价值观念如何影响观众对具体影片的选择，观众的好恶又如何左右具体影片的价值（包括但不限于票房价值）等；③着眼于价值与行会的关系，研究行会如何根据一定的价值观念组织与实施科幻电影评奖，这些奖项又如何影响了相关电影技术、作品和衍生品的价值等；④着眼于价值与机器的关系，研究用以拍摄和制作科幻电影的机器的性价比，考察设备共享如何通过提高利用率实现价值增益等；⑤着眼于不同价值之间的关系，研究对科幻电影相关技术、作品和衍生品的评价多样性等问题；⑥着眼于价值与标准的关系，研究如何根据价值观念制定与科幻电影相关的技术标准、艺术标准、市场标准之类的尺度，运用这些标准的具体实践又如何促进价值观念的变化等；⑦着眼于价值与分工的关系，研究价值关系如何左右科幻电影生产过程中的分工协作，分工协作又如何保证价值的实现等；⑧着眼于价值与布局的关系，研究和电影相关的区域布局、行业布局内在的价值考量，探讨这些布局如何影响电影业的价值构成等；⑨着眼于价值与升级的关系，研究电影业如何将评价信息作为反馈以提升其水平，电影技术的升级又如何改变电影业的价值关系等。

（三）标准：科幻与电影工业的本体

工业之本是标准，这意味它是按照一定标准而生产的。因为有了标准化，工业生产才能够在流水线上重复进行，不同部件才能够彼此组合成为完整的产品，同一系列、不同型号的机器才能彼此对接。从静态角度看，产品标准体现为人们对其质量和适用性的要求，是生产、检验、验收、使用、维护和洽谈贸易的技术依据。从动态角度看，产品标准通过规范化的流程得以贯彻和保证。电影机械工业的标准化，产生了与之相适应的企业标准、行业标准、国家标准，以至于国际标准。与后者相关的国际组织就有国际电信联盟（International Telecommunication Union，ITU，1865）、国际电工委员会（International Electrotechnical Commission，IEC，1906）、国际标准化组织（International Organization for Standardization，ISO，1947）[①]、国际电影技术协会国际联合会（Union internationale des associations techniques cinématographiques，1956）等。

标准化不仅规范了电影机械工业，而且影响了电影制片工业。电影生产被纳入工业轨道之后，类型电影得以大行其道。类型电影具备规范化的审美形式，既便于生产者制作，又便于消费者识别。它本是大制片厂标准化生产的产物，因为能够保证比较可靠的利润，渐渐成为被广泛接受的范畴。正如吴倩指出的，"类型电影由于其模式化与定型化的叙事而受到人们的批评，但在电影百年的历史中却长盛不衰，其中最重要的原因就是类

---

① 第 36 委员会制定了电影技术标准，第 42 委员会制定了摄影技术标准。

型电影对观众审美心理的体察与契合，具体体现在对观众集体无意识的体现、对观众接受心理的研究、对观众视觉欲望的满足三方面。这些足以使类型电影成为工业机制中的艺术奇葩"①。万传法运用前述戈梅里有关美国电影业控制系统的观点分析了 20 世纪 20 年代的中国电影类型与电影工业，认为当时的电影生产已经出现了具体分工、标准化操作的方式，这种方式成为类型生产不可或缺的一个条件，因为只有在这种标准化的操作过程中，才能达到一种经济化的运作，而经济化运作的结果，便是类型生产的可能性。换句话说，"电影公司对于全国甚至国外发行网的开拓以及对于电影院线的控制，使生产出来的影片畅行无阻，面对这一稳固甚或日益增加的市场需求，在经济化原则的指导下，大量类似的影片的生产便成为可能"②。从那时到现在，经过长达百年的考验，类型电影仍然有其生命力。2020 年，《国家电影局、中国科协关于促进科幻电影发展的若干意见》印发，提出将科幻电影打造成为电影高质量发展的重要增长点和新动能，也是从科幻电影作为电影类型的重要性出发的。

尽管如此，类型电影仍然存在同质化的弊端，在电影衍生工业兴起的过程中，渐渐朝标签化的电影类型转变。标签化很大程度上是电影网站运用算法向用户推荐影片的结果，也是协同过滤的产物。它将用户对电影最直观的感受转化为电影最重要的附属信息。协同标注实现了用户主观认知与在线资源的匹配，通过标签的积累使群体知识、群体喜好、群体意向得以涌现。电影类型的标签化已经成为学术界的研究课题。例如，易明等构建了基于群体智慧理论的协同标注信息行为模型，采用豆瓣电影标签数据对模型进行了实证研究。③我们应当看到，不仅存在题材或类型片意义上的标签，还存在导演标签、风格标签、学院标签、城市标签等，它们对于电影软实力建构具备重要价值。④张云中等对电影资源进行标注的高频标签集进行统计分析后发现，电影标签按照其功用可以大致划分为以下两类：①核心标签，主要用于描述电影资源所属的类别等电影资源内容特征；②边缘标签，主要用于描述电影上映时间、演职人员等电影资源的外部特征。"电影标签涵盖了对电影资源外部特征和内容特征两个维度的描

---

① 吴倩：《类型电影——工业机制中的艺术奇葩》，《中共郑州市委党校学报》2008 年第 5 期，第 137—138 页。

② 万传法：《20 年代的中国电影类型与电影工业》，《当代电影》2001 年第 6 期，第 94—99 页。

③ 易明、冯翠翠、莫富传等：《基于群体智慧理论的协同标注信息行为机理研究——以豆瓣电影标签数据为例》，《情报学报》2021 年第 1 期，第 101—114 页。

④ 朱荣清、朱善智：《电影软实力建构中的标签·生态·其他》，《电影文学》2017 年第 19 期，第 29—33 页。

述，体现了用户群体对电影资源共享概念知识的基本认知，同时又是用户在社会化标注系统中组织和检索电影资源的媒介，因而，经过精炼的电影标签集可以作为电影资源本体构建的核心术语集。"①林鑫等的研究则表明，用户认知对其标签使用行为具有显著影响，其中资源特征认知难度的增加会显著降低该特征被标注的可能性，而用户认知风格则会导致其在标注上具有明显的个人倾向。②

标准可以成为科幻电影工业研究的重要议题，相关切入点至少包括以下几个方面：①着眼于标准和企业的关系，探讨有关企业对行业标准、国家标准的执行情况，分析科幻电影生产过程的标准化程度等；②着眼于标准和观众的关系，研究影迷选择、评价、改编科幻电影的尺度等，探讨观众的喜好如何影响相关标准；③着眼于标准和行会的关系，分析与科幻电影相关的行会如何在制定和贯彻技术标准、艺术标准的过程中发挥作用，探讨贯彻这类标准的要求如何提上行会的议事日程等；④着眼于标准和机器的关系，研究电影机械工业如何制定和执行与不同等级科幻影片相适应的技术标准，这些标准又如何被用于指导相关设备的生产和配置等；⑤着眼于标准和价值的关系，研究科幻电影相关标准如何体现制定者的价值观念，这些标准又如何左右人们对相关影片的价值判断等；⑥着眼于标准之间的关系，研究科幻电影的技术标准、艺术标准、市场标准、环保标准如何统一，真理标准、伦理标准、审美标准如何协调，事实标准、企业标准、行业标准、国家标准、国际标准彼此之间的关系如何处理等；⑦着眼于标准和分工的关系，研究科幻电影生产者彼此之间如何通过标准化提高分工协作效率，分工协作的实践经验又如何通过标准化予以概括等；⑧着眼于标准和布局的关系，研究国家、行业在对科幻电影相关城市、企业进行定点及评估时依据的标准，相关企业在发展与科幻电影相关的技术时应用的标准等；⑨着眼于标准和升级之间的关系，研究标准的缘起与制定、审查与修订、推荐与实施、比较与更新、清理与废止，探讨标准的提高和降低如何影响科幻电影相关产业的发展等。

在考察电影标准的时候，不能不注意商业电影与艺术电影之间的异同。范志忠等指出，"对于一个国家而言，如果商业类型大片的制作，检验的是其电影工业体系的生产能力，那么艺术电影的创作，则考验其电影

---

① 张云中、李佳佳：《基于社会化标签的电影资源本体构建研究》2016 年第 12 期，第 131 页。
② 林鑫、周知：《用户认知对标签使用行为的影响分析——基于电影社会化标注数据的实证分析》，《情报理论与实践》2015 年第 10 期，第 85—88 页。

工业体系是否保持着人文关怀的深度，以及对艺术视听语言探索的敏锐度。因此，中国电影要从电影大国走向电影强国，不仅要致力于推动商业类型大片制作走向成熟，也必须下大力气推动艺术片创作走向繁荣"①。

要想在商品化的背景下建设适应科幻电影生产需要的工业体系，不能不在产品层面加强对机器、价值与标准之间相互关系的研究。譬如，若强调建设独立的电影工业体系，那么首先就必须解决关键的软硬件是自主开发还是国际采购的问题。自主开发可能花钱多、周期长，但这是做到不受制于人的根本举措。又如，专门为拍摄科幻电影而建设一个与之适应的工业体系，从现实角度看目前是不可行或不可能的。如何通过巧用、妙用充分发挥既有条件的潜能，便成了发展科技电影必须考虑的事情。反过来，如果重金购买的机器闲置或在电影制作方面派不上用场，那么其价值就无法实现。再如，标准的高低不仅会直接影响消费端对科幻电影的审核与评价，而且关系到生产端对机器性能的要求，同时还牵涉投资效益的问题。从商品化的角度看，除机器、价值与标准之外，还有其他一些条件和电影工业体系的建设相关，其中最重要的是数据。上文所说的机器、价值、标准彼此结合的结果，不只是产生了机器题材的科幻类型片，而且使得网络电影数据挖掘具有了可能性。后者意味着充分发挥网络作为信息机器的作用（手段），将电影相关信息作为数据（内容），通过算法提炼出某种关系、模式或类型（本体）。例如，李大宇等提出了一个对影视评论数据进行多维挖掘的概率图模型。它能够将影视评论数据结构化，同时获取其中的"方面"（即关注的特定部分）和情感信息，从而指导观众对影视作品进行选择以及指导制片方改进影片。②

三、运营层面的研究：分工、布局与升级

在运营层面，电影衍生工业如今显得比电影机械工业、电影制片工业更引人注目。这个术语至少有如下三种含义：①狭义上，指电影生产不可或缺的各种产品及服务，包括前期制作、后期制作、成品制作等需要的设备、技术、服务、厂商等；②广义上，指电影产业链包括的生产、营销、发行、开发等环节，还有与之对应的厂商及相关服务；③衍义上，指电影后产品的生产，涉及由影片衍生的各种娱乐产品，如经授权的小说、漫

---

① 范志忠、仇璜：《创意驱动·市场拉动·技术推动：论中国电影工业体系建构的新态势》，《现代传播（中国传媒大学学报）》2020 年第 4 期，第 86 页。

② 李大宇、王佳、文治等：《面向电影评论的标签方面情感联合模型》，《计算机科学与探索》2018 年第 2 期，第 300—307 页。

画、海报、图片、故事书，依托影片内容制作的唱片、影碟、录像带、原声大碟，与影片相关的软件、道具、玩具、文具、纪念品、广播节目、电视节目（含电影频道）、电子游戏、电子出版物（音像制品），拍摄过程中的宣传片，预告片、贴片广告、植入式广告，以及相关主题公园、摄制基地，等等。当科幻电影被纳入电影衍生工业的轨道时，各种衍生品的重要性就凸显出来了。反过来，科幻电影也将工业的泛化列入自己的视野中。

（一）分工：科幻与电影工业的协作方式

从政治经济学的角度看，电影工业可以运用有关生产方式的理论予以分析。生产方式是生产力和生产关系的统一。所谓"生产力"是指人类创造新财富的能力，对电影机械工业来说主要是指生产相关硬件和软件的能力，对电影制片工业来说主要是指生产影片（创造新作品）的能力，对电影衍生工业来说主要是指生产各种衍生品的能力。生产力由劳动者、劳动资料、劳动对象构成。就电影工业而言，劳动者主要是指电影工作者，劳动资料主要是指拍摄与制作设备，劳动对象主要是指电影载体（如胶片、磁带、光盘、网盘等）。生产关系是指人们在物质资料的生产过程中形成的社会关系，包括生产资料所有制的形式（如电影企业的国有、私有、合营等）、人们在生产中的地位和相互关系（如编剧中心制、导演中心制、制片人中心制等）、产品分配的形式（如平均分配、按劳分配、按资分配等）。

所谓"协作"，是指社会学意义上电影工业的具体运营方式，与分工相辅相成。分工小到微电影视觉特效制作的人员分工，大到基于中国电影工业价值链的城际分工，以至于全球化视野下文化劳动的国际分工。好莱坞之所以被作为电影工业的典范，很重要的原因是分工细密。中国科幻电影要想走工业化道路，不能不重视这一点。就此而言，我国已经有比较成功的例证。齐伟、张红斐指出，"《流浪地球》旨在打造一个严密的工业管理运营系统，力求每一环节都高度秉持科学分工、质量严谨的工业标准，此种细密化分工支点与该片'中国科幻'的工业大脑黏连地恰到好处。虽与好莱坞极为细化的工种分类相比仍有差距，但无须讳言，该片工种门类的细密化探索，已为中国电影工业的升级转换提供了螺旋式上升的内在驱动力"[1]。该片也被作为协作的典范。例如，杨贝贝指出，"电影

---

① 齐伟、张红斐：《〈流浪地球〉：中国科幻电影创制中的工业思维与价值表达》，《电影评介》2019年第9期，第25页。

《流浪地球》在剧作阶段为了兼顾原著小说改编的故事化和科幻电影剧本的独特性，将编剧团队从二人最终扩展成为八人，并采用好莱坞编剧常用的多人协作软件，为电影剧本的创作提供了便捷、有效的方法和工具，也为未来科幻类型片的剧作提供了良好的借鉴"[1]。

协作可以依据范围划分为工种协作、企业协作、行业协作、国际协作等，依据取向划分为内部协作、外部协作等，依据协作性质划分为协拍、合制、合拍等，依据协作内容划分为劳务协作、情报协作、资金协作等，依据与网络的关系划分为线上协作、线下协作等，依据价值链区分为垂直整合（上下游一体化，如兼事电影制作、电影发行与电影放映等）、横向整合（发展专业平台等）。这些分类法可以综合运用，由此定义多种不同的协作。电影机械工业的协作是围绕相关系统（含软硬件）的开发进行的。例如，中国电影科学技术研究所、哈尔滨电影机械厂、江西光学仪器厂在 20 世纪 80 年代共同研制出了具有 360° 视野的环幕电影系统，并摄制出《华夏掠影》（1988）等环幕影片。电影制片工业的协作是围绕相关影片的拍摄进行的，中外合拍片就是该领域国际合作的成果。电影衍生工业的协作是围绕知识产权转化进行的，迪士尼乐园的建设可以为例。进入网络时代之后，网络化协作成为数字电影制作、数字电影放映、数字电影再生产的重要趋势，由此催生了服务平台技术与模式研究。同时，融媒体的发展又促进了印刷媒体与电子媒体的协作、电视媒体与网络媒体的协作（简称"台网协作"）。

分工可以成为科幻电影工业研究的重要议题，相关切入点至少包括以下几个方面：①着眼于分工和企业的关系，研究电影行业的分工如何规定了具体企业的经营方向，具体企业的内部分工又如何影响科幻电影制作的绩效等；②着眼于分工和观众的关系，研究社会分工如何影响观众的关注点和鉴赏力，观众又如何通过自己动手做（Do it Yourself，DIY）打破社会分工的限制等；③着眼于分工和行会的关系，研究科幻电影相关行会内部和外部分工，以及这些行会在培养专门人才、引导人才流动等方面发挥的作用；④着眼于分工和机器的关系，研究科幻电影制作流水线的设计和运转、各个岗位之间的配合，机器智能化对生产分工的影响，生产分工对机器改进的诉求等；⑤着眼于分工和价值的关系，研究合理分工对科幻电影经济效益、艺术效益、社会效益最大化所起的作用，从业者的人生价值如何通过分工来实现等问题；⑥着眼于分工和标准的关系，研究与科幻电

---

① 杨贝贝：《我国科幻类型电影创作与工业化发展策略》，《电影文学》2020 年第 5 期，第 25 页。

影相关的技术标准、艺术标准、市场标准如何由专业人员构思与制定，这些标准在相关社会组织中如何通过岗位责任制之类的方式予以贯彻等问题；⑦着眼于分工之间的关系，研究科幻电影生产过程中自然分工与社会分工、业内分工与业际分工、国内分工与国际分工等的异同与影响；⑧着眼于分工和布局的关系，研究与科幻电影制作基地相关的地理位置、天然资源、非技术人工、资金等初级生产要素，技术人才、科研院所、高等教育体系、现代通信基础设施等高级生产要素，基于电影产业价值链分工联系的城市网络等；⑨着眼于分工和升级的关系，研究如何充分发挥科学家、发明家、艺术家、能工巧匠在科幻电影创意和制作中的作用，如何通过岗位培训提高从业者的创新素质、实现科幻电影高质量发展等问题。

（二）布局：科幻与电影工业的环境

所谓"布局"是指对事物的全面规划和安排，如艺术意义上电影插曲的音乐布局、叙事结构的情节布局、植入广告的媒体布局等。就电影工业而言，电影机械工业的高新技术研发布局、不同档次器材的生产布局，电影制片工业的影片首映档期布局、影院建设布局，电影衍生工业的影游融合布局、主题公园布局等，都是值得研究的课题。电影工业的布局首先是相对于地理环境而言的，下文以我国为例予以说明。

首先，是电影机械工业布局。电影工业是依托城市发展的。据美国学者斯科特（A. J. Scott）的统计，截至 2005 年，美国就有 750—850 家影视数字特效技术公司，而其中大约 70%集中在洛杉矶附近。①我国电影工业同样以城市为依托。"从 1928 年起，一些爱国有识之士，先后在上海、北平、哈尔滨和天津等大城市，创办了以维修、仿制为主的电影机械私营小厂，开始了自己研制电影设备的尝试，中国电影机械工业的胚胎开始孕育。"②1953 年 12 月 24 日，中央人民政府政务院第 199 次政务会议通过了《关于建立电影放映网与电影工业的决定》，提出筹建电影胶片制造工厂，发展放映事业所需要的放映机，并达到全部自给，主要依托的城市有北京、上海、哈尔滨等。1964 年，我国的电影工业体系已基本建立，包括的单位有中国电影科学技术研究所，上海电影机械设计研究所，中央直属厂——哈尔滨、南京、上海三个电影机械厂，上海八一电影机械厂，还有 13 个省级电影机械厂。此后，上述布局有所调整，主要是建设

① Scott A J, *On Hollywood: The Place, the Industry*. Princeton: Princeton University Press, 2005, p.110.
② 曲金魁：《中国电影机械工业百年发展回眸（上）》，《现代电影技术》2006 年第 8 期，第 31 页。

甘肃光学仪器总厂、临夏电影机械研究所、江西光学仪器总厂，成立北京电影机械研究所、上海电影照相工业研究所等。20 世纪 80—90 年代，电影制造企业陷入低谷，定点企业多数改行转产，但仍有一些成果问世。21 世纪之后，秦皇岛视听机械研究所独创了 YJZC 35/S16 胶转磁设备，广东珠江影视设备制造有限公司、哈尔滨电影机械厂开始与外方合作生产数字放映机。在数字化时代，软件园定点问题提上日程。1992 年，电子工业部设立了北京软件基地、上海浦东软件园基地和位于珠海的南方软件基地。2001 年 7 月，国家计划委员会和信息产业部将国家级软件产业基地定点于北京、上海、西安、南京、济南、成都、广州、杭州、长沙、大连、珠海 11 个城市。除此之外，还有不少城市也致力于建设软件园。如同当下的电影机械工业往往兼产其他电子设备那样，软件园也不只是专门为电影生产而从事开发的。尽管如此，它们可以为科幻电影的特效制作、图像渲染等提供强大的技术支持。根据曹方所做的考察，世界各国软件园有多种运作模式，或外包，或内引[1]，其技术力量并不以所在城市为限。

其次，是电影制片工业布局，主要是指摄影棚建设、人造景观与自然景观的关系等。由于本书第二章第一节已经对工业区划加以阐述，此处不再重复，只谈谈与之相关的电影院建设问题。它涉及流行放映与固定放映的关系，影院建设与网站建设的关系，高级影院与普通影院的关系，家庭影院、小型影院（或录像厅、视听室）、大型影院的关系，室内影院与汽车影院的关系，私人影院与公共影院的关系，影院建设在城市规划中的定位，各种影院的视听布局，卫星影院、激光影院等新型影院的特点及推广条件，等等。除影院之外，对于院线、银幕、影厅等，也可以从布局的角度加以研究。例如，影厅布局就涉及普通影厅、特效影厅（可细分为巨幕厅、4D 厅、音效厅之类）等的关系。我国可以放映普通科幻电影的影院数以万计，能够以 IMAX 3D 格式放映《头号玩家》的影院却不过几百家，它们集中在大城市，这就是电影制片工业的布局问题。

最后，是电影衍生工业布局，其议题有人文地理学意义上主题公园、科幻城市、特色小镇等建设的布局，行业意义上游戏企业的电影布局、动漫企业的电商布局，等等。以主题公园为例，其外部布局涉及城市选点、社区规划等因素，内部布局涉及对所选取的电影景观的布置、电影项目的安排等，目标布局涉及它们瞄准的公众定位、细分市场等。在这方面，美

---

① 曹方：《世界主要软件园的模式与未来》，《经济导刊》2002 年第 3 期，第 47—50 页。

国迪士尼乐园和环球影城的经验是值得借鉴的。[①]根据黄秀琳的看法，大型主题公园的宏观布局需符合依托地选择、依托地市场状况要求。微观布局要考虑到地价、交通等因素，设施布局要最大限度地利用资源的经济价值与环境优势。[②]"未来城市"正从科幻概念转变为城市规划，这对于优化电影衍生工业的布局有积极作用。在我国，近年来不断扩大的电影市场是发展电影衍生工业的重要条件。然而，没有世界一流的电影企业、电影产品，则是亟待解决的瓶颈问题。

进入网络时代之后，上述三类布局可以在某种意义上整合起来，因为互联网就是它们的共同平台。我们可以从这个角度去理解"互联网+电影产业"的意义。与此同时，互联网企业的电影布局成为新的议题。例如，何群、王之风指出，"互联网企业布局电影产业，通过提升电影产业价值链、重塑电影产业的技术链，革新电影产业文化链，对我国电影产业链起到了明显的提升作用。但同时，互联网企业的进入也带来了版权保护和电影过度娱乐化的风险。对此，我国应该采取加强版权网络监管、规范版权定价，支持艺术电影发展、建设良好电影生态等对策进行防范"[③]。张静、潘高指出，"以阿里巴巴为代表的互联网巨头，携巨额资金强势入驻电影产业，在颠覆传统电影产业链的同时，也为电影业带来新的商业模式与盈利方式，电影产业链出现向上游追溯、向下游拓展等路径优化模式，新的电影生态圈正在形成。而此时电影的文化属性本质与资本逐利特质之间的矛盾也集中爆发，使电影产业处于繁荣与恐慌的交叉路口"[④]。

布局可以成为科幻电影工业研究的重要议题，相关切入点至少包括以下几个方面：①着眼于布局和企业的关系，分析国家主管部门、有实力的集团对电影工业的布局如何导致具体电影企业的创设、迁徙和变更，与电影相关的公司内部又如何布局其发展等；②着眼于布局和观众的关系，分析市场定位与饭圈文化的相互影响等；③着眼于布局和行会的关系，研究电影行业的整体格局对具体行会的影响，以及与科幻电影相关的协会、工会如何运作和布局等；④着眼于布局和机器的关系，研究新型机器的引入如何改变了科幻电影各种生产要素的布局，各种机器又如何在现有布局之

---

① 赵抗卫：《美国主题公园的创意和它的产业形成》，《戏剧艺术》2008 年第 1 期，第 81—87 页。
② 黄秀琳：《大型主题公园布局研究》，《莆田高等专科学校学报》1999 年第 4 期，第 19—22、54 页。
③ 何群、王之风：《互联网企业的电影布局对电影产业的影响分析》，《当代电影》2015 年第 7 期，第 11—18 页。
④ 张静、潘高：《"互联网+"主导下电影产业链优化路径分析——以阿里巴巴集团的电影布局为例》，《广西师范学院学报（哲学社会科学版）》2018 年第 4 期，第 147—153 页。

下发挥作用等；⑤着眼于布局和价值的关系，研究价值观念如何成为科幻电影的布局指南，相关布局又如何实现其价值与目标等；⑥着眼于布局和标准的关系，研究与科幻电影相关的标准化管理如何影响企业的内外布局，成功的布局又如何作为楷模影响标准化等；⑦着眼于布局和分工的关系，研究与科幻电影相关的布局如何体现分工协作的优势，分工协作的需求又如何左右布局的规划等；⑧着眼于布局之间的关系，研究电影机械工业布局、电影制片工业布局、电影衍生工业布局的互动，以及企业布局、行业布局、城市布局的协调等；⑨着眼于布局和升级之间的关系，研究行业的整体规划如何影响具体企业的设备升级，通信基础设施升级（如移动通信由 3G、4G 到 5G）如何改变与科幻电影相关的产业布局，等等。

（三）升级：科幻与电影工业的机制

在机制的意义上，工业将升级当成自己和与农业相比的主要特征，这是由它运用机器以生产机器的本性决定的。人们可以将一定水平的机器（1.0 版）作为基点，生产出水平更高的机器（2.0 版）。然后，再用后者制造出 3.0 版、4.0 版的机器。因此，如果说农业社会占统治地位的观念是循环论或"天不变，道亦不变"，那么工业社会则以加速主义取而代之。当科幻电影被纳入工业生产的轨道之后，不断升级也就顺理成章地成为要求。已有的奇观很快就不再让人目眩了，已有的煽情很快就不再让人心动了，无论是制作者还是接受者，都要求更有魅力的特效、更加刺激的情节。

"工业基础"至少可能有三种含义：①着眼于工业发展史，指为现代工业提供发展基础的手工业。②着眼于基础工业，是生产基本生产资料（即主要服务于重工业自身的工业部门的产品）的总称，指能源工业、冶金工业、基本化学工业及部分机械工业等。③着眼于环境，指各种使工业成为可能的基本条件，如社会分工协作等。与此相适应，"工业升级"至少可能有如下三种取向：①着眼于工业发展史，指手工业升级为现代工业，以及科技发展促成的数字化、信息化、网络化、智能化等。②着眼于基础工业，指生产资料生产带动消费资料生产、重工业带动轻工业等。③着眼于分工协作的发展、相关技术的突破等。如果将工业时代电影生产体制的特征理解为明星制、专业化、产品营销、跨行业渗透、全球化的话，那么后工业时代的电影生产体制的特征则是虚拟明星、创客和威客、用户生成内容、虚拟企业、定制化、元宇宙等，这也可以说是一种"升级"。电影工业本身的升级至少通过以下三方面表现出来。

首先，电影技术创新。它至少包括以下几个方面：①电影生产技术创新，如高新技术格式电影制作、电影数字虚拟化制作平台开发、电影数字制作分布式跨域协同云平台建设等；②电影传播技术创新，如电影数字拷贝卫星传输与影院规模化应用、基于互联网的电影发行平台试验与应用、电影数字版权追溯检测平台建设、电影档案影片数字化修护等；③电影消费技术创新，如电影大数据应用平台建设、电影票务数据监管系统开发、数字影院信息化规模化应用、智能家庭影院运营服务管理平台建设、国产激光放映机研发与应用、农村电影公共服务体系建设等。

其次，电影艺术创新。它至少包括以下几个方面：①艺术手段创新，如将新技术、新媒介、新手段、新载体引入艺术领域，让艺术适用于不同语言环境（艺术翻译）、不同媒介环境（艺术改编）等；②艺术内容创新，如再现维度上艺术题材基于社会需要与现实生活的推陈出新，表现维度上艺术情怀基于精神体验和社会心理的推陈出新，历史维度上艺术创造对于先前经典、惯例、权威的颠覆等；③艺术本体创新，如艺术形成新类型、新体裁、新样态、新风格，不同类型艺术之间相互渗透（包括电影与戏剧、美术、书法等其他艺术形态之间的融合），类型电影惯例的形成与突破等。由于新媒体革命的影响，电影艺术创新经常是在电影技术创新的拉动下实现的。

最后，电影产业创新。它至少包括以下几个方面：①电影创造业创新，涉及电影创作、电影表演、电影鉴赏等；②电影制造业创新，涉及电影设计、电影用具制造、电影产品制造等；③电影传输业创新，涉及电影新闻、电影作品、电影平台等；④电影营销业创新，涉及电影娱乐、电影销售、电影广告等；⑤电影养成业创新，涉及电影教育、电影竞技、电影出版等；⑥电影管理业创新，涉及电影部门管理、电影社团管理、电影场馆管理等。在市场经济条件下，电影产业创新与电影市场创新密不可分。更准确地说，电影产业创新是以电影技术创新为龙头，以电影艺术创新为支撑，在市场引导的条件下实现的。

科幻电影并非纯粹意义上的工业产品，而是旨在满足审美需要、具备一定工业属性的精神产品。从这一认识出发，作为科幻电影美学之范畴的"升级"应当将电影文化创新当成自己的题中应有之义。它至少包括以下几个方面：①提升性文化创新，指先进文化引领、传统文化改造等意义上的创新，涉及我国科幻电影在弘扬主旋律、社会主义核心价值观、建设人类命运共同体等方面的使命。②融合性文化创新，着眼于不同文化的相互渗透，这种渗透发生于由于社会部门性分工而形成的不同文化（如艺术文化、军事文化、医疗文化）之间、不同民族文化（如汉族文化与少数民族文化）之间、不同国家（如中国文化与美国文化）之间、不同时代文化（如古代文化与现代文化）之间、不同媒体文化（如印刷文化与电子文化）之间、不同层次文化（如主流文化与非主流文化）之间、不同趣味文化（如精英文化与大众文化）之间，等等。它基于我国科幻电影兼取众长、协调发展的需求，涉及民族话语建构、"一带一路"、对外传播等实践。③普惠性文化创新，指更好地满足人民群众日益增长的文化需要。其要旨是大力发展公益性文化事业，保障人民的基本文化权益，将艺术应用于不同社会领域，利用艺术宣传不同社会主题，促进经济和社会发展（如艺术搭台、经济唱戏等），等等。它涉及我国科幻电影如何在科普信息化提升工程的总体格局下发展的问题。

升级可以成为科幻电影工业研究的重要议题，相关切入点至少包括以下几个方面：①着眼于升级和企业的关系，研究产业升级给具体企业带来的挑战与机遇，分析与科幻电影相关的各种公司在技术升级、产品换代、服务更新等方面的内在需求和实现途径等；②着眼于升级和观众的关系，研究由观众、粉丝到超级观众的演变，探讨观众的期待对科幻电影技术升级、产品换代、服务更新的影响等；③着眼于升级和行会的关系，研究行会在科幻电影技术升级、产品换代、服务更新方面所起的促进、保障、引导与规制等作用，探讨行会本身的与时俱进；④着眼于升级和机器的关系，分析驱动电影技术升级的各种因素所起的作用，研究电影技术的升级如何导致旧机器的淘汰、新设备的应用、从业者技能的更新等问题；⑤着眼于升级和价值的关系，研究与科幻电影相关的新旧技术、新旧产品、新旧服务的性价比，分析投入与产出的关系等；⑥着眼于升级和标准的关系，研究新技术、新产品、新服务的问世如何导致与科幻电影相关的各种标准的更新，标准的调整又如何引导技术、产品、服务的发展等；⑦着眼于升级和分工的关系，研究与科幻电影相关的科研投入所占的比例、所起的作用，探讨电影技术升级如何导致生产流程的变化，如何通过合理分工保证电影新技术创造新效益等问题；⑧着眼于升级和布局的关系，研究与科幻电影相关的新技术、新产品、新服务如何导致企业、研究基地、产业园等内外布局的变化，这种布局变化又是如何影响技术升级、产品换代、服务更新的；⑨着眼于不同升级之间的关系，研究技术、产品、服务等意义上的升级的相互影响，进行不同代的技术、产品、服务的比较，等等。

要想在商品化的背景下建设适应科幻电影生产需要的工业体系，必须在运营层面将以上所说的协作、布局、升级有机结合起来。张卫指出，

"现代电影工业的强大之处在于细致分工、规划完整、标准清晰、流程严密。只有精品大片才可以占据市场，而精品大片建立在分工细致、组织严密的工业化流程之上。改变中国电影工业的现状，应确立工业美学的观念，通过合拍和启用国际电影尖端专门人才学习国外电影工业流程管理，国家电影主管部门应该有中国电影工业升级的整体规划和布局"①。除此之外，还有若干要素和电影工业体系的运营密切相关，如营销学、电影节、影视联盟等，它们也值得加以研究。

上文分析了涉及电影工业繁荣的如下必要条件：在社会层面，需要有具备远见卓识、可行规划、明智策略的电影企业，愿意持久付出热情、持理解与宽容态度的电影观众，具备凝聚力、责任心的电影行会；在产品层面，需要有技术先进、性能优秀的电影机器，通过思想深刻的主题创意来实现电影的价值，有助于实现高质量发展目标的电影标准；在运营层面，需要有无缝衔接的电影分工，既符合实情又具备前瞻性的电影布局，审时度势、抓住先机的电影升级。这些条件对科幻电影的繁荣同样是非常重要的。不过，它们并非电影工业发展的充分条件，还有很多复杂的因素应当加以考虑。

邱章红在 2006 年指出，"自 20 世纪 90 年代以来，好莱坞开始进入全球化时代，在全球范围内实施新的战略，使得整个世界电影工业的体系构成、运转模式以及扩张方式都发生了根本性的转变。其全球化进程遵循着一条清晰的产业演进路线，呈现出四个比较明显的结构性变化时期：整合美国国内市场（内合）、寻求新国际财政支持和商业合作伙伴（外联）、重新聚焦核心业务和基础竞争力（集聚）、实现整体平衡和深度合作（联盟）。在此大背景下，中国作为全球电影市场的一隅，应以积极的姿态尽快加入到电影全球化大潮之中，借助好莱坞构建全球电影市场一体化与区域专业化以及输出创新与开发的全球化动力机制的机会，从而成为未来全球电影的另一个工业中心"②。现在看来，全球化处在与逆全球化的博弈之中，"借助好莱坞"很可能只是一厢情愿。尽管如此，中国电影工业化并不会中止，而是将总结经验，奋然前行。对于中国科幻电影的工业研究，正是在这一大背景下进行的。我们应当看到，建设独立自主的电影工业体系既是一项系统工程，又是一个动态目标。正因为它是系统工

① 张卫：《新时代中国电影工业升级的细密分工与整体布局》，《浙江传媒学院学报》2018 年第 1 期，第 30—34 页。
② 邱章红：《好莱坞电影工业的全球化策略与中国的选择》，《学术月刊》2006 年第 6 期，第 18—25 页。

程，因此需要从上文所说的进行社会层面、产品层面、运营层面的综合研究；正因为它是动态目标，因此必须与时俱进，不断调整。

第三节　从美学角度看科幻电影类型化

电影美学是电影学和美学相互渗透而形成的边缘学科，主要研究电影艺术的美和审美问题。如果说电影工业从属于物质生产部门，那么电影美学则是精神生产领域的一个分支。它考察电影艺术的发展历程，探索电影艺术的审美特征及其与现实生活的关系，关注如何按照美的规律从事电影艺术的创作，分析电影艺术与其他艺术的关系，研究电影艺术的审美价值、鉴赏机制和社会功能等。与电影工业不同，电影美学将科幻片视为艺术作品，重视原创性而非模式性。因此，电影工业体系强调的企业、观众、行会、机器、价值、标准、分工、布局、升级等范畴的中心地位被更能体现艺术特点的编导、粉丝、影坛、镜语、题材、样态、技巧、时空、理论等范畴取代。下文围绕类型化对电影美学视野下的科幻加以探讨，从社会层面看其由来，从产品层面看其特征，从运营层面看其演变。其中的旨归问题是：如何在类型化的格局中通过美学建设推动国产科幻电影的发展？

一、从社会层面看科幻电影类型化

从电影美学的角度看，作为艺术家的编导带领的主创团队处于主体地位，作为观众转化形态的粉丝群体处于对象地位，作为主创团队和公众联系纽带的影坛处于中介地位。当然，三者的定位可以在一定条件下相互转变。例如，编导发评论，就从主体变成了中介；粉丝"下海"拍片或做研究，就由对象转变成了主体或中介；学院派拍电影，就由中介转变成了主体。基于上述认识，可以将科幻电影类型化理解为从编导开拓、粉丝认可到影坛支持的过程。

（一）导演：勇于开拓

科幻电影的主创团队包括编剧、导演、监制、制片人、主要演员与各部门长等。与电影工业相比，电影美学关注的主要是文化而非经济，因此导演作为艺术家受到了格外重视。

电影首先是作为技术发明登上历史舞台的。在这个意义上，当时实行的是发明家中心制。发明家不仅自己使用电影机，而且将它们出卖或出租给其他人，后者开始朝电影商转化。为了吸引观众，电影商除了实拍场景之外，还请人来表演，或者拍舞台纪录片，这就形成了演员中心制（镜头都是对准他们的）。它意味着电影不仅有条件成为技术美学或媒介美学的研究课题，而且有条件成为表演美学的研究课题。面对镜头的表演具备间断性等特点，与立足舞台的表演有诸多不同。为了引导演员适应电影的要求，也为了实现不同演员之间、演员和电影团队其他人员之间的分工协作，电影商开始聘请专门人员担任导演，并将组织和管理团队的任务交给他们，这就形成了导演中心制。在电影由手工作坊向机器工业转变的过程中，发生了以艺术定位为主向以市场定位为主的转变，导演中心制因此逐渐被制片人中心制取代。虽然导演不再居于电影制片工业主创团队的中心地位，但他们作为电影艺术家仍然处于电影美学视野的中心，原因至少有如下三点：①对电影剧本进行"二度创作"的任务是由导演承担的；②物色恰当演员、挖掘其内在潜力，使其能够找到角色的感觉，这一工作是由导演负责的；③协调拍摄制作各部门、使影片由观念变为现实的任务，也是由导演主导完成的。

与其他类型的电影相比，科幻电影要求导演必须拥有更丰富的想象力，致力于开拓创新。以美国导演为例，卡梅隆"被人称为好莱坞暴君、烧钱机器、电影疯子……从《终结者》系列到《阿凡达》，他的电影一直是造价最高、最卖座、最有技术含量的，打破他纪录的只有他自己"[1]。既是天才又是鬼才的波顿（T. Burton）不愿意重复自己，不愿意照搬照抄，不想重看那些启发了自己作品的电影，更愿意遵从自己的灵感和记忆。彭特（J. C. Penter）将自己定位于现代艺术家，与黑暗做斗争。[2]

在我国，电影与科学联姻，最初是因为看中了其科普的潜能。例如，电影导演顾肯夫与陆洁等于 1921 年合创了《影戏杂志》，在发刊词中说："我们……的国民，太没有科学知识了，一切违背科学原理的事情，别人不肯信仰，我们中国总有一部分人会信仰的，以致常常闹出笑话来。我们闭了眼睛一想，我们违背科学原理的鬼话，禁不住自己也要笑起来。近来有许多人已经觉悟了，便把科学知识介绍给国人。影戏对于介绍科学的能力很强，看客看科学影片，好像在试验室里看教员试验一般。"[3]实

---

① 岩石：《〈阿凡达〉导演卡梅隆 电影狂人的科幻梦》，《大科技（百科新说）》2010 年第 9 期，第 56—59 页。

② 〔法〕阿米埃尔、〔法〕库泰：《美国电影的形式与观念》，徐晓媛译，文化艺术出版社 2005 年版，第 111、169—171 页。

③ 顾肯夫：《〈影戏杂志〉发刊词（1921）》，见丁亚平《百年电影理论文选》上册第一篇（1897—1930），文化艺术出版社 2002 年版，第 181 页。

际上，科幻电影并非以介绍科学为己任，因此不像科教片那样被看好。它长期被当成娱乐片，也不像艺术片那么受重视。有鉴于此，导演谢飞1984 年在电影导演艺术学术讨论会上指出，"今天，摆在我们面前的一个重要任务就是端正对电影商业性的认识。我们头脑中常常有'惟有艺术高'的想法，认为搞艺术片是高雅的，而搞娱乐片、商业片低俗，没有价值。这样的情况也反映在我们的教学上。我们给学生讲的、看的大都是些艺术片，千方百计地想办法让学生看到各种流派、艺术家的作品。可是对观众大量需要的娱乐片很少去讲，对歌舞片、西部片、情节剧、科幻片等样式也涉及不多。无怪乎有的老前辈说，我很担心你们的学生，都是一个调子，都是艺术的，淡淡的，'哲理'的……没有适应不同观众口味的多种创作本事。所以说，在我们的创作人员中，从创作思想到实践，都应该有一个走出'象牙之塔'的问题"①。这和美国的布莱恩·德·帕玛尔（B. de Palma）刚好形成了鲜明的对照。后者"或许是好莱坞众多导演中涉及影片类型最多的一位，在他的电影生涯中，他不断变换风格、题材，喜剧片、恐怖片、警匪片、黑帮片、动作片、科幻片皆做出尝试和探索，似乎电影类型本身就是他的研究对象，他尤其喜欢戏仿、改装那些经典。他对类型片熟练的操纵使其更容易取得与娱乐片的亲缘性。他善于将视觉表现力与高度控制的惊悚感结合，在荒诞不经的故事中展现道德暧昧性与诱人的黑暗堕落情调，而他对令人作呕场面的不回避甚至是热衷则不断挑战着观众的接受极限"②。

1984 年，谢飞在中国讲前面的话时，好莱坞经历的不是由艺术片转向商业片，而是相反的运动。年轻一代导演在"作者论"的影响下打破了大制片厂主导的类型片的束缚。"他们刚开始的时候主要为像美国国际影片公司或者罗杰·科曼（R. Corman）的新世界（New World）这样的独立制片公司制作开发影片……通过使用科曼公司出来的年轻电影人，大公司悄悄地接受了传统的好莱坞电影已经转型这样一个事实。在 70 年代，整个电影业都由电影学校毕业的年轻电影人所引导，他们拍摄出了像 50 年代那样的大预算的开发影片—黑帮片、棍棒青春片、科幻片、恐怖片和鬼怪片。"③

---

① 谢飞：《电影观念我见——在"电影导演艺术学术讨论会"上的发言》，《电影艺术》1984年第 12 期，第 9—14 页。

② 〔法〕樊尚·阿米埃尔、〔法〕帕斯卡尔·库泰：《美国电影的形式与观念》，徐晓媛译，文化艺术出版社 2005 年版，第 220 页。

③ 〔澳〕理查德·麦特白：《好莱坞电影：美国电影工业发展史》，吴菁、何建平、刘辉译，华夏出版社 2011 年版，第 164 页。

从那时以来，中国导演在科幻电影领域选择了两种不同的道路：有些人沿着艺术片的取向发展科幻电影，例如，王语堂瞄准中国文化基因的叙事系统，作为科幻小说的死忠粉与作家们为友，以科幻短片《别无选择》获得了美国格兰岱尔国际电影节最佳国际短片和最佳男演员两项大奖，亦为西方观众认可。[①]还有些人向西方（特别是好莱坞）学习，争取自己的创作能够与之接轨，《流浪地球》的导演郭帆在这方面取得了显著成就，以既具备好莱坞类型片风格又拥有中国特色的大片彪炳史册，获得了中国观众的认可。[②]上述事实说明，类型化商业片与反类型艺术片的矛盾是科幻电影发展演变的动力之一。如果按照杨世真的看法，有必要将"作者电影"与"电影作者"区别开来。"'作者电影'的光环对年轻导演既是一种诱惑，又是一种误导。在国外电影节、资本与过于宽容却未必负责任的评论家的多重挟持下，一些处女作导演被冠以'作者电影'之名，迷失了自己……但是，还有一些真正的'电影作者'，他们既深谙市场规则与观众喜好，同时又能最大程度地保持自己的个性与风格。"[③]相比之下，电影作者或许有更好的发展前景。

（二）粉丝：形成拥趸

电影类型化产生于制作者和观众互动的过程中。澳大利亚麦特白（R. Maltby）概括了通过类型对电影进行区分的做法对制作者的两个好处：①它们提供了财政保障，类型电影在某种意义上总是预售给它们的观众，因为观众在他们对这部电影进行任何实际的参与之前，就已经对这种类型拥有一种感觉和体验。而且，一些类型相对于其他类型具有更高的预期收益。②类型片能保证它们虚构的故事以某种确定的方式为观众展开，这将为他们提供期待的快感满足。在这种语境下，类型成了好莱坞调控差异和消费行为的美学体制的中心要素。[④]

粉丝是从一般意义上的观众中分化出来的，通常相对于明星而言。正如朱怡璇指出的，"在好莱坞电影工业体制中，电影明星更大的价值不在

① 滕朝：《新导演眼里的中国科幻：需要一套有中国文化基因的叙事系统》，《电影》2016 年第 11 期，第 76—78 页。
② 杨宸：《科幻导演是如何"炼"成的——郭帆访谈录》，《传记文学》2019 年第 6 期，第 47—57 页。
③ 杨世真：《从"电影工业美学"之争回溯"电影是什么"之问》，《艺术百家》2020 年第 2 期，第 76 页。
④ 〔澳〕理查德·麦特白：《好莱坞电影：美国电影工业发展史》，吴菁、何建平、刘辉译，华夏出版社 2011 年版，第 74—78 页。

于他怎样成功地塑造了一个银幕形象，而在于其所代表的一种资本价值。这种资本价值仰赖于被建构的电影明星形象在观众尤其是迷族群中的号召力和吸引力，这就是电影明星形象与粉丝文化最直接的互动关系"①。粉丝群体的形成，说明电影机械工业的主导地位开始被电影制片工业取代。后者的特点之一是将明星、作品和社群对粉丝的吸引力转变成为市场，根据粉丝的意愿来塑造人物、构思情节、安排结局。粉丝将自己对明星、作品和社群的好感付诸行动，购买相关的纪念品，在主题公园中流连忘返，这是电影衍生工业赖以发展的条件。以美国为例。如霍朋斯坦（G. Hoppenstand）所言，玩具、漫画书、电影原声音乐，以及其他很多战略性的市场手段（包括游戏和主题公园）为卢卡斯的《星球大战》建立了一种电影氛围，这种完整的经济氛围至今仍对很多观众产生着深远的影响。②随着好莱坞影响力的扩大和明星制的流行，粉丝成为国际化现象，并且由电影工业的对象向主体转化，这是互联网时代用户生成内容不断增加的重要原因。

粉丝经济是消费社会中电影美学研究的题中应有之义。它不仅是指粉丝通过结群影响电影市场，也不仅是指粉丝对影片进行再创作并获得收益，而且是指他们通过生产型消费不断生产亚文化的流通体系。这一点在网络时代表现得格外明显，根据蔡骐的概括，社交媒体传播下的粉丝经济经历了三个发展阶段，即以偶像为核心的明星经济模式、以内容为中心的知识产权运营模式、以社群为中心的合伙人商业模式③，这是具有启发意义的。正如张乐媛、李亚玲所言，粉丝作为潜力巨大的文化消费群体深刻地影响了知识产权产业链。④西方的相关著作有乌尔班斯基（H. Urbanski）的《科幻重启：重置特许权中的正典、创新与影迷》（*The Science Fiction Reboot: Canon, Innovation and Fandom in Refashioned Franchises*，2013）⑤，伊诺巴拉（M. Elovaara）的《影迷现象：〈星球大

① 朱怡璇：《想象与共生——新媒体语境下电影明星形象的建构与粉丝文化》，《当代电影》2015 年第 7 期，第 105—107 页。
② 〔美〕盖瑞·霍朋斯坦：《高概念：当前的市场策略》，尹鸿、刘宏宇、肖洁译，见杨远婴《电影理论读本》，世界图书出版公司 2012 年版，第 422 页。
③ 蔡骐：《社会化网络时代的粉丝经济模式》，《中国青年研究》2015 年第 11 期，第 5—11 页。
④ 张乐媛、李亚玲：《跨媒介 IP 作品的粉丝价值转换研究》，《新闻传播》2017 第 1 期，第 112—114、116 页。
⑤ Urbanski H, *The Science Fiction Reboot: Canon, Innovation and Fandom in Refashioned Franchises*. Jefferson, North Carolina: McFarland & Company, Inc., Publishers, 2013.

战）》（*Fan Phenomena: Star Wars*，2013）[①]，巴尔金（N. Balkind）的《影迷现象：〈饥饿游戏〉》（*Fan Phenomena: The Hunger Games*，2014）[②]，等等。

在我国，粉丝经济的过热已经暴露出一些值得重视的问题。如孙瑶瑶所言："应网络新媒体技术和资本逐利发展而生的'饭圈文化'对青少年影响很大。积极的影响有：富有感染力的可激发爱国情怀；富有凝聚力的可传播正向能量；具备休闲性的可消解成长压力；充满创造力的可促进个性发展。消极影响有：商业化的扭曲青少年价值观；数据至上的耗费精力时间；单一密集的可造成'信息茧房'；'娱乐至死'的影响青少年对主流文化的吸收。因此对'饭圈文化'的不良影响要进行引导，媒介组织要坚持正确导向、学校要勇挑引导重担、家庭教育要打牢基底。"[③]

（三）影坛：关注未来

所谓"影坛"指的是由电影工作者和电影爱好者形成的行业圈。就约束力而言，它不如行会，但覆盖范围比行会广。在促进科幻电影类型化的过程中，有不少影坛人士做出了自己的贡献，特别是那些懂得专业知识的行家。他们可能由富有经验的编导或其他从业者转化而来，也可能源于那些目光敏锐、爱好执着、知识渊博的粉丝。电影行家可以给具体影片的主创人员提出宝贵的建议，也可以为一般意义上的观众提供中肯的意见。

当然，并非所有的影坛人士都会变成科幻电影的粉丝。例如，法国技术哲学家斯蒂格勒（B. Stiegler）就对它不以为然。他说："通过技术科学，科学变成了科幻片，变成了一部电影，而且遍布着已经成为现实的图像、模型和模拟，以及我们可称之为'空想'本体论的圈套之类的东西，它们就像畸形的、魔鬼般的现实那样，被公众偏见所刺透。"[④]法国著名导演兼编剧让·科克托（J. Cocteau）也曾谈道："有人向我肯定，在儿童出版物里，有篷马车、机车、马、火器、箭、子弹袋，比科幻书卖得好，比宇宙飞船驾驶员更能滋养年轻人的梦想。"[⑤]尽管某些影坛人士对科幻电影不以为然，但是科幻电影却以定义未来话语权的方式对观众产生了巨大影响，它所预言或描写的某些事情正在变成现实。

---

① Elovaara M, *Fan Phenomena: Star Wars*. Bristol: Intellect Books Ltd, 2013.

② Balkind N, *Fan Phenomena: The Hunger Games*. Chicago: University of Chicago Press, 2014.

③ 孙瑶瑶：《"饭圈文化"对青少年的影响及其引导》，《西部学刊》2021 年第 16 期，第 42—44 页。

④ 〔法〕贝尔纳·斯蒂格勒：《技术与时间：3. 电影的时间与存在之痛的问题》，方尔平译，译林出版社 2000 年版，第 341 页。

⑤ 〔法〕让·科克托：《关于电影》，周小珊译，华东师范大学出版社 2010 年版，第 109 页。

从经济角度看，科幻电影是由于相关企业加大投入，才实现了从电影类型向类型电影的转变。在好莱坞，20世纪40年代之前的科幻片和犯罪片、冒险片一样，属于二流电影（B film）。当时，一流电影（A film）是造价最高的电影，因为这种影片使用最好的编剧、导演和著名影星，并且在最昂贵的场地拍摄。二流电影则相反，套用简单的故事模式在几周时间里匆匆拍摄出来，使用不出名或无法崭露头角的演员。但是，"二流电影成了培养电影才华的一所优秀学校，同时也是许多电影创新的来源"①。20世纪60年代，科幻片成了盈利的类型。于是，大制片厂为之增加预算，用一流电影的水准去拍摄它，科幻片因此成了权威性的类型片。②20世纪70年代，《星球大战》引发科幻片热。与此同时，产业链的延伸增加了科幻电影盈利的机会。上述分析表明，电影美学虽然将研究重点放在艺术上，但仍然不能不关注经济因素的影响。

上文依次分析了导演、粉丝、影坛与科幻电影的关系。就社会层面而言，如何在类型化的格局中通过美学建设推动国产科幻电影的发展？关键是导演、粉丝以至于整个影坛要通过对话形成美学意义上的科幻电影共识。目前，对于什么是作为类型片的科幻电影尚且缺乏一致性意见，遑论鉴赏与评价科幻电影的美学标准。正因为如此，像《流浪地球》这样学术界空前看好的佳作在豆瓣上只得了7.9分（2021年9月28日访问该网站的数据，参加打分的有1 701 856人）。共识并不意味着舆论一律或认识僵化，而是指以对国产电影的共同关爱为出发点，就不同意见展开对话，求大同，存小异。

二、从产品层面看科幻电影类型化

从产品层面看科幻电影类型化，下述现象是值得注意的：①科幻电影将"镜语"（镜头语言）确立为主要手段，以此将自己和科幻文学、科幻戏剧等分支从艺术形式上区分开来；②科幻电影将科技风云确立为主要题材，并表明对科技影响的态度，以此将自己和其他题材的电影类型区分开来；③科幻电影将类型与反类型、超类型的矛盾确立为推动自身样态演变的动力，以此区分出不同的历史阶段。在产品层面对科幻电影类型化展开研究，至少可以选取镜语、题材、样态等角度。

---

① 〔加〕张晓凌、〔加〕詹姆斯·季南：《好莱坞经典类型：历史、经典与叙事（上）》，复旦大学出版社2012年版，第34页。
② 〔法〕樊尚·阿米埃尔、〔法〕帕斯卡尔·库泰：《美国电影的形式与观念》，徐晓媛译，文化艺术出版社2005年版，第37—38页。

（一）镜语：大胆实验

在电影美学视野下，"镜头"主要有两种含义：①电影摄影机、放映机用以生成影像的光学部件，相当于物理意义上的艺术手段；②开机到关机拍摄或映出的一段连续画面，或两个剪接点之间的片段，相当于图像意义上的艺术手段。"手段"的含义本来就随着语境而变化，例如，它在艺术学视野下可能是指语言，在美学视野下可能是指符号，在工业视野下可能是指机器，在工业美学视野下可能是指拷贝，在数字美学视野下可能是指硬件、软件或意件（meaning ware）……在电影美学视野下，它首先是指镜头。正是由于对镜头的看法不同，在电影美学内部形成了以蒙太奇为标志的技术主义流派、以长镜头为标志的写实主义流派。按照郑雪来的看法，如果提到理论、美学的高度，蒙太奇思维原则作为电影艺术的形象思维原则，跟以长镜头或单镜头为其具体表现形式而意在取消形象性的照相本体论，这两者当然有各自的哲学基础。在这里就没有什么调和的余地，更不存在"结合"或"综合"的问题。①不过，在具体影片中，它们完全可以做到相辅相成，《流浪地球》可以为例。②

在电影美学视野下对科幻片运用的手段进行研究，常见的做法正是分析蒙太奇或长镜头的应用。例如，唐卫华指出，《第五号屠宰场》（Slaughterhouse-Five，1972）通过蒙太奇手法将科幻与历史相结合，将历史片段拼接起来融入故事中，讽刺了战争的残忍和愚昧。③邹波则看好英美合拍片《2001：太空漫游》中大量几乎处于静态的长镜头，认为导演有意用它们营造出一种空寂、玄想、深邃的氛围。④科幻电影使用的镜头语言因为数字化而增添了新的可能性。赵梅芳对此做了概括，即数字虚拟影像改变了巴赞的"摄影影像本体论"，交互式电影接受方式替换了爱森斯坦的"蒙太奇理论"，虚拟现实技术模糊了麦茨电影符号论中的"能指"和"所指"。⑤例如，英国的《人类之子》（Children of Men，2006）诉诸虚拟长镜头，突破了依靠传统拍摄手法无法逾越的种种瓶颈。⑥

① 郑雪来：《电影本性问题探讨》，《电影评介》1984 年第 5 期，第 26—27 页。
② 李珂：《电影〈流浪地球〉镜头语言的技术性分析》，《风景名胜》2019 年第 3 期，第 62 页。
③ 唐卫华：《〈第五号屠宰场〉中的人道主义情怀》，《盐城师范学院学报（人文社会科学版）》2017 年第 5 期，第 65—68 页。
④ 邹波：《〈2001 太空漫游〉：无愧的科幻史诗》，《世界科幻博览》2006 年第 1 期，第 41—42 页。
⑤ 赵梅芳：《数字化电影美学研究》，东南大学硕士学位论文，2005 年，中文摘要。
⑥ 陈晨：《数字电影技术造就虚拟长镜头——浅析〈人类之子〉中的长镜头运用》，《大众文艺》2011 年第 2 期，第 174—175 页。

科幻电影运用的艺术手段并不限于镜头。作为视听艺术，它不能不重视音效。挪威学者彼得·拉森（P. Larson）指出，科幻片是一种容许作曲家尽情去试验不平常的声音和现代形象的电影类型。[①]杨远婴曾以"镜语体系的革新"为题分析了新好莱坞时期的电影流露的强烈的时代气息，认为这在很大程度上得益于其对真实空间的追求，创作者放弃了好莱坞时代搭景拍摄的习惯，采用实景拍摄的方式，这样各种环境都进入画面之中。不稳定的构图、环境噪声提高了真实感和可信度，可以迅速将观众拉入那个时代，感受创作者描绘的社会图景。[②]

（二）题材：寓意悠长

杨晓林在诠释科幻动画时指出，"顾名思义，科，是指建立在现有的科学技术基础之上，不仅技术需要现有科技的支撑，创作上也不是胡思乱想，幻，是指不真实的，与现实生活有一段距离的，动，则强调了技术，画则强调了艺术。科幻动画的发展是离不开科技的艺术。只有当科学技术发展到一定程度，科幻动画才可能出现并繁荣"[③]。上述定义原则上也适用于科幻电影，虽然后者主要是由真人出演的。

就内容而言，科幻电影之所以成为类型，是由特殊的问题域决定的。对此，我们可以从题材和主题两方面把握。

作为类型片，科幻电影首先是从题材着眼的。正如张晓凌、詹姆斯·季南（J. Keenan）所说，科幻片的想象因素的依据是已经成立的科学成果或科学性假设的自然法律。科幻片的传统目的，即探索因科学发展将会出现的未来冲突的后果，使这种影片成了观念性电影类型。此类电影中常会引出的问题包括：哪些性能能确定我们是人类？现代技术是否剥夺了人类的某些性能？等等。[④]法国学者阿米埃尔（V. Amiel）等则认为，人道或不人道的二重性经常在科幻片中出现，从非人类向人类转化组成了美国现代科幻片最基本的形式。[⑤]

如果说题材侧重于写什么，那么主题则侧重于持什么看法，或者说是提出什么问题。江晓原从好莱坞科幻电影中提炼出了七大主题：①星际文

---

① 〔挪威〕彼得·拉森：《电影音乐》，聂新兰、王文斌译，山东画报出版社 2009 年版，第 161 页。

② 杨远婴：《电影概论》，中国电影出版社 2010 年版，第 345 页。

③ 杨晓林：《好莱坞动画电影导论》，复旦大学出版社 2012 年版，第 113 页。

④ 〔加〕张晓凌、〔加〕詹姆斯·季南：《好莱坞电影类型：历史、经典与叙事（下）》，复旦大学出版社 2012 年版，第 608 页。

⑤ 〔法〕樊尚·阿米埃尔、〔法〕帕斯卡尔·库泰：《美国电影的形式与观念》，徐晓媛译，文化艺术出版社 2005 年版，第 167 页。

明，即对未来世界的展望，对外部世界的想象。②时空旅行，即回到过去能不能改变历史？③机器人，即它们和人类的区别是什么，它们会不会统治世界？④生物工程，即人类不能狂妄自大。⑤专制社会，即西方思想中对丧失自由的恐惧。⑥生存环境，即对未来的忧虑。⑦超自然能力，即我们准备好了吗？①一篇佚名文章讲得有道理：在电影中，很少有像科幻片这样先天就有哲学基因类型的电影了。科幻电影往往披着科幻恐怖、科幻动作的外衣，但骨子里却都透着一种形而上的思考和追问：我们是谁？我们从哪里来？我们要往何处去？借助科幻的形式，这种思考和追问往往比那些现实题材的电影更具有宏大的视角和深远的意义。②

虽然科幻电影存在大致相同的关注范围，但不同影片表达的态度未必完全一致，因此可以通过比较看出其异同。例如，林百成选取内地的《错位》和香港的《铁甲无敌玛利亚》，对我国机器人题材的科幻电影叙事进行了比较，指出："两部影片从不同的角度关注了科技可能带来的负面效果，《错位》关注了科技引发的伦理问题，《铁甲无敌玛利亚》关注了科技引发的社会混乱。两部影片都展现出导演对机械化社会的质疑和警惕，正贴合了凯斯·M. 约翰斯顿所说的：'对机器和机械创造物的怀疑主义倾向，可以看成是工业化进程中人们对工厂装配线的反抗和对虚伪的机械化承诺的质疑。'"③

（三）样态：保持活力

电影美学视野中的"样态"只是对符合惯例的艺术家族的大致描述，不同于作为相对精确、要求贯彻的标准。作为范畴的"类型"由对样态的认识发展而来，它之所以在电影界被应用，至少有如下原因：①电影企业需要一个分类系统以标识它们的产品，这样既便于在内部进行管理，又有助于在市场上进行推广。正因为如此，美国克莱恩光学公司早在 1905 年就列举出了自己生产的喜剧片、神秘片、科幻片和人物片。这与其说是由概念演绎生成的严密逻辑系统，还不如说是从现状归纳总结的影片内容大致分类。②电影观众需要一种分类标签以选择自己想看的作品。他们在观看不同影片时产生不同的情绪反应，就将它们当成分类标签，像惊悚片、感伤片之类的划分就是这样来的。如果他们在彼此议论时应用这类标签，

① 江晓原：《好莱坞科幻电影主题分析》，《自然辩证法通讯》2007 年第 5 期，第 1—7、110 页。
②《科幻电影的六大永恒主题》，《知识文库》2015 年第 3 期，第 49、52 页。
③ 林百成：《大陆、香港机器人题材科幻电影的类型叙事比较——以〈错位〉与〈铁甲无敌玛利亚〉为例》，《视听》2021 年第 1 期，第 87—90 页。

那么即使还没有看过影片，也大致可以预期自己的观感，这对于影片的推荐是有利的。③行会组织或主管部门需要一套分类体系来对电影生产加以管理、规划或评价。这样他们可以向公众报告整个电影业取得的成果、存在的问题和发展趋势，并据此进行调控，如果有必要、有根据的话。1942年，美国电影调查局（Motion Picture Research Bureau）在进行普查时就列举出了 18 种类型。它没有将科幻片单列，而是将其放在"幻想电影"之中。上述分析表明，电影分类是根据社会层面的需要而产生的，虽然它是针对产品层面的状况而言的。电影企业、电影观众、电影行会和主管部门对电影分类有大体一致的共识，但其出发点并不完全一致，在概念上也有模棱两可之处。将影片内容、情绪反应同时作为标准加以应用，由此产生的电影分类本来就不可能是严密的。因此，澳大利亚学者麦特白说："一部类型片的独特性并不在于它拥有多少不同的特征，而在于它组合类型特征元素的独特方式，每一种特征元素可能是一种类型和其他类型片共同具有的……因此一种类型的规则与其说是一套文本的成规与惯例，不如说是由制片人、观众等共享的一套期望系统。同一类型范畴内的电影彼此之间具有家族相似性，观众认同并期望这组家族特征。类型的一致性既允许成规与惯例的简略表达，但也允许固有期望与新奇事物之间相互作用。"①

科幻片虽然经常作为独立范畴出现在电影分类系统中，但它并非界限分明、具备排他性的单一整体，其内部还可以进一步加以划分。例如，张晓凌、詹姆斯·季南在考察好莱坞电影经典时，将科幻片大致分成三类：①奇幻/冒险片，如美国的《星球大战》或《萤火虫》（Serenity，2005）。这些故事往往包括用未来新式武器与奇异势力的一场直接交战。②有关现阶段滥用新技术的告诫性故事，特别是当这种滥用以商业盈利为目的时，如美国的《侏罗纪公园》或《恐怖地带》（Outbreak，1995）。③科幻恐怖片。其中描绘的高科技不仅会改变社会，破坏人类的关系，甚至可能会毁灭整个人类。这种故事对于直接介入的人物来说是一场绝望的、往往注定失败的搏斗，因此惊吓和恐怖成分大大增加，电影的基调变得悲观。②这两位学者所说的"冒险片""恐怖片"其实本身也是一种电影类型。因此，上述科幻片三分法客观上表明不同类型的电影既彼此分化，又相互渗透。

---

① 〔澳〕麦特白：《好莱坞电影：美国电影工业发展史》，吴菁、何建平、刘辉译，华夏出版社2011 年版，第 70 页。

② 〔加〕张晓凌、〔加〕詹姆斯·季南：《好莱坞电影类型：历史、经典与叙事（下）》，复旦大学出版社 2012 年版，第 611 页。

电影作为一种艺术样态是不断推陈出新的，其表现之一是社会层面的代际交替带来了产品层面的范畴变动。正如杨远婴在分析新好莱坞艺术特征时指出的，狭义的类型电影以其单纯的形态被观众接受，并在 20 世纪三四十年代繁荣发展。但是六七十年代美国充满着更为激烈的社会冲突和文化碰撞，以前代表主流文化形态的稳定闭合的结构与观众的观影期待之间出现了巨大的差距。新好莱坞从开始就体现了对类型传统的尊重，比如斯皮尔伯格、卢卡斯对科幻片的继承和发展等等。但是在新好莱坞的导演手中，类型不再作为一个完整的形态体系贯穿于一部影片的始终，任何一种类型都可以仅仅作为一种元素被导演使用，所以有类型融合、超类型、反类型的影片出现。他们或者通过对以往类型电影的经典元素进行嘲弄、或者通过将多种类型融合到一部影片之中、或者将类型元素提升到一个精神层面丰富着经典好莱坞时期所确立的类型传统，这种类型意识对今天的好莱坞仍然有着深刻的影响。[①]

上文的分析表明，镜语、题材、样态是从产品层面对科幻电影类型化加以分析的三种角度。就产品层面而言，如何在类型化的格局中通过美学建设推动国产科幻电影的发展？科幻电影要想形成自己的美学特色，至少有三个不同的立足点：①着眼于镜语，运用尽可能新颖的高科技特效制造奇观；②着眼于题材，尽可能生动地描绘科技风云并加以反思；③着眼于样态，研究好莱坞在将科幻片确立为类型电影过程中积累的经验。这三种立足点并不是相互排斥的，甚至可能会鼎足而立，成为支撑科幻电影的三大支柱。如何将它们统一起来，这是需要深入探讨的问题。

三、从运营层面看科幻电影类型化

在工业视野下，电影生产在运营层面以企业分工协作为基本方式，以国民经济总体布局为基本环境，以通过互动促进电影产品质量、公众创新素质的提高为基本机制。在美学视野下，电影创作在运营层面以艺术技巧为基本方式，以虚拟时空为基本环境，以遵循美学理论揭示的规律为基本机制。电影创作的特色就是根据美学原理运用艺术技巧构建虚拟时空。我们可以从上述认识出发，对科幻电影类型化进行新的考察。

（一）技巧：运用出彩

技巧是得心应手的技能，或者说是基本方法的灵巧运用。对电影而

---

① 杨远婴：《电影概论》，中国电影出版社 2010 年版，第 342—345 页。

言，所谓"技巧"至少包含如下三种含义：①编剧在叙事意义上运用的文学技巧；②导演在将构思转化为视听形象时运用的视听技巧；③团队其他成员为贯彻导演意图运用的特效技巧、剪辑技巧等制作技巧。在作为成品的影片中，上述技巧往往呈现出融合状态，不易分清是哪个团队成员的贡献。不过，在电影美学的视野下对科幻片加以研究时，我们依然可以从上述三个角度切入。

文学技巧丰富多样，包括为增强作品整体感而运用的照应、伏笔、过渡、铺垫、点题等，为调动读者情绪运用的夸张法、悬念法、误会法、对比法、突转法、抑扬法等。以夸张法为例，杨晓林举证过一个有趣的例子：比如《四眼天鸡》，这个故事的思想内核大概也只是讲述一个单亲家庭中的小孩多么渴望和父亲进行更多的沟通，得到更多的理解，这亦是现实中两代人交流中常见的问题，故事却以极其夸张的事件和极端的情境来展现：一只小鸡告诉人们天要破了，但大家都认为其"杞人忧天"，但事实却是外星人真的入侵了，只因为误以为小镇居民绑架了大家的孩子，小鸡及其朋友们在紧要关头澄清了误会，拯救了大家，小鸡的父亲终于意识到要用心地倾听孩子的话了。①电影编剧毕竟不同于小说作家，在构思时必须考虑如何运用镜头叙事，因此闪前、闪回成为受到他们青睐的两种叙事技巧。它们可以在塑造角色、营造氛围、推进情节、设置悬念方面发挥重要作用。何峻峰以美国的《降临》为例说明了闪前与闪回在电影叙事中的运用。②

视听技巧主要围绕声、画及其配合展开。例如，美国学者汤普森（K. Thompson）等在对《2001：太空漫游》进行分析时指出，它采用了欧洲艺术电影一些令人迷惑的象征手法，如太空舱里与世隔绝的冗长乏味的日常生活（包括许多缺乏戏剧性的镜头片段的展示），一些反讽性音乐的使用，以及一种通常是费里尼或安东尼奥尼的电影中常用的、充满挑逗性的、引人深思的寓言化的结尾。③目前，正在崭露头角的特种电影需要有与之相适应的视听技巧。例如，虚拟现实电影打破了传统电影框状画面的限制，将视角扩大到 360°，从而提出了对剧情设计的空间多元化要求。根据温建梅的分析，虚构现实影片无法按照导演的创作思路切换近景和远

---

① 杨晓林：《好莱坞动画电影导论》，复旦大学出版社 2012 年版，第 106 页。
② 何峻峰：《论闪前与闪回在电影叙事中的运用——以电影〈降临〉为例》，《北极光》2019年第 2 期，第 98—99 页。
③ 〔美〕克莉丝汀·汤普森、〔美〕大卫·波德维尔：《世界电影史》，陈旭光、何一薇译，北京大学出版社 2014 年版，第 579 页。

景，无法运用蒙太奇的手法衔接镜头。要想引导观众视线，只能采取利用声音、周围虚化之类的做法。当观者头戴眼镜随意调整视角在 360°空间内自由观看时，要求声音的定位是一致的，除了背景音乐之外，一切有源的声音要有准确的空间定位。①

制作技巧是综合性的。在层出不穷的制作技巧中，也许定格拍摄是传统科幻电影中最常用的一种，见于美国的《飞碟入侵地球》（*Earth vs the Flying Saucers*，1956）等影片。《蜘蛛侠 2》（*Spider-Man 2*，2004）中的主角蜘蛛侠和章鱼博士在火车上短短数分钟的打斗，居然囊括了 100 多个特效镜头。这类特技对吸睛发挥了重要作用。朱纪在分析现代科幻电影何以大受青睐时指出，"香港的电影制作者用巧妙的剪辑技巧弥补了在特技技术上与美国影片的差距。他们推出武侠神话新奇好看，成为科幻电影的一个新类型"②。此外，在跨文化传播的过程中，产生了与之相适应的翻译技巧。③如今，上述技巧都逐渐被纳入数字化轨道。值得一提的是，动感电影超越了视听范围，给人们带来更丰富的感受。陈菲仪指出，"科技的发展让动感电影所能模拟的运动环境变得越来越真实。这种效果是多种新兴技术的结合：立体电影技术营造了真实的三维立体效果；球形屏幕营造了无边界的视觉观感；环绕音响使观众感觉到真实自然的声音；六自由度运动模拟器使电影对观众的本体感受的影响得到增强。观众的本体感觉因此受到了欺骗，从而感受到了比运动模拟器所能提供的更为强烈的运动感"④。

技巧是以技术为基础形成的，但又超越了技术，或者弥补了技术的不足。根据孟君的看法，"电影诞生至今，电影技术系统沿着工具性和应用性两个方向发展，已形成动力技术与悬置技术两大技术体系。科幻电影是电影技术实验和应用的中心，因而可作为阐释两种技术的绝佳范例。科幻电影两大技术体系存在根本差异：动力技术秉持真实再现的技术逻辑，沿着致力于还原现实世界的'真实'技术和构造虚拟空间或未来世界的'仿真'技术两个方向进化，科幻电影的技术革新总体上是以'真实'为驱动力的工具性自主进化，并非人为作用的技术推进；悬置技术则遵循主观表现的应用逻辑，在科幻电影的发展史上构建出不断更迭的电影语法，伴随

---

① 温建梅：《虚拟现实视域下的电影美学形态》，《科技传播》2019 年第 14 期，第 118—119 页。
② 朱纪：《现代科幻电影何以大受青睐》，《电影评介》1994 年第 5 期，第 10—11 页。
③ 曾艳：《浅析科幻电影〈星际穿越〉字幕翻译技巧》，《剑南文学（下半月）》 2015 年第 1 期，第 55—56 页。
④ 陈菲仪：《动感电影：体感技术对电影美学的影响》，《大众文艺》2017 年 12 期，第 198 页。

着技术断裂、技术脱嵌和技术冗余等语言失灵现象形成涵盖异质话语范式和多元美学形态的悬置技术传统"①。显然，电影技巧是属于"悬置技术"这一方向的。

（二）时空：建构赋魅

作为电影类型，科幻电影的魅力来源之一是颠覆了人们在日常生活中形成的时空认知。最早的电影显然是以当时的社会现实为基础的。不过，在类型化的过程中，它进而参与现实的建构。科幻电影在这方面的特征相当显著，例如，美国的《回到未来》（*Back to the Future*）三部曲（1985、1989、1990）以时间旅行为线索，试图告诉人们：未来掌握在自己手中，并非一成不变。科幻动画片走得更远，根据杨晓林的分析，如果说动画片创造了超越现实的神话般的自由世界，那么在科幻动画技术为王的巨片策略中，则有更加具有想象力和夸张性的表现。迪士尼科幻动画中的故事有些发生在科技发达的未来时空，那么有些则发生在既有虚拟现实生活又存在其他空间的时空，再者就是故事发生在虚拟现实时空的不同人群之上，三种情况都是不同时空的人、事、物通过奇观化的道具、超自然能力、先进的科学技术联系到一起，所以其中存在着大量的奇观性的想象。②

尽管如此，科幻电影仍是在辩证的意义上建构时空的：①就电影而言，科幻片的存在从反面诠释了影像的真实性。正如法国学者巴赞在论及银幕与空间的真实性时指出的，神话片或科幻片的存在远不是对影像真实性的破坏，而是令人信服的反证。电影中的幻景与戏剧中的假象截然不同，它不以观众默许的假定性为依据。相反，它是以表现给观众的事物的不可剥夺的真实性为依据的。电影特技应当看不出破绽，"隐身人"也应该披睡衣，抽香烟。③②就电影类型而言，科幻片追求设身处地的真实。正因为如此，美国学者博格斯（J. M. Boggs）、皮特里（D. W. Petrie）引导观众这样思考问题：如果电影是年代剧、魔幻片，或是发生在遥远的时间或奇异的星球上的科幻故事，场景能真实到让观众（在电影之内）相信自己处于另一个时间和地点吗？如果是这样，场景中呈现的什么元素或细节使它具有说服力？如果你觉得场景不完全可信，为什么它

①　孟君：《科幻电影的技术进化和语言失灵——关于动力技术与悬置技术的再阐释》，《学术论坛》2020 年第 1 期，第 50—62 页。
②　杨晓林：《好莱坞动画电影导论》，复旦大学出版社 2012 年版，第 123 页。
③　〔法〕安德烈·巴赞：《电影是什么》，崔君衍译，江苏教育出版社 2005 年版，第 164 页。

会失败？①③就类型电影而言，科幻片虽然放飞了想象，但其功能仍然立足于文化传承。正如美国的沙茨（T. Schats）所指出的，作为社会仪式，类型电影的功能在于停止时间，在一个稳定的和不变的意识形态位置上来描绘我们的文化。这种态度在类型主人公身上—和好莱坞明星制度本身—具体体现出来，并且在由主人公的行动而导致的解决方式中被仪式化。不管是历史的西部片，还是未来主义的幻想，类型电影颂扬的都是某些不可亵渎的文化特质。②

《华严经》告诉我们：在佛国中存在复杂而多样的世界。它们既可能在物理空间中相邻，也可能在（宝珠的）镜像中叠映。"一珠之中千珠交映"，何其奇妙！③了悟此意，可以增长智慧。空室道人有诗云："物我元无二，森罗镜象同。明明超主伴，了了彻真空。一体含多法，交参帝网中。重重无尽意，动静悉圆通。"④如果我们将"宝珠"作为科幻电影、艺术作品或虚拟现实的譬喻，那么我们生活的现实中就存在"多重世界"，而科幻电影、艺术作品或虚拟现实的集合正好发挥了"天帝网"的作用。2021 年，成为我国业界热门话题的"元宇宙"，从技术上诠释了通过集成建构数字世界的魅力。"宝珠"同样可以作为人类建构的虚拟现实的譬喻，这提醒我们，如果人类分别开发的范围有限的虚拟现实连成一体，那么有可能覆盖我们所处的现实世界，构成电影《黑客帝国》中描写的那种虚实倒置的状态。

若将科幻电影当成一种现象考察，那么它虽然热衷于建构虚拟时空，但仍然受到现实环境的制约。法国学者阿米埃尔（V. Amiel）等就此指出，美学特点不是脱离社会经济而存在的。在西方，将影院设在商业区是古典电影消亡的重要原因。从电影院被纳入像游乐园一样功能的系列中开始，电影本身就具有了一种吸引力，正如商店的产品、商店的橱窗、增加的自动扶梯和巨大商业中心的整体环境。新奇的样式和美学的结构在经济实体中生根，同时在电影的传播中尤为重要。这个不断变化发展的原则并不是一种类型，而是一种有效的整体美学。⑤因此，在科幻电影美学中，

---

① 〔美〕约瑟夫・M. 博格斯、〔美〕丹尼斯・W. 皮特里：《看电影的艺术》，张菁、郭侃俊译，北京大学出版社 2010 年版，第 112 页。
② 〔美〕托马斯・沙茨：《电影类型与类型电影》，冯欣译，见杨远婴《电影理论读本》，世界图书出版公司 2012 年版，第 327 页。
③ [明]卓发之：《普观图说》，《漉篱集・卷十八》，明崇祯传经堂刻本，第 211 页。
④ [宋]空室道人：《读法界观》，见[清]陆心源《宋诗纪事补遗・卷九十七》，清光绪刻本，第 1076 页。
⑤ 〔法〕樊尚・阿米埃尔、〔法〕帕斯卡尔・库泰：《美国电影的形式与观念》，徐晓媛译，文化艺术出版社 2005 年版，第 78—79 页。

想象与现实、虚拟性和真实性始终是重要的矛盾。或许可以说正是二者之间的矛盾与张力推动了科幻电影创意的多样化，增强了科幻电影题旨的哲理性。

（三）理念：引领升华

在电影类型化的发展过程中，批评家和理论家起了某种引领作用，主要表现如下：①从电影工业实践中提炼出作为范畴的新类型。正如澳大利亚的麦特白所指出的，和其他时尚工业一样，好莱坞的生产是循环的，总是力图复制它最近的商业成功。有时，批评家会把制片业理解的循环提高到一种类型的地位，甚至从中建构出"一种经典的发展过程"。①②将电影置于"互本文的网络"中加以考察，揭示它与相关文本的联系。例如，美国学者艾伦（R. C. Allen）等将与特定影片有关的其他本文系统分为三类：一是对其他影片中某些元素的利用；二是对其他艺术形式或再现系统（绘画、戏剧、文学、习俗、图像、照片等）的程式或符码的利用；三是对明显具有反美学性质的表意实践（法律、生物学、商务、政治等）的利用。②③鼓励或提倡反类型化的倾向，使电影沿着艺术性（而非商业性）的方向发展。例如，法国电影理论家巴赞在 1951 年创办的杂志《电影手册》（Cahiers du Cinéma）中强调了导演对电影的作用。该刊曾以评选"电影作者"的方式肯定那些虽然处身于好莱坞商业体制之内却能够不随波逐流的电影人，因为他们具有鲜明的个人风格。1962 年，"作者论"观念由美国著名电影批评家萨里斯（A. Sarris）引入新好莱坞③，推动电影导演有意识地建立自己的个人风格。

上文从技巧、时空建构、理念引领的角度对科幻电影类型化进行了分析，指出了 20 世纪中叶以来它们能够在影坛大行其道的原因。就运营层面而言，如何在类型化的格局中通过美学建设推动国产科幻电影的发展？关键之一是有意识地增加与技巧运用、时空建构、理论引领相关的智慧含量。技巧意义上的智慧更多表现为出乎观众意料之外的构思，时空意义上的智慧更多表现为大手笔、有气魄、不同凡响的世界观设定，理念意义上的智慧更多地表现为宽广胸襟、真知灼见、对人生的深刻领悟。就此而

① 〔澳〕理查德·麦特白：《好莱坞电影：美国电影工业发展史》，吴菁、何建平、刘辉译，华夏出版社 2011 年版，第 72—73 页。
② 〔美〕罗伯特·C. 艾伦、〔美〕道格拉斯·戈梅里：《电影史：理论与实践》，李迅译，高等教育出版社 2010 年版，第 114 页。
③ Sarris A, "Notes on the Auteur theory in 1962", Film Culture, 1962, Vol. 27, p.1.

言，主创人员不仅应当是策略家、战略大师，而且应当是哲学家。

将本节和上一章第三节所做的分析加以比较，可以发现作为类型的科幻电影在电影工业和电影美学这两种视野下呈现出不同的侧面。在社会层面，电影工业视野看重的主要是企业、观众、行会之间的互动，电影美学视野看重的主要是编导、粉丝、影坛之间的交互；在产品层面，电影工业视野看重的主要是机器、价值、标准等要素，电影美学看重的主要是镜语、题材、样态等范畴；在运营层面，电影工业视野看重的主要是分工、布局、升级等现象，电影美学视野看重的主要是技巧、时空、理论等范畴。虽然电影工业不等于电影商业，但二者之间的关系的确相当密切。相比之下，电影美学更强调电影人、电影作品、电影发展相对于商业的独立性，它们之间的矛盾运动构成了电影演变的重要动力。

本章依次从中国研究、工业研究与美学研究的角度分析了科幻电影的本土化、商业化和类型化问题。科幻电影的本土化、商业化和类型化都离不开科技的支持。科技既是带动工业发展的第一生产力，又是引领电影腾飞的历史驱动力，同时还是放飞想象的心理激发力。反过来，对科技风云的描绘与反思构成了科幻电影区别于其他电影的特色。

结论 后工业美学视野下的科幻电影

在国外，以"工业美学"为题的文章至迟 20 世纪初就已经出现。[①]就中国知网所收的文献而言，"工业美学"一词首见于 1962 年郑永慧对《法国大百科全书》的节译，原作者苏里奥（E. Souriau）将它当成美学研究的物质方面的新部门。[②]它的发展至少包括如下取向：①国别化。"中国工业美学"一词最早出现在林同华于 1988 年论中国美学系统的文章中，但其含义未经界定。[③]从其后相关论著来看，它主要是指中国人关于工业美学的见解。②企业化。它主要研究企业如何从功能、技术、材料、形式等方面主导审美时潮。③交叉化。它是指在与其他学科的渗透中形成"技术美学""商品美学""设计美学"等概念。电影工业美学是电影学与工业美学相互融合而形成的。精神分析学说关于电影艺术是"集体的梦幻"和"现实的补偿"的论断已经构成美国好莱坞电影工业的美学基础。[④]法国学者阿米埃尔等认为，当代美国电影工业的美学特征，表现为一种适应大众化的方式，这也是工业电影的主要特征。[⑤]刘新鑫、高山率先使用了"电影工业美学"一词，并强调了类型片与现实主义的区别，即"作为一种在好莱坞电影体系中形成的电影工业美学范式，类型片的实质是将观众的诉求有机结合进影片的生产与创作流程中来，视影片的生产为电影工业和观众之间相互交换的一种动态过程，因此，类型片总是基于很多'惯例'之上，在变与不变之间取得微妙平衡，一方面帮助观众获得保守性的心理满足——对安全性的需求，另一方面也要迎合观众对新鲜感的渴望"[⑥]。2017 年以来，陈旭光对电影工业美学的要旨进行了深入的阐

① Craven T, "Industrial aesthetics", *The New Republic*, 1923, Vol.33, p.296.

② 〔法〕艾迁·苏里奥：《美学上的若干重大问题》，郑永慧译，《现代外国哲学社会科学文摘》1962 年第 5 期，第 20 页。

③ 林同华：《略论中国美学系统的研究》，《社会科学家》1988 年第 6 期，第 1—4 页。

④ 李泽厚、汝信：《美学百科全书》，社会科学文献出版社 1990 年版，第 105 页。

⑤ 〔法〕樊尚·阿米埃尔、〔法〕帕斯卡尔·库泰：《美国电影的形式与观念》，徐晓媛译，文化艺术出版社 2005 年版，第 8 页。

⑥ 刘新鑫、高山：《〈战狼〉：军事题材的社会化生产与类型化突围》，《解放军艺术学院学报》2015 年第 3 期，第 65—67 页。

释。①目前，由于以人工智能、5G 通信等为标志的信息革命深入发展，电影领域正在发生深刻的变革，我们所说的"后工业美学"便是对上述变革的理论回应。它在社会层面关注码农体系、在线影迷、虚拟社区，在产品层面关注数字技术、信息集成与流动 IP，在运营层面关注低碳环保、众乐而乐和跨界开发，表现出与工业美学不同的旨趣。下文以科幻电影为例阐述后工业美学的要点。

一、新格局塑造：科幻电影的社会层面

电影的社会层面大致相当于通常所说的"电影界"，由生产者、接受者和传播者组成。在工业美学的视野下，电影生产者主要是在工商部门注册、通过制片人影响相关团队的企业，接受者主要是在影院欣赏电影产品的观众，传播者主要是作为上述二者联系纽带的发行公司。科幻电影正是以上述电影界为社会基础而发展起来的。在后工业美学视野下，电影界的生产者正从制片人导引向码农（程序员）导引转变，接受者正从影院观众为主向在线影迷为主转变，传播者正从发行公司为主向视频网站为主转变。上述转变正在重塑科幻电影的总体格局。

（一）引领风尚：从制片中心到码农体系

工业美学强调制片人在科幻电影生产者中的重要地位。就本义而言，"制片"作为动词是指将所拍摄的音像制成（包括整理、加工、修改等）影片，作为名词是指从事上述活动的角色或人物，即"制片人"的简称。在电影由手工业向机器工业演变的过程中，制片人有了新的含义，即筹措整部影片摄制与融资的负责人，或者影片投资者本人。以他们为摄制组的主宰的制度，就是作为电影工业的特征的制片人中心制。相比之下，后工业美学强调程序员在科幻电影生产中的重要地位。"码农"，狭义上是指在程序设计某个专业领域中工作的人士，或是从事软件撰写、程序开发与维护的专业人员；广义上是指那些以其思想观念影响科技进步的人。周伟明将程序员分为十级（"十层楼"），从菜鸟、大虾、牛人、大牛、专家、学者、大师、科学家、大科学家到大哲。处于最顶端的人物不仅以其成果引发哲学上的深度思考，并能让人们的世界观向前跨一大步，如德国著名数学家希尔伯特（D. Hilbert），美籍奥裔数学家、逻辑学家和哲学家

---

① 陈旭光的相关论文首见于《中国新主流电影大片：阐释与建构》（《艺术百家》2017 年第 5期），迄今已有 30 余篇。

哥德尔（K. Gödel），德国著名物理学家海森堡（W. K. Heisenberg）等。一般人并不认识他们，但这没有关系，他们影响了其他大哲与大科学家。周伟明还对读者说："如果你发现了新的方法可以打破测不准关系，同样你也可以轻松地进到这层楼来。如果你能彻底揭开人类抽象思维的奥妙，并让计算机得到如何创建抽象、具备抽象思维的能力，那么也就具备了'设计能力'，可以取代人类进行各种设计了，你也可以轻松地进到这层楼来。"①

　　上文所说的大哲有很深刻的思想，例如，哥德尔以不完全性定理证明了一个完备的系统内部必然不会一致，由此推论宇宙作为一个完备的系统，必然不可能用一个一致的理论来统一描述。我们可以用它来解读美、英合拍片《银河系漫游指南》（The Hitchhiker's Guide to the Galaxy，2005）。在该片中，一个发达的文明创造了一台超级计算机，用这台计算机来解决"宇宙的目的是什么"这一终极问题。许多年后，计算机给出一个令所有人莫名其妙的答案——42。人们在费解之余，又建造了一台规模更大的超级计算机，用它来计算为什么宇宙的目的是 42。正如许乐指出的，"这其实是一个没有任何意义的答案，以此来消解宇宙的目的这样一个终极问题所造成的那份沉重和压抑感"②。这些大哲对科幻电影的影响是广泛的。例如，海森堡于 1927 年针对量子力学提出的"不确定性原理"本是指一个运动粒子的位置和动量不可能被同时确定，位置的不确定性越小，则动量的不确定性越大，反之亦然。它在哲学层面蕴含的意义是：既然我们无法确切知道现在，也就无法准确推断未来。未来的不可预测性则导致事物的发展呈现为无限的可能性。孙承健指出，"作为一种变量因素，'不确定性'在当代科幻电影叙事中不断消解着传统科幻电影基于'确定性'的逻辑前提，包括时间与空间的不确定性、灾难与恐惧源的不确定性、伦理与身份的不确定性，以及因果关系的不确定性，甚至是对未来与死亡的不确定性等等。在《黑客帝国》《盗梦空间》《逆世界》等影片中，空间的不确定性是构成整体叙事的基本逻辑前提。在《机械姬》《彗星来的那一夜》等影片中，伦理与身份的不确定性，则是引发观众反思与意蕴回味的核心之所在。而在影片《湮灭》中，未来人类进化与死亡的不确定性，则是构成戏剧性悬念与叙事进程中不稳定性因素

---

① 周伟明：《程序员的十层楼》，连载于《程序员》2009 年第 6 期第 134—136 页，第 7 期第 119—120 页，第 8 期第 119—120 页。

② 许乐：《AI 童话与 AI 梦魇——解读科幻电影中的人工智能》，《当代电影》2016 年第 2 期，第 59—60 页。

的重要机制"①。

哥德尔的不完全性定理、海森堡的不确定性原理都是后现代思潮的渊源之一，因而也都是我们理解后现代电影、后工业美学的"钥匙"。如果说工业美学在观念上体现了现代美学奉为圭臬的确定性和完全性（这种信念是以现代科学为本的），那么后工业美学服膺的则是不确定性、不完全性（这种信念与后现代科学合拍），它们代表了科幻电影的不同题旨。不仅如此，制片人之所以成为电影团队的中心，是和传统电影的生产流程相适应的。在数字化过程中，信息技术取代了传统电影的制片技术。就此而言，周伟明所说的各个层次的程序员都大有用武之地。在形而上层面，科学家、大科学家与大哲以他们提出来的原理和主张启发了科幻电影的创意；在形而下层面，菜鸟、大虾、牛人、大牛以他们掌握的信息技术开发为科幻电影制作、传播和鉴赏需要的各种软硬件；在居间层面，专家、学者、大师为科幻电影作为工程的规划、部署和实施贡献了必不可少的方案。正像传统广播电视的主持人可以被虚拟化那样，如果有这类需要，传统电影的各种角色（从演员、导演到制片人等）同样可能由程序员在大数据、人工智能、全息成像等技术的支持下模拟。

（二）自我突破：从影院观众到在线影迷

在工业美学视野中，观众是电影的主要奉献对象。正因为如此，陈旭光认为有四种电影表征了年轻观众对拟像环境的依赖与"想象力消费"的需求，预示了一个"想象力消费"时代的到来。它们包括具有超现实、后假定性美学和寓言性特征的电影，玄幻、魔幻类电影，科幻类电影，以及影游融合类电影。他又说："互联网时代，这种'狭义的想象力消费'主要指青少年受众对于超现实的玄幻、科幻魔幻类作品的消费能力和消费需求。"②工业美学的基本思路之一，是通过影院尽可能高档的音像设备为观众提供视听服务，展示适合上述想象消费的奇观。在工业美学的视野下，"观众"范围即使因为使用的媒体从银幕拓展到电视和录像而扩大，但仍然是以"观"来定位的。

在后工业美学的视野中，电影借助于互联网和移动通信进入千家万户，服务于广大网民。他们接触科幻电影的基本途径不是上电影院、看电

---

① 孙承健：《空间、身体与存在：当代科幻电影叙事的文本建构逻辑》，《电影艺术》2019 年第 2 期，第 71—77 页。
② 陈旭光：《论互联网时代电影的"想象力消费"》，《当代电影》2020 年第 1 期，第 126—132 页。

视节目或进录像厅，而是利用各种网络终端进行视频点播。他们发表观感的基本途径不是向纸质报刊投稿，而是在各种虚拟社区中"灌水"，或者使用视频网站提供的弹幕功能实现。他们欣赏科幻电影的主要目标与其说是精神消费，还不如说是自我突破。交互电影和视频游戏的相互融合，为网生代提供了深度参与的新途径。这类作品不仅要好看，而且要好玩。法国量子梦（Quantic Dream）工作室推出的《底特律：成为人类》、英国威尔士互娱（Wales Interactive）推出的新互动电影游戏《复体》（*The Complex*，2020）等均可以为例。有报道称，2015 年，《星际传奇》旗下的"星际学院"（科幻题材游戏）推出一套脑洞大开的招生测试题，在网络上掀起一股"星际热"。关于"科幻 NDA"的特质也引发网友纷纷对号入座。探索求知、标新立异、敢于说不，这三点无疑是具备"科幻NDA"人才的最显著特征。有专家指出，只有我们真正具备了"科幻NDA"的三个特质，才能创造出属于我们的星际文化，以及提升国民整体的领悟力和创造力。①在某种意义上，上述特质可以从后工业美学的角度理解为网络时代科幻影迷的特征。

（三）开拓渠道：从发行公司到虚拟社区

在我国古代，较大的商店称为"行"，将货物交给它们做批发，称为"发行"。由此延伸，书店、邮局、渠道经销商等将出版物发售到读者手里，政府有关部门发出新印制的货币、邮票、公债，也称为"发行"。在美国电影史上，制作、发行、放映本来是可以由同一家企业做的，但这样容易造成垄断。1948 年 5 月，《派拉蒙法案》判定大制片厂垂直垄断为非法。各大制片公司只好将电影发行、电影放映的业务分离出去。在我国，电影发行是由私营企业肇始的，自 1949 年开始向国有企业主导转变，例如，东北影片经理公司不仅发行东北电影制片厂出品的影片，代理其他国有厂发行的影片，还代理发行苏联影片。改革开放之后，民营企业重新在电影发行领域活跃起来。在工业美学的视野下，发行公司可被视为电影界企业与观众的中介，其业务模式包括代理发行、垫资发行、宣发入股、保底发行等（其区别在于如何承担风险、分配利益）。衡量电影市场反响的指标主要是票房价值，即影剧院售出电影票产生的经济效益。

---

① 杨海燕：《〈星际传奇〉传科幻 DNA 星际文化亟待开发》，《计算机与网络》2015 年 12 期，第 19 页。

　　互联网的兴起使电影中介业产生了显著变化，其中最主要的是开拓新渠道。互联网企业介入电影发行，具体做法包括将视频网站变为影视公司、与售票机构进行合作、参股现有发行公司、成立新的发行公司等。在美国，那些为流媒体平台制作专门电影的企业崭露头角，如奈飞、亚马逊等。线上线下共同发行（影网同步）日益常见，体量大的影片尤其如此。某些影片甚至绕开电影院线，在流媒体平台免费首映。传统电影公司向互联网企业靠拢，如迪士尼布局自己的线上流媒体平台 Disney+。这些平台虽然事实上形成了从制作到放映的垄断，却不受《派拉蒙法案》的约束。显然，上述法案已经不能适应形势的需要，因此 2020 年被废止。在我国，视频网站根据国家广播电视总局颁发的《信息网络传播视听节目许可证》经营，不仅提供 P2P（peer-to-pee，个人对个人）直播、BT（bit torrent）下载，而且向影视点播扩展。它们有大数据技术的支持，通过针对性的推荐算法，将大量网民发展成在线观影的客户。衡量电影市场反响的最直接的指标是网站上的播放量，例如，腾讯视频网站显示，到 2020 年 2 月 28 日为止，我国科幻电影播放量累计超过 1 亿的有《美人鱼》（6 亿）、《流浪地球》（5 亿）、《机器之血》（3 亿）、《逆时营救》（1 亿）、《不可思议》（1 亿）。[①]上述数字是累计的，主要反映了影片在观众中的总体影响。爱奇艺网站的好评榜可以检索到华语科幻电影的观众打分（折合成十分制）。例如，根据笔者 2018 年 10 月 15 日所做的检索，张立嘉执导的《机器之血》（2017）在爱奇艺网站好评榜获得了华语科幻片最高得分（8.6 分）。笔者在 2022 年 3 月 10 日进行检索时，该网站好评榜华语科幻片最高分得主是叶伟民执导的《百变星君》，为 9.1 分。[②]

　　当下，虚拟社区形成的舆情对电影流通举足轻重，例如，豆瓣给出的电影评分对网民有重要的参考作用。

　　综上所述，在工业美学的视野中，科幻电影生产主要实行制片人中心制，其产品主要通过发行公司进入市场，其放映主要是为了满足人们在影院欣赏的需要（辅之以电视播映和音像出版物销售）。在后工业美学的视野下，程序员成为科幻电影生产者的中坚，网络商成为科幻电影的传播者，网络粉丝成为科幻电影接受者的骨干。上述格局转变的主要原因是移动互联网络的广泛普及。

---

① 2022 年 2 月 28 日根据腾讯视频的相关数据整理。
② 根据爱奇艺华语科幻电影好评榜整理的。

二、视频化趋势：科幻电影的产品层面

在工业美学的视野下，电影生产的本质是运用机器按照技术标准生产电影产品（在市场经济条件下是电影商品）。在后工业美学的视野下，电影的载体从模拟信号为主向数字信号为主转变，内容从艺术创意为主向信息集成为主转变，形态从文化商品为主向流动 IP 为主转变。电影制作的要旨由运用模拟技术呈现艺术创意、加工作为文化商品的拷贝，发展到运用数字技术实现信息集成，加工作为流动 IP 的视频。上述视频化趋势对科幻电影的产品形态产生了深刻的影响。

（一）非本而本：从模拟技术到数字技术

电影诞生于以模拟技术为主导的时代。无论是胶片记录的视觉信号还是唱片记录的听觉信号，其本质都是模拟信号。在数字化时代到来之前，"拷贝"也许更能够从手段的角度体现电影工业美学的特点。它是对英文 copy 的音译，作为动词指复印、照抄等行为，作为名词指由底片复制出来供放映电影用的胶片。拷贝发行的数量越多，说明电影的销路越好。随着信息化的进展，它作为动词的含义扩展到对音像制品、数据文件的复制，作为名词的含义扩展到复制出来的音像制品和数据文件。

在工业美学的视野下，"拷贝"包含三重含义：就电影机械工业而言，是指按照一定的标准批量化生产相关设备；就电影制片工业而言，是指洗印可在不同影院中放映的多个胶片或者复制录像带、光盘等音像产品；就电影衍生工业的意义而言，是指将影片的核心形象复制在各种纪念品或主题公园之上。相比之下，第二种含义的拷贝在工业美学中最受重视，其泛化产生的影响也最大。郭帆在论及《流浪地球》的拍摄时说："我们参照了很多，包括形状、颜色、质感，最终选择方向是借用了苏联重工业式的美学风格。对于那些形态的建筑物，重工业型的机械结构，当时的一些服装，包括色调，我们在骨子里面是有情感的，至少我看着它不会觉得特别奇怪，大家可以看到影片中的建筑风格基本上就是这种苏联式的，包括我们所有的服装。"①从观念上说，这种风格意义上的复制也是一种拷贝。潜伏在"拷贝"不同说法后面的观念以区分母本和复本为特征，母本在质量、地位上都高于复本。

在后工业美学的视野下，数字信号取代模拟信号成为电影的主要载

---

① 郭帆：《从〈流浪地球〉谈"中国科幻"和电影工业》，《中外企业文化》2019 年第 4 期，第 74—77 页。

体。相关数字技术主要涉及三重应用：在电影机械工业的意义上，指生产各种与数字影片拍摄、传输、放映相适应的各种设备，如近年来崭露头角的 LED 电影放映系统等；在电影制片工业的意义上，指制作可以在不同流媒体平台上播映的数字影片；在电影衍生工业的意义上，指在网络上对数字影片进行再创作。流媒体意义上的电影不是"本本"（没有胶片、录像带或光盘那样可触知的硬载体），却又可以发挥作为影片依据的作用（可以将具备一定时长的特定信息流视为影片）。因此，我们说它是"非本而本"。视频复制属于数码复制，母本和复本在质量上是一样的，二者在地位上的差异也因此被抹平。这对电影本体观是一种解放，因为这调动了人们进行再创造的积极性。正如王小章所说，文化产品的评价尺度不再根据对标准的共同认识，而是生产和消费它们的每个"自我"的主观的判断。①

（二）异能而能：从艺术创意到信息集成

工业美学重视创意经济、创意产品、创意产业、创意阶层等范畴。根据陈旭光的看法，创意产业推崇创新，鼓励个人的创造性，强调知识产权保护；注重文化、知识的创新对于经济的重要作用，尊重消费群体，重视对现代大众传播媒介、新媒体、新技术、新产业的利用，注重产品的包装和营销的手段。如果按所谓"文化创意产业"的标准来衡量，电影正是不折不扣的创意产业，而且是一种核心性创意产业。因为电影的生产从故事创意、剧本策划开始，到资本投资、导演介入剧本、拍摄制作、放映、消费再到后产品开发，都符合文化创意产业的特点。毫无疑问，电影是一种可以带动大量相关产业发展，可以进行"后产品开发"甚至是"全产业链开发"的核心性创意文化产业。作为一种创意文化产业，电影一方面能创造票房即经济价值，另一方面还能创造符号价值或象征价值，即增强国家的文化软实力和文化影响力。②

如果说工业美学是从创意的角度理解电影内容，那么后工业美学则倾向于将电影内容视为信息。早在 1990 年，周斌就阐述了信息论美学与电影批评的关系。他将对影片进行批评时关注的信息区分为 5 种，即社会信息、思想信息、自然信息、艺术信息、模糊信息，认为在对它们进行分析和阐释时要正确把握好以下几种比例关系：①各类信息的新颖度与可理解

---

① 王小章：《丹尼尔·贝尔介入的观念》，浙江大学出版社 2000 年版，第 19—20 页。
② 陈旭光：《新时代中国电影工业观念与"电影工业美学"理论》，《艺术评论》2019 年第 7期，第 7—15 页。

性之间的比例关系；②有效信息和多余信息的比例关系；③各种信息的清晰度与模糊度之间的比例关系。[①]循着上述思路，我们可以将科幻电影的内容视为 6 种信息的集成，除周斌所说的 5 种信息之外，再加上科技信息。如果是商业性科幻电影，还可以再加上商业信息（如植入广告等）。

无论从"创意"还是"信息"的角度看，科幻电影的内容都包含了一定的意义，可以丰富人们对于客观世界的认识，也可以丰富人们主观上的体验。这两个术语有相通之处，因此存在"创意信息""文化创意产业的信息服务平台""从创意的角度分析信息流广告"等说法。不过，它们毕竟有所不同，即创意重在人的主观能动性，信息则泛指一切通信和控制系统中存在的普遍联系。因此，如果将科幻电影的内容理解为创意，那是从人类作品的角度看问题；如果将科幻电影的内容理解为信息，那是从人机共同体的角度看问题，后者为人工智能的介入开拓了空间。

人工智能在本质上不同于作为大脑这种特殊物质之属性的人类智能，但在信号或数据的处理上可以发挥和人类智能类似（甚至远胜于人类智能）的作用，我们因此称之为"异能而能"。早在 20 世纪下半叶，人们就开始利用人工智能编故事，这类程序有米翰（J. R. Meehan）开发的"故事编织"（tale-spin，1977 年）[②]、张伯伦（W. Chamberlain）与伊特（T. Etter）开发的"字符"（racter，1984 年）[③]、莱伯维茨（M. Lebowitz）开发的"宇宙"（universe，1984 年）[④]等。当前，根据吴格尔的分析，人工智能在以下三方面有助于影视剧本创意诞生：基于数据库知识发现的全景式资料提供、基于片库分析和观众分析的重复规避机制、基于片库分析和方案预演的可操作性提升。[⑤]人工智能介入影视剧本写作大致可以分为四个阶段，即伪原创阶段、辅助创作阶段、命题阶段、全自动阶段。[⑥]南方科技大学教师、作家刘洋（物理学博士）已经将相关技术应

① 周斌：《信息论美学与电影批评》，《复旦学报（社会科学版）》1990 年第 6 期，第 66—70 页。

② Meehan J R, "An interactive program that write stories", Proceedings of the 5th International Joint Conferencence on Artificial Intelligent, 1977, pp.91-98.

③ Chamberlain W, Etter T, *The Policeman's Beard is Half-constructed: Computer Prose and Poetry*. New York: Warner Software/Warner Books, 1984.

④ Lebowitz M, "Creating characters in a story-telling universe", *Poetics*, Vol.13, 1984, pp.171-194.

⑤ 吴格尔：《人工智能机器学习对剧本创意的协助功能研究》，《艺术管理（中英文）》2020 年第 2 期，第 61—62 页。

⑥ 刘弢：《人工智能对影视后期制作的介入以及数字剪辑师的研究》，《新媒体与社会（第 22 辑）》，社会科学文献出版社 2018 年版，第 149—158 页。

用于科幻作品的世界观设定，为企业提供咨询。①

（三）无类而类：从文化商品到流动 IP

对于工业美学而言，影片是商品，但不是一般意义上的商品。例如，对于好莱坞著名电影导演卡梅隆来说，电影不仅是商品，更是其关心人类生存境遇、宣扬人类精神的载体。②

后工业美学引导人们从 IP 的角度看待科幻电影。虽然科幻和电影有时都被称为"产业"，但二者仍有本质上的差别。在发生学的意义上，"科幻"属于题材范畴，"电影"属于媒介范畴。在产业化的过程中，科幻主要是依靠共同题材基础将科幻文学、科幻音乐、科幻美术、科幻戏剧、科幻电影、科幻电子游戏等分支联系起来，电影主要是依靠共同媒介基础将真人电影、动画电影、真人/动画电影等分支联系起来。作为合成词组的"科幻电影"兼有题材和媒介双重意义，其美学研究侧重于它作为题材的科幻性，其工业研究侧重于它作为媒介的电影性。作为合成词组的"中国科幻电影"则强调上述二者的结合要体现中国性。

法学意义上的"IP"是 intellectual property（知识产权）的缩写，属于垄断性权利，包括著作权、商标权、专利权等。现今文化产业界所说的大 IP 以知识产权为基础，泛指原创性精神产品的信息形态转化。所谓"科幻 IP"可以定义为以科幻为内容的大 IP。如徐媛所言，科幻 IP 的资本兑现，形成了一个优质内容遵循跨媒介叙事策略，依托各个文化生产子场域进行文本开发，以多元媒介体验促成用户多重消费的全新模式。③具体地说，跨媒介叙事策略包括以下两个方面：①媒介延展，即将故事内核改编为适合在各个文化生产子场域展演的不同类型；②叙事延展，即在故事建构过程中不断增加人物、情节、事件等叙事元素来扩充故事内容。根据欧阳君锜的看法，以科幻作品作为创意开发的核心内容，通过纵向和横向的延伸开发，衍生出一系列包括文学、影视、动漫、游戏等的文化产品和商品，构建出一条在时间、空间维度上都不断延展并相互关联的全产业链条，被称为"科幻 IP 全产业链"。④

---

① 根据笔者 2021 年在南方科技大学担任访问学者时的见闻。关于设定的观念，可参考刘洋的《科幻作品中的设定网络》。
② 姜研：《浅议卡梅隆科幻电影中的女性观》，《电影文学》2018 年第 22 期，第 92—93 页。
③ 徐媛：《场域理论视角下科幻 IP 的跨媒介生产与传播探析》，《出版发行研究》2019 年第 4 期，第 34—36 页。
④ 欧阳君锜：《从全产业链视角分析我国科幻 IP 的开发——以〈流浪地球〉为例》，《今传媒》2020 年第 7 期，第 113—115 页。

　　"科幻"本是电影的一种题材，由于相关影片为市场所看好等，生产者有意识地进行定向拍摄，才打造出了作为类型片的科幻电影。从大 IP 的角度看，科幻产业是艺术创意在各种艺术样态之间流动的世界，电影流通仅仅是上述流动的表现之一。在这个意义上，我们说如今的科幻电影是"无类而类"。它不仅在题材上和其他类型的影片相互融合，而且在样态上和其他体裁相互渗透（"无类"），虽然仍以标签（"类"）的形态存在。试就科幻大 IP 的应用略举数例：①科幻电影相互改编。例如，《凶宅美人头》改编自苏联科幻电影《教授多乌埃尔的遗嘱》（*Zaveshchaniye professora Douelya*，1984）。②科幻小说改编成科幻动画。例如，中、德合拍动画片《环游地球八十天》改编自法国凡尔纳的同名小说。③科幻游戏改编成科幻动画。例如，科幻动画《摩尔庄园：冰世纪》（2011）源于上海淘米网络科技有限公司开发的社区养成类网页游戏《摩尔庄园》（2008）及其续集；"赛尔号大电影系列"是根据上海淘米网络科技有限公司推出的儿童网页游戏改编的同名动画。④科幻漫画改编成科幻动画。例如，《桂宝之爆笑闯宇宙》改编自漫画家阿桂（桂华政）的漫画书《疯了！桂宝》系列，《美少女危机》改编自超人气漫画作者使徒子的漫画《美少女的黎明》，《未来机器城》改编自王尼玛创作的漫画《7723》。⑤科幻小说改编成科幻舞台剧。例如，3D 科幻舞台剧《三体》（2016）根据刘慈欣的同名小说改编。⑥科幻网剧改成科幻电影。例如，电影《天才 J》（2017）改编自优酷 2015 年出品的校园悬疑网络剧。⑦科幻动画改编成科幻电影。例如，科幻片《钢铁飞龙之再见奥特曼》改编自动画连续剧《钢铁飞龙》（50 集，2012），《快递侠》根据咸蛋动画出品的同名动画（二季，19 集，2015—2016）改编。⑧科幻小说改编成科幻网剧。例如，科幻网剧《天意》（2018）改编自钱莉芳的同名小说。

　　郑琨、李维指出，科幻 IP 拥有强大的想象力，它以科技发展为基础，又带动了科技创新；科幻 IP 拥有庞大的粉丝量，它受益于科技普及，进而推动科技推广；科幻 IP 拥有深邃的思辨力，它继承科学的态度，又启发了科技伦理的精神。科幻 IP 与科技创新、科技普及和科技伦理共同引领了新科技浪潮的到来。①祝力新进一步指出，中国科幻产业以"IP 制造"来完成科幻作品的发掘、影视的二次创作和市场商品化流程，实现了科幻的媒体跨界。科幻文学、影视作品的成功案例彰显了科幻产业

---

　　① 郑琨、李维：《新科技浪潮与科幻 IP 重塑》，《齐齐哈尔大学学报（哲学社会科学版）》2020 年第 7 期，第 21—23 页。

链条的消费模式。科幻题材的各类形态模式对拉动经济增长、创造商业利润、传播国家形象、增强经济实力、实现文化对外输出等具有重大意义。[①] 上述见解是富有启发性的。与此同时，科幻电影对科幻 IP 转化进行了反思。例如，我国的《天龙号醒来之返航迷途》有这样的描写：业界不法分子在街头拦住作家，自称是其忠实粉丝，强买其小说的影视改编权，出价 100 元，后又降至 50 元、20 元，说他"敬酒不吃罚酒"，强迫他按手印，最后只给了 10 元。

上文依次分析了后工业美学视野下科幻电影产品观的转变，包括从模拟技术到数字技术、从艺术创意到信息集成、从文化商品到流动 IP 等。大致而言，在工业美学视野下，科幻电影产品主要是体现模拟技术与艺术创意的统一的文化商品；在后工业美学的视野下，科幻电影产品主要是体现数字技术与信息集成之统一的流动 IP。上述转变的影响正随着移动互联网络的普及日益明显地表现出来。

三、共同体建设：科幻电影的运营层面

如果说科幻电影的社会层面以"人"为基点、产品层面以"物"为基点，那么运营层面以"事"为基点，体现了社会层面与产品层面的有机结合。在工业美学的视野下，生产者将电影当成模拟信号来加工，由此致力于建设繁荣影城；影院观众将电影当成艺术创意来欣赏，由此发展出体验经济；发行公司将电影当成文化商品来销售，为此而运用了营销策略。在后工业美学的视野下，生产者将电影作为数字信号来加工，追求的是"低碳环保"（建设人类与自然的共同体）；接受者将电影作为信息集成来参与，由此实现"众乐而乐"（建设粉丝与影片的共同体）；传播者将电影作为流动 IP 来运用，由此实现跨界开发（建设用户与企业的共同体）。

（一）虚拟制作：从繁荣影城到低碳环保

从环境的角度看，工业美学看重的是繁华都市。早在 20 世纪初，未来主义就敏锐地意识到工业革命给社会生活带来的深刻变化（尤其是前所未有的发展速度和影响日增的技术），自觉充当正在崛起的机器大工业的吹鼓手。未来主义的发起人、意大利诗人马里内蒂（F. T. Marinetti）宣告："我们将歌唱因工作、愉悦与骚乱而兴奋的人群，我们将歌唱现代都

---

① 祝力新：《媒体跨界：中国科幻产业的"IP 制造"》，《齐齐哈尔大学学报（哲学社会科学版）》2020 年第 7 期，第 17—20 页。

市中多色彩、多声部的革命潮流，我们将歌唱电子月亮强光照耀下兵工厂和船坞充满生气的狂热，吞噬着烟缕之蛇的贪婪火车站，由青烟曲线悬挂在云端的工厂，宛如巨人健将跨越阳光下如同利刃般闪光的河流的大桥，在地平线上吸气的勇于冒险的汽船，像胸部厚实、以管道为缰、用像巨大钢马之蹄的轮子抓着轨道的火车，富有光泽、螺旋桨在风中如同猎猎旌旗的翱翔机群。"①上文可以说是对工业美学的诗意表述。相比之下，科幻电影是对工业美学的影像表达，以面向未来为特征。正如陈亦子所言，科幻电影对未来城市的描绘中常常出现交通、绿化、活动等多层空间交叠的场景，而高线公园为代表的多层立体设计正是这种未来城市规划构想的雏形。②

　　国内学术界有关后工业美学的论文数量不多，但其中讲到矿山废弃地的改造就有好几篇。例如，唐由海等指出，20 世纪 90 年代之后，众多美学如后工业美学、生态美学等蓬勃发展，逐步实现了美学理论与景观设计的高度结合，废弃地的自然美、历史文化美和艺术美受到重视。德国利用园林展览方式向游览者展示矿山废弃地所蕴含的美学价值，如杜伊斯堡公园等。同时，审美主体的审美需求与感受受到关注，矿山废弃地的改造尊重场地历史文化美学价值，保留了承载人们记忆的历史遗留痕迹，使审美主体的情感得到寄托。③学者在后工业美学背景下探讨了工业水岸转型④、列入工业废弃地再生规划的公园建设⑤、矿山景观修复⑥等问题。刘济姣、李雄认为，"后工业景观的改造是将土地的印记经过设计师的转化重新加入到场地中，以满足当今使用需求的建设。这种设计师的转化过程就是后工业景观改造的艺术化表达，从后工业美学的视角将历史与现在融合"⑦。

---

① Marinetti F T, "The founding and manifesto of futurism", http://www.unknown.nu/futurism/manifesto.html.
② 陈亦子：《多层公共空间在城市高密度地区的应用及研究——以美国高线公园为例》，《设计》2019 年第 9 期，第 154—155 页。
③ 唐由海、李欣娟、王靖雯：《矿山废弃地景观美学价值分析》，《城市建筑》2019 年第 6 期，第 81—83 页。
④ 郭怡妌、金雅萍：《空间再生产视角下的上海黄浦江工业水岸转型研究》，《风景园林》2020 年第 7 期，第 30—35 页。
⑤ 翟艳、高欣欣、段丽：《矿山公园建设经验对金厂峪矿山改造和发展的启迪》，《工业建筑》2017 年第 6 期，第 53—57 页。
⑥ 赵丹、米佳、廖启鹏：《石质景观设计手法在矿区再生设计中的运用》，《设计艺术研究》2017 年第 6 期，第 91—97 页。
⑦ 刘济姣、李雄：《后工业景观改造的艺术化表达——以德国典型公园为例》，《中国城市林业》2018 年第 3 期，第 75—79 页。

曾经为德国鲁尔工业区提供炼钢燃料的大瓦斯槽被改造成展览空间，让访客觉得仿佛步入了科幻电影中的外太空世界。①经过改造的德国关税同盟煤矿也具有类型效果。②北京市将首钢园改造成科幻城的举措，同样是按照上述思路展开的。

就电影制作而言，工业美学是在模拟技术占主导的地位的时代兴起的。无论是拍摄具备历史感、现实感还是未来感的影像，往往都需要建造相应的实体景观。各种拍摄基地就是适应上述需要而诞生的。为了使既有影片描绘的景观获得广泛而持久的传播，人们又致力于建设各类主题公园。所谓"影城"就是对上述拍摄基地与主题公园的统称。影城建设的繁荣是与电影生产的景气相互呼应的。相比之下，后工业美学将电影的虚拟制作列入重要议事日程。虚拟制作以计算机仿真取代实景，使演员的表演和虚拟景观无缝衔接，从而得以有效地降低资源浪费和环境污染，消除某些实体景观在拍摄结束后成为废墟的现象，符合绿色环保的要求，有利于实现人与自然的和谐共生。目前，虚拟制作在业界方兴未艾，显示出巨大的潜力。

（二）内外结合：从体验经济到众乐而乐

在中国，当下电影共同体建设以网生代导演为中坚力量，以体验经济作为产业背景。正如陈旭光、张立娜所言，面对新业态和新语境，新导演们在电影观念和电影实践上的共同特点是遵循某种"工业美学"原则，秉承电影产业观念、类型生产原则，游走于电影工业生产的体制之内，最大程度地平衡电影的"艺术性"和"商业性"、体制性与作者性等关系，追求电影美学效益和经济效益的统一。③国玉霞也认为，技术赋能、网络生产、底层实践的生存背景和切身经验，使网生代的创作呈现出感性思维、用户思维、极致思维，底层书写和身体抗争的特质。在运用网络化思维自觉进行电影工业实践中，他们协调了商业和艺术，工业和美学之间的关系，使电影生产体现出重知觉美感，重体验经济，重快感旨趣的特征，呈现出了"高技术、高情感、高效益"的工业美学追求。④

---

① 康琦、赵鸣：《工业遗产地的景观再生》，《工业建筑》2016 年第 7 期，第 93—96、101 页。
② 杨震宇、李笑寒：《关税同盟煤矿的景观设计——遗落风景的重拾》，《设计》2018 年第 9 期，第 94—95 页。
③ 陈旭光、张立娜：《电影工业美学原则与创作实现》，《电影艺术》2018 年第 1 期，第 99—105 页。
④ 国玉霞：《网生代导演的网络化思维与工业美学追求》，《四川戏剧》2020 年第 4 期，第 11—17 页。

上述新导演又被称为"新力量导演"，主要活动于电影工业生产的体制之内。相比之下，众多电影爱好者活跃在体制之外。白晓晴在抖音平台采集《流浪地球》参与式视频并展开内容分析，将影像文化参与划分为四类：①信息提供，即补充与电影相关的信息，包括预告、花絮、新闻、访谈以及截取的网络上的外国评价等；②频道策略，即为频道增加流量，以吸引受众关注频道的其他内容；③创意耦联，即将电影与其他的技术、场景、艺术形式相融合，给予受众全新的创意体验，包括用电影中出现的特效来制作其他场景、在现实场景模仿电影桥段以及电影与某一段歌曲的匹配播放；④内容建构，指从逻辑、现实、细节等方面分析电影中的剧情设计。她认为，当前我国短视频平台的电影文化参与呈现出了三种特征，即科幻崛起的集体狂欢（对《流浪地球》的整体态度表现为大规模的激动与自豪），高度顺应的赞美风潮（影评基调主要是正面评价，且都是符合官方媒体评价的观点和态度），置于幻象的权力博弈（视频的曝光度掌控在短视频平台手中）。①如果说体制之内新力量导演的活动主要体现了工业美学精神，那么体制之外电影爱好者的参与则体现了后工业美学"众声喧哗""众乐而乐"的特点。虽然相关短视频的手法有别，但其作者都是经过平台的算法筛选或人工审核合格才能发声。因此，虽然它们出自体制之外业余爱好者之手，但仍然是依附于体制之内而存在。这恰好说明，在某种意义上，后工业美学是工业美学在新的历史条件下的发展，并非完全彻底的离经叛道。科幻电影的爱好者对作为信息集成的电影做出贡献，有利于建设粉丝与影片的共同体，开创"众乐而乐"的新局面。

（三）立体共享：从营销策略到跨界开发

工业美学看重电影的商业属性，将营销策略当成电影工业研究的题中应有之义。例如，刘炜认为，电影营销是电影工业的重要环节，是保证电影投入产出平衡以及盈利的关键。作为电影工业化范本的好莱坞，营销是其全球化策略中的重要一环，串联了电影生产的全程，为各国电影工业的建设提供了良好的经验借鉴。②很多学者从营销策略的角度分析了我国科幻电影《流浪地球》的成功经验，例如，李秀慧指出，《流浪地球》作为中国首部科幻巨制影片，产生了巨大的市场收益，以春节票房 20.11 亿，

---

① 白晓晴：《短视频平台中科幻电影的文化参与机制研究》，《当代电影》2021 年第 1 期，第 154—159 页。

② 刘炜：《镜照与反思——从好莱坞电影营销策略反思中国电影工业化》，《现代视听》2019 年第 4 期，第 12—17 页。

总票房 46.55 亿，成为 2019 年春节票房冠军、华语电影票房榜亚军，其中电影市场营销策略起到了关键的作用。[①]巩汉曾对该片的具体做法做了如下介绍：在电影上映前，导演个人微博和官方微博就在和粉丝积极互动，上传了导演和刘慈欣一起"手推地球"的视频还转发了导演斯皮尔伯格对影片的赞赏，引发关注。又通过三轮路演为电影造势，第一轮路演选择在高校中展开，让学生群体成为观影主力。在电影上映后，随着口碑的崛起，制造了一系列热门话题，如吴京投资 6000 万，流浪地球造句大赛等。随着影片的持续发酵，自来水效应形成，搞笑博主"毒角 show"在视频中自愿向美国市民推荐中国科幻片。一些网络漫画家也在微博晒出自己所画的海报，赢得疯狂转发和导演的夸赞。[②]

熊菁菁认为，好莱坞科幻电影多是一种以市场为导向的"高概念"电影类型，"整合营销"的理念贯穿科幻电影产业链的全过程。它亦综合运用多种营销手段，比如品牌营销和口碑营销、网络营销与病毒营销、跨界/跨平台营销和植入广告，后产业链延伸与全球市场推广等来宣传影片信息，直击目标受众。[③]从工业美学的角度看，上述经验确实是值得借鉴的。然而，从后工业美学的角度看，已经有更值得重视的做法出现，这就是以腾讯为代表的跨界开发。正如向勇、白晓晴指出的，创意生态平台是互联网平台经济与文化创意产业相结合的一种新的经济形态。在创意生态平台中，腾讯通过在内容层、渠道层和用户层搭建子平台群，将众多创意个体和文化企业吸纳进庞大的内容生产场域，构建了一套具有共享性、开放性、准公共性的互联网文化产业生态系统。创意生态平台围绕明星 IP 进行内容的生产、加工和营销，其中不同类型的创意内容（UGC、PGC 和 EGC）源源不断地生长出来，并在平台的连接和整合作用下实现文化价值与经济价值的全面开发。[④]腾讯互娱对内容端进行了高度整合与合理管控，原创内容在其整个生态层中饱经自我净化，优质资源在层层竞争中脱颖而出，成为跨界开发的对象，系列文化产品在不同的部门中被生产出来，又进入渠道层的子平台群中，传播给用户。最后，在用户层，腾讯旗

① 李秀慧：《基于 4P 理论分析电影市场营销策略——以电影〈流浪地球〉为例》，《新闻研究导刊》2021 年第 2 期，第 162—163 页。
② 巩汉曾：《从〈流浪地球〉看中国科幻电影的制作与营销》，《传播力研究》2019 年第 7 期，第 66 页。
③ 熊菁菁：《新世纪好莱坞科幻电影的营销手段简析》，《当代电影》2016 年第 6 期，第 172—175 页。
④ 向勇、白晓晴：《互联网文化生态的产业逻辑与平台运营研究：以腾讯互娱事业群为例》，《北京电影学院学报》2017 年第 1 期，第 28—35 页。

下的微信、QQ 等社交平台突破了原来的交友、分享等功能，为用户提供了一个反馈和发酵的话语场域，腾讯在自己的平台上更便于收集用户的大数据信息，促进了内容创作和筛选的优化。

在电影史上，20 世纪上半叶，好莱坞曾有过八大电影制片企业并立的格局，但除迪士尼自身发展为跨界企业之外，其余 7 家在 20 世纪下半叶陆续为娱乐/传媒集团（如维亚康姆、索尼、美国通用电气等）并购。如今，以 FAANG①为代表的新型科技企业从不同角度介入电影领域，其中以流媒体视频服务巨头奈飞的表现最为抢眼。2021 年 5 月，在线零售巨头亚马逊宣布将收购米高梅电影公司。这无疑释放出好莱坞电影业进一步涉足跨界开发潮流的信号。我国也有类似的情况。2014 年 6 月 15 日，在上海电影节召开的主题论坛上，北京保利博纳电影发行有限公司总裁于冬预言："电影公司未来都将给 BAT 打工。"②由此看来，世界电影业都在经历深刻的转型。电影不再只是电影，而是在不同渠道上流动的信息；电影界不再只是电影界，而是通过融媒体维系的跨界共同体。向勇从"后'电影工业美学'"的角度对美国迪士尼主宰的新好莱坞电影制片模式、中国腾讯开创的新文创电影制片模式加以比较。他认为，迪士尼生态是一种百年老店的巨兽型的复合体，搭建了一种强连接的内部生态，通过横向兼并和垂直兼并的资本并购，以具有超级影响力的电影 IP 为制片管理的核心，控制全球创意资源和资金资源，实现电影产业的全产业价值链的生态效应。腾讯生态是在"互联网+"技术语境下构建的一种立体共享型生态平台，是一种虚拟型的群结体，通过"连接"+"内容"的互联网创新，将社群平台、传播平台和内容平台整合为一个协同共生的生态圈，打通用户、渠道和传播之间的壁垒，通过大平台连接中平台、小平台和微平台，实现互联网上的公共文化资源向电影文创产品的有机转化。③上述分析表明，美国迪士尼主宰的新好莱坞电影制片模式采取的是工业美学的思路，中国腾讯开创的新文创电影制片模式采取的则是后工业美学的思路，通过跨界开发建设用户与企业的共同体。

上文分析表明，在科幻电影的运营层面，工业美学重视的是从占有资

---

① FAANG 是华尔街对目前市场上公开交易的五大技术巨头的统称。它们包括社交网络巨头脸书（Facebook）、苹果（Apple）、在线零售巨头亚马逊（Amazon）、流媒体视频服务巨头奈飞（Netflix）和谷歌（Google）。

② 虎嗅网：《于冬：未来的电影公司都将为 BAT 打工》，2014 年 6 月 16 日，http://www.huxiu.com/article/35671.html。

③ 向勇：《后"电影工业美学"：中国电影新时代的概念性图式》，《艺术评论》2019 年第 7 期，第 16—24 页。

源出发，运用营销策略，立足繁荣影城，发展体验经济；后工业美学重视的是瞩目网络共享，进行跨界开发，坚持低碳环保，实现众乐而乐。它们虽然因为历史条件的变化而呈现出不同旨趣，但仍有相通之处。例如，跨界开发是更高层次的营销策略，低碳环保是为了保证更好地建设繁荣影城，众乐而乐才能使体验经济吻合人民群众精神生活的需要，等等。说到底，它们都是为建构符合时代需要的电影共同体服务的。后工业美学是以新媒体革命为背景发展起来的。这场革命最显著的成果之一是通过网络互联打造全球信息基础设施，既为思想交流提供了前所未有的新平台，也为人类合作共赢提供了新机遇。2011 年，《中国的和平发展》白皮书提出，要以"命运共同体"的新视角，寻求人类共同利益和共同价值的新内涵。2017 年，习近平主席在联合国日内瓦总部发表主题演讲，倡导"共同构建人类命运共同体"的目标。① 以此为指南，饶曙光在电影界提倡"共同体美学"，试图从叙事层面、产业层面、传播层面等多路径探索中国电影语言和理论如何实现"再现代化"。② 上述观点对于建设科幻电影理论具有启发意义。

以上围绕新格局塑造、视频化趋势、共同体建设三个议题，阐述了工业美学、后工业美学两种视野下科幻电影在社会层面、产品层面、运营层面的异同。陈犀禾指出，从中国电影理论的历史看，从文化功能和社会作用入手对电影进行界定并由此论证电影性质的"本体论"是一个非常的重要传统。国家理论的核心原则是，把电影功能和国家利益紧密相连。③ 吴福仲等认为，科幻文化是全球文化产业的一个重要类型，已经展现出巨大的商业价值和强大的社会功能。科幻文化的社会功能绝非止于单一品类的文化产品，而是在科技预言、社会批判与产业激活三个层面发挥着重要作用；从现实的全球格局来看，当前的科幻文化生产被西方世界垄断，创造力、传播力与影响力的失衡直接引致西方世界的"幻想垄断"。从现实意义来看，中国参与全球科幻文化生产将推动科技创新、重塑核心价值，并为人类共同面对的未来议题提供"中国方案"。因此，中国进一步激活科幻文化生产具有充分的重要性、紧迫性与必要性。沿此逻辑，他们提出了"未来定义权"的概念框架，用以分析参与科幻文化生产的重要意义、权

① 人民网：《习近平主席在联合国日内瓦总部的演讲（全文）》，2022 年 3 月 17 日，http://jhsjk.people.cn/article/29034230。
② 饶曙光：《观察与阐释："共同体美学"的理念、路径与价值》，《艺术评论》2021 年第 3 期，第 24—33 页。
③ 陈犀禾：《国家理论视野下的电影本体论》，《电影艺术》2015 年第 3 期，第 19—22 页。

力逻辑与现实指向。①对于我国而言，工业美学、后工业美学实际上代表了中国参与全球科幻文化生产的两种不同思路，一种是对标新好莱坞，以发展具有"重工业"特点的大片为重点；另一种是立足新媒体，以发展具有信息业特点的视频为重点。前者风险较大，若成功的话，可以实现具有震撼力的突破；后者风险较小，若推广的话，可以有效地促进创意创新创业的发展。协调二者之间的关系，使它们相辅相成，是繁荣我国科幻电影的关键。

---

① 吴福仲、张铮、林天强：《谁在定义未来——被垄断的科幻文化与"未来定义权"的提出》，《南京社会科学》2020 年第 2 期，第 142—149 页。

后　记

在本书探讨的科幻电影美学中，"流衍宇宙"首先是指科幻创意通过工业化制造出强大的意义链，因此开阔人们的眼界，甚至相信真的存在各种相对于现实世界而言的另类世界。它凭借电影技术栩栩如生地展现在屏幕上，被 20 世纪初的观众当成新奇的"西洋镜"。他们当中的有识之士认识到了科幻电影的巨大潜力，开始试制。1925 年，开心影业公司出品了滑稽片《隐身衣》，揭开了科幻电影中国化的序幕。近百年来，中国科幻电影已经积累了宝贵的创作经验，值得加以总结。

在科幻电影美学中，所谓"流衍宇宙"又是指科幻创意不仅依赖工业化、让人们通过所能运用的各种最新技术营造有别于现实世界的虚拟世界，而且对工业化本身加以反思。固然，世界上没有多少专门为科幻电影生产和流通打造的工业部门、工业技术或工业组织，因此也很难将"科幻电影工业"当成学术范畴来加以探讨。不过，科幻电影确实在某种意义上成为工业化最亮丽、最炫目的成果，当它们通过巨型屏幕、环绕立体声、互动装置来展示极限想象的时候。不过，科幻电影同时又作为"黑镜"，在危机叙事的意义上对工业本身加以映射，显示出超越工业化束缚的追求。

当人们的耳目囿于日常环境的时候，想象力即使有翅膀也飞不了多远。科幻电影一方面将美学范畴和命题置于虚构情景下加以阐发，另一方面将解放想象力当成自己的使命，其发展随着科技的发展呈现出水涨船高的趋势。它既将现实生活中的美陌生化，又使观众得以了解各种虚拟的、未来的美，同时还让观众确信只要科技发展到更高的程度，这些虚拟的、未来的美就会现实化。

　　"流衍宇宙"与"宇宙流衍"相辅相成，都是动态的概念。前者本义是指作为"道"之譬喻的水与世常存，无处不在；后者本义是指大千世界生生不息、与时俱进。科幻电影本身也是动态的，这不仅是指它们作为产品展示音像流，也不仅是指它们作为流媒体在网上传播，而是指它们在宏观上作为过程集合体而存在。

　　本书对科幻电影的中国性、工业性和美学性问题的探讨仅仅是初步的，与其说是终点还不如说是起点，对其的认识将随着今后笔者进行的调查研究而深化。谨以此向读者求教。

黄鸣奋

2021 年 9 月 28 日